BESTSELLER

THE PICTURE OF DORIAN GRAY

Oscar Wilde

ПОРТРЕТ ДОРИАНА ГРЕЯ

Оскар Уайльд

Москва
2019

The preface

The artist is the creator of beautiful things. To reveal art and conceal the artist is art's aim.

The critic is he who can translate into another manner or a new material his impression of beautiful things.

The highest as the lowest form of criticism is a mode of autobiography.

Those who find ugly meanings in beautiful things are corrupt without being charming. This is a fault.

Those who find beautiful meanings in beautiful things are the cultivated. For these there is hope. They are the elect to whom beautiful things mean only beauty.

There is no such thing as a moral or an immoral book. Books are well written, or badly written. That is all.

The nineteenth century dislike of realism is the rage of Caliban seeing his own face in a glass.

The nineteenth century dislike of romanticism is the rage of Caliban not seeing his own face in a glass.

The moral life of man forms part of the subject-matter of the artist, but the morality of art consists in the perfect use of an imperfect medium.

Предисловие

Xудожник — тот, кто создает прекрасное. Раскрыть людям себя и скрыть художника — вот к чему стремится искусство.

Критик — это тот, кто способен в новой форме или новыми средствами передать свое впечатление от прекрасного.

Высшая, как и низшая, форма критики — один из видов автобиографии.

Те, кто в прекрасном находят дурное, — люди испорченные, и притом испорченность не делает их привлекательными. Это большой грех.

Те, кто способен узреть в прекрасном его высокий смысл, — люди культурные. Они не безнадежны. Но избранник — тот, кто в прекрасном видит лишь одно: Красоту.

Нет книг нравственных или безнравственных. Есть книги хорошо написанные или написанные плохо. Вот и все.

Ненависть девятнадцатого века к Реализму — это ярость Калибана, увидевшего себя в зеркале.

Ненависть девятнадцатого века к Романтизму — это ярость Калибана, не находящего в зеркале своего отражения.

Для художника нравственная жизнь человека — лишь одна из тем его творчества. Этика же искусства — в совершенном применении несовершенных средств.

No artist desires to prove anything. Even things that are true can be proved.

No artist has ethical sympathies. An ethical sympathy in an artist is an unpardonable mannerism of style.

No artist is ever morbid. The artist can express everything.

Thought and language are to the artist instruments of an art. Vice and virtue are to the artist materials for an art. From the point of view of form, the type of all the arts is the art of the musician. From the point of view of feeling, the actor's craft is the type.

All art is at once surface and symbol. Those who go beneath the surface do so at their peril.

Those who read the symbol do so at their peril. It is the spectator, and not life, that art really mirrors. Diversity of opinion about a work of art shows that the work is new, complex, and vital.

When critics disagree, the artist is in accord with himself.

We can forgive a man for making a useful thing as long as he does not admire it. The only excuse for making a useless thing is that one admires it intensely.

All art is quite useless.

Oscar Wilde

Художник не стремится что-то доказывать. Доказать можно даже неоспоримые истины.

Художник не моралист. Подобная склонность художника дает непростительную манерность стиля.

Не приписывайте художнику нездоровых тенденций: ему дозволено изображать все.

Мысль и Слово для художника — средства Искусства. Порок и Добродетель — материал для его творчества. Если говорить о форме — прообразом всех искусств является искусство музыканта. Если говорить о чувстве — искусство актера.

Во всяком искусстве есть то, что лежит на поверхности, и символ. Кто пытается проникнуть глубже поверхности, тот идет на риск.

И кто раскрывает символ, идет на риск. В сущности, Искусство — зеркало, отражающее того, кто в него смотрится, а вовсе не жизнь. Если произведение искусства вызывает споры, — значит, в нем есть нечто новое, сложное и значительное.

Пусть критики расходятся во мнениях, — художник остается верен себе.

Можно простить человеку, который делает нечто полезное, если только он этим не восторгается. Тому же, кто создает бесполезное, единственным оправданием служит лишь страстная любовь к своему творению.

Всякое искусство совершенно бесполезно.

Оскар Уайльд

Chapter I

The studio was filled with the rich odour of roses, and when the light summer wind stirred amidst the trees of the garden, there came through the open door the heavy scent of the lilac, or the more delicate perfume of the pink-flowering thorn.

From the corner of the divan of Persian saddle-bags on which he was lying, smoking, as was his custom, innumerable cigarettes, Lord Henry Wotton could just catch the gleam of the honey-sweet and honey-coloured blossoms of a laburnum, whose tremulous branches seemed hardly able to bear the burden of a beauty so flamelike as theirs; and now and then the fantastic shadows of birds in flight flitted across the long tussore-silk curtains that were stretched in front of the huge window, producing a kind of momentary Japanese effect, and making him think of those pallid, jade-faced painters of Tokyo who, through the medium of an art that is necessarily immobile, seek to convey the sense of swiftness and motion. The sullen murmur of the bees shouldering their way through the long unmown grass, or circling with monotonous insistence round the dusty gilt horns of the straggling woodbine, seemed to make the stillness

Глава I

Густой аромат роз наполнял мастерскую художника, а когда в саду поднимался летний ветерок, он, влетая в открытую дверь, приносил с собой то пьянящий запах сирени, то нежное благоухание алых цветов боярышника.

С покрытого персидскими чепраками дивана, на котором лежал лорд Генри Уоттон, куря, как всегда, одну за другой бесчисленные папиросы, был виден только куст ракитника — его золотые и душистые, как мед, цветы жарко пылали на солнце, а трепещущие ветви, казалось, едва выдерживали тяжесть этого сверкающего великолепия; по временам на длинных шелковых занавесях громадного окна мелькали причудливые тени пролетавших мимо птиц, создавая на миг подобие японских рисунков, — и тогда лорд Генри думал о желтолицых художниках далекого Токио, стремившихся передать движение и порыв средствами искусства, по природе своей статичного. Сердитое жужжание пчел, пробиравшихся в нескошенной высокой траве или однообразно и настойчиво круживших над осыпанной золотой пылью кудрявой жимолостью, казалось, делало тишину еще более гнетущей. Глу-

more oppressive. The dim roar of London was like the bourdon note of a distant organ.

In the centre of the room, clamped to an upright easel, stood the full-length portrait of a young man of extraordinary personal beauty, and in front of it, some little distance away, was sitting the artist himself, Basil Hallward, whose sudden disappearance some years ago caused, at the time, such public excitement and gave rise to so many strange conjectures.

As the painter looked at the gracious and comely form he had so skilfully mirrored in his art, a smile of pleasure passed across his face, and seemed about to linger there. But he suddenly started up, and closing his eyes, placed his fingers upon the lids, as though he sought to imprison within his brain some curious dream from which he feared he might awake.

"It is your best work, Basil, the best thing you have ever done," said Lord Henry languidly. "You must certainly send it next year to the Grosvenor. The Academy is too large and too vulgar. Whenever I have gone there, there have been either so many people that I have not been able to see the pictures, which was dreadful, or so many pictures that I have not been able to see the people, which was worse. The Grosvenor is really the only place."

"I don't think I shall send it anywhere," he answered, tossing his head back in that odd way that used to make his friends laugh at him at Oxford. "No, I won't send it anywhere."

хой шум Лондона доносился сюда, как гудение далекого органа.

Посреди комнаты стоял на мольберте портрет молодого человека необыкновенной красоты, а перед мольбертом, немного поодаль, сидел и художник, тот самый Бэзил Холлуорд, чье внезапное исчезновение несколько лет назад так взволновало лондонское общество и вызвало столько самых фантастических предположений.

Художник смотрел на прекрасного юношу, с таким искусством отображенного им на портрете, и довольная улыбка не сходила с его лица. Но вдруг он вскочил и, закрыв глаза, прижал пальцы к векам, словно желая удержать в памяти какой-то удивительный сон и боясь проснуться.

— Это лучшая твоя работа, Бэзил, лучшее из всего того, что тобой написано, — лениво промолвил лорд Генри. — Непременно надо в будущем году послать ее на выставку в Гровенор. В Академию не стоит. Академия слишком обширна и общедоступна. Когда ни придешь, встречаешь там столько людей, что не видишь картин, или столько картин, что не удается людей посмотреть. Первое очень неприятно, второе еще хуже. Нет, единственное подходящее место — это Гровенор.

— А я вообще не собираюсь выставлять этот портрет, — отозвался художник, откинув голову, по своей характерной привычке, над которой, бывало, подтрунивали его товарищи в Оксфордском университете. — Нет, никуда я его не пошлю.

Lord Henry elevated his eyebrows and looked at him in amazement through the thin blue wreaths of smoke that curled up in such fanciful whorls from his heavy, opium-tainted cigarette.

"Not send it anywhere? My dear fellow, why? Have you any reason? What odd chaps you painters are! You do anything in the world to gain a reputation. As soon as you have one, you seem to want to throw it away. It is silly of you, for there is only one thing in the world worse than being talked about, and that is not being talked about. A portrait like this would set you far above all the young men in England, and make the old men quite jealous, if old men are ever capable of any emotion."

"I know you will laugh at me," he replied, "but I really can't exhibit it. I have put too much of my-self into it."

Lord Henry stretched himself out on the divan and laughed.

"Yes, I knew you would; but it is quite true, all the same."

"Too much of yourself in it! Upon my word, Basil, I didn't know you were so vain; and I really can't see any resemblance between you, with your rugged strong face and your coal-black hair, and this young Adonis, who looks as if he was made out of ivory and rose-leaves. Why, my dear Basil, he is a Narcissus, and you — well, of course you have an intellectual expression and all that. But beauty, real beauty, ends where an intellectual expression begins. Intellect is

Удивленно подняв брови, лорд Генри посмотрел на Бэзила сквозь голубой дым, причудливыми кольцами поднимавшийся от его пропитанной опиумом папиросы.

— Никуда не пошлешь? Это почему же? По какой такой причине, мой милый? Чудаки, право, эти художники! Из кожи лезут, чтобы добиться известности, а когда слава приходит, они как будто тяготятся ею. Как это глупо! Если неприятно, когда о тебе много говорят, то еще хуже, когда о тебе совсем не говорят. Этот портрет вознес бы тебя, Бэзил, много выше всех молодых художников Англии, а старым внушил бы сильную зависть, если старики вообще еще способны испытывать какие-либо чувства.

— Знаю, ты будешь надо мною смеяться, — возразил художник, — но я, право, не могу выставить напоказ этот портрет... Я вложил в него слишком много самого себя.

Лорд Генри расхохотался, поудобнее устраиваясь на диване.

— Ну вот, я так и знал, что тебе это покажется смешным. Тем не менее это истинная правда.

— Слишком много самого себя? Ей-богу, Бэзил, я не подозревал в тебе такого самомнения. Не вижу ни малейшего сходства между тобой, мой черноволосый, суроволицый друг, и этим юным Адонисом, словно созданным из слоновой кости и розовых лепестков. Пойми, Бэзил, он — Нарцисс, а ты... Ну, конечно, лицо у тебя одухотворенное и все такое. Но красота, подлинная красота, исчезает там, где появляется одухотворенность. Высоко развитый интел-

Оскар Уайльд

in itself a mode of exaggeration, and destroys the harmony of any face. The moment one sits down to think, one becomes all nose, or all forehead, or something horrid. Look at the successful men in any of the learned professions. How perfectly hideous they are! Except, of course, in the Church. But then in the Church they don't think. A bishop keeps on saying at the age of eighty what he was told to say when he was a boy of eighteen, and as a natural consequence he always looks absolutely delightful. Your mysterious young friend, whose name you have never told me, but whose picture really fascinates me, never thinks. I feel quite sure of that. He is some brainless beautiful creature who should be always here in winter when we have no flowers to look at, and always here in summer when we want something to chill our intelligence. Don't flatter yourself, Basil: you are not in the least like him."

"You don't understand me, Harry," answered the artist. "Of course I am not like him. I know that perfectly well. Indeed, I should be sorry to look like him. You shrug your shoulders? I am telling you the truth. There is a fatality about all physical and intellectual distinction, the sort of fatality that seems to dog through history the faltering steps of kings. It is better not to be different from one's fellows. The ugly and the stupid have the best of it in this world. They can sit at their ease and gape at the play. If they

лект уже сам по себе некоторая аномалия, он нарушает гармонию лица. Как только человек начнет мыслить, у него непропорционально вытягивается нос, или увеличивается лоб, или что-нибудь другое портит его лицо. Посмотри на выдающихся деятелей любой ученой профессии — как они уродливы! Исключение составляют, конечно, наши духовные пастыри, — но эти ведь не утруждают своих мозгов. Епископ в восемьдесят лет продолжает твердить то, что ему внушали, когда он был восемнадцатилетним юнцом, — естественно, что лицо его сохраняет красоту и благообразие. Судя по портрету, твой таинственный молодой приятель, чье имя ты упорно не хочешь назвать, очарователен, — значит, он никогда ни о чем не думает. Я в этом совершенно убежден. Наверное, он — безмозглое и прелестное божье создание, которое нам следовало бы всегда иметь перед собой: зимой, когда нет цветов, — чтобы радовать глаза, а летом — чтобы освежать разгоряченный мозг. Нет, Бэзил, не льсти себе: ты ничуть на него не похож.

— Ты меня не понял, Гарри, — сказал художник. — Разумеется, между мною и этим мальчиком нет никакого сходства. Я это отлично знаю. Да я бы и не хотел быть таким, как он. Ты пожимаешь плечами, не веришь? А между тем я говорю вполне искренне. В судьбе людей, физически или духовно совершенных, есть что-то роковое — точно такой же рок на протяжении всей истории как будто направлял неверные шаги королей. Гораздо безопаснее ничем не отличаться от других. В этом мире всегда

know nothing of victory, they are at least spared the knowledge of defeat. They live as we all should live — undisturbed, indifferent, and without disquiet. They neither bring ruin upon others, nor ever receive it from alien hands. Your rank and wealth, Harry; my brains, such as they are — my art, whatever it may be worth; Dorian Gray's good looks — we shall all suffer for what the gods have given us, suffer terribly."

"Dorian Gray? Is that his name?" asked Lord Henry, walking across the studio towards Basil Hallward.

"Yes, that is his name. I didn't intend to tell it to you."

"But why not?"

"Oh, I can't explain. When I like people immensely, I never tell their names to any one. It is like surrendering a part of them. I have grown to love secrecy. It seems to be the one thing that can make modern life mysterious or marvellous to us. The commonest thing is delightful if one only hides it. When I leave town now I never tell my people where I am going. If I did, I would lose all my pleasure. It is a silly habit, I dare say, but somehow it seems to bring a great deal of romance into one's life. I suppose you think me awfully foolish about it?"

остаются в барыше глупцы и уроды. Они могут сидеть спокойно и смотреть на борьбу других. Им не дано узнать торжество побед, но зато они избавлены от горечи поражений. Они живут так, как следовало бы жить всем нам, — без всяких треволнений, безмятежно, ко всему равнодушные. Они никого не губят и сами не гибнут от вражеской руки... Ты знатен и богат, Гарри, у меня есть интеллект и талант, как бы он ни был мал, у Дориана Грея — его красота. И за все эти дары богов мы расплатимся когда-нибудь, заплатим тяжкими страданиями.

— Дориана Грея? Ага, значит, вот как его зовут? — спросил лорд Генри, подходя к Холлуорду.

— Да. Я не хотел называть его имя...

— Но почему же?

— Как тебе объяснить... Когда я очень люблю кого-нибудь, я никогда никому не называю его имени. Это все равно что отдать другим какую-то частицу дорогого тебе человека. И знаешь — я стал скрытен, мне нравится иметь от людей тайны. Это, пожалуй, единственное, что может сделать для нас современную жизнь увлекательной и загадочной. Самая обыкновенная безделица приобретает удивительный интерес, как только начинаешь скрывать ее от людей. Уезжая из Лондона, я теперь никогда не говорю своим родственникам, куда еду. Скажи я им — и все удовольствие пропадет. Это смешная прихоть, согласен, но она каким-то образом вносит в мою жизнь изрядную долю романтики. Ты, конечно, скажешь, что это ужасно глупо?

"Not at all," answered Lord Henry, "not at all, my dear Basil. You seem to forget that I am married, and the one charm of marriage is that it makes a life of deception absolutely necessary for both parties. I never know where my wife is, and my wife never knows what I am doing. When we meet — we do meet occasionally, when we dine out together, or go down to the Duke's — we tell each other the most absurd stories with the most serious faces. My wife is very good at it — much better, in fact, than I am. She never gets confused over her dates, and I always do. But when she does find me out, she makes no row at all. I sometimes wish she would; but she merely laughs at me."

"I hate the way you talk about your married life, Harry," said Basil Hallward, strolling towards the door that led into the garden. "I believe that you are really a very good husband, but that you are thoroughly ashamed of your own virtues. You are an extraordinary fellow. You never say a moral thing, and you never do a wrong thing. Your cynicism is simply a pose."

"Being natural is simply a pose, and the most irritating pose I know," cried Lord Henry, laughing; and the two young men went out into the garden together and ensconced themselves on a long bamboo seat that stood in the shade of a tall laurel bush. The sunlight slipped over the polished leaves. In the grass, white daisies were tremulous.

— Нисколько, — возразил лорд Генри. — Нисколько, дорогой Бэзил! Ты забываешь, что я человек женатый, а в том и состоит единственная прелесть брака, что обеим сторонам неизбежно приходится изощряться во лжи. Я никогда не знаю, где моя жена, и моя жена не знает, чем занят я. При встречах, — а мы с ней иногда встречаемся, когда вместе обедаем в гостях или бываем с визитом у герцога, — мы с самым серьезным видом рассказываем друг другу всякие небылицы. Жена делает это гораздо лучше, чем я. Она никогда не запутается, а со мной это бывает постоянно. Впрочем, если ей случается меня уличить, она не сердится и не устраивает сцен. Иной раз мне это даже досадно. Но она только подшучивает надо мной.

— Терпеть не могу, когда ты в таком тоне говоришь о своей семейной жизни, Гарри, — сказал Бэзил Холлуорд, подходя к двери в сад. — Я уверен, что на самом деле ты прекрасный муж, но стыдишься своей добродетели. Удивительный ты человек! Никогда не говоришь ничего нравственного — и никогда не делаешь ничего безнравственного. Твой цинизм — только поза.

— Знаю, что быть естественным — это поза, и самая ненавистная людям поза! — воскликнул лорд Генри со смехом. Молодые люди вышли в сад и уселись на бамбуковой скамье в тени высокого лаврового куста. Солнечные зайчики скользили по его блестящим, словно лакированным листьям. В траве тихонько покачивались белые маргаритки.

After a pause, Lord Henry pulled out his watch.

"I am afraid I must be going, Basil," he murmured, "and before I go, I insist on your answering a question I put to you some time ago."

"What is that?" said the painter, keeping his eyes fixed on the ground.

"You know quite well."

"I do not, Harry."

"Well, I will tell you what it is. I want you to explain to me why you won't exhibit Dorian Gray's picture. I want the real reason."

"I told you the real reason."

"No, you did not. You said it was because there was too much of yourself in it. Now, that is childish."

"Harry," said Basil Hallward, looking him straight in the face, "every portrait that is painted with feeling is a portrait of the artist, not of the sitter. The sitter is merely the accident, the occasion. It is not he who is revealed by the painter; it is rather the painter who, on the coloured canvas, reveals himself. The reason I will not exhibit this picture is that I am afraid that I have shown in it the secret of my own soul."

Lord Henry laughed.

"And what is that?" he asked.

"I will tell you," said Hallward; but an expression of perplexity came over his face.

"I am all expectation, Basil," continued his companion, glancing at him.

"Oh, there is really very little to tell, Harry," answered the painter; "and I am afraid you will hardly understand it. Perhaps you will hardly believe it."

Некоторое время хозяин и гость сидели молча. Потом лорд Генри посмотрел на часы.

— Ну, к сожалению, мне пора, Бэзил, — сказал он. — Но раньше чем я уйду, ты должен ответить мне на вопрос, который я задал тебе.

— Какой вопрос? — спросил художник, не поднимая глаз.

— Ты отлично знаешь какой.

— Нет, Гарри, не знаю.

— Хорошо, я тебе напомню. Объясни, пожалуйста, почему ты решил не посылать на выставку портрет Дориана Грея. Я хочу знать правду.

— Я и сказал тебе правду.

— Нет. Ты сказал, что в этом портрете слишком много тебя самого. Но ведь это же ребячество!

— Пойми, Гарри. — Холлуорд посмотрел в глаза лорду Генри. — Всякий портрет, написанный с любовью, — это, в сущности, портрет самого художника, а не того, кто ему позировал. Не его, а самого себя раскрывает на полотне художник. И я боюсь, что портрет выдаст тайну моей души. Потому и не хочу его выставлять.

Лорд Генри расхохотался.

— И что же это за тайна? — спросил он.

— Так и быть, расскажу тебе, — начал Холлуорд как-то смущенно.

— Ну-с? Я сгораю от нетерпения, Бэзил, — настаивал лорд Генри, поглядывая на него.

— Да говорить-то тут почти нечего, Гарри... И вряд ли ты меня поймешь. Пожалуй, даже не поверишь.

Lord Henry smiled, and leaning down, plucked a pink-petalled daisy from the grass and examined it.

"I am quite sure I shall understand it," he replied, gazing intently at the little golden, white-feathered disk, "and as for believing things, I can believe anything, provided that it is quite incredible."

The wind shook some blossoms from the trees, and the heavy lilac-blooms, with their clustering stars, moved to and fro in the languid air. A grasshopper began to chirrup by the wall, and like a blue thread a long thin dragon-fly floated past on its brown gauze wings. Lord Henry felt as if he could hear Basil Hallward's heart beating, and wondered what was coming.

"The story is simply this," said the painter after some time. "Two months ago I went to a crush at Lady Brandon's. You know we poor artists have to show ourselves in society from time to time, just to remind the public that we are not savages. With an evening coat and a white tie, as you told me once, anybody, even a stock-broker, can gain a reputation for being civilized. Well, after I had been in the room about ten minutes, talking to huge overdressed dowagers and tedious academicians, I suddenly became conscious that some one was looking at me. I turned half-way round and saw Dorian Gray for the first time. When our eyes met, I felt that I was growing pale. A curious sensation of terror came over me. I knew that I had come face to face with some one whose mere personality was so fascinating that, if I allowed it to do

Лорд Генри только усмехнулся в ответ и, наклонясь, сорвал в траве розовую маргаритку.

— Я совершенно уверен, что пойму, — отозвался он, внимательно разглядывая золотистый с белой опушкой пестик цветка. — А поверить я способен во что угодно, и тем охотнее, чем оно невероятнее.

Налетевший ветерок стряхнул несколько цветков с деревьев; тяжелые кисти сирени, словно сотканные из звездочек, медленно закачались в разнеженной зноем сонной тишине. У стены трещал кузнечик. Длинной голубой нитью на прозрачных коричневых крылышках промелькнула в воздухе стрекоза... Лорду Генри казалось, что он слышит, как стучит сердце в груди Бэзила, и он пытался угадать, что будет дальше.

— Ну, так вот... — заговорил художник, немного помолчав. — Месяца два назад мне пришлось быть на рауте у леди Брэндон. Ведь нам, бедным художникам, следует время от времени появляться в обществе, хотя бы для того, чтобы показать людям, что мы не дикари. Помню твои слова, что во фраке и белом галстуке кто угодно, даже биржевой маклер, может сойти за цивилизованного человека. В гостиной леди Брэндон я минут десять беседовал с разряженными в пух и прах знатными вдовами и с нудными академиками, как вдруг почувствовал на себе чей-то взгляд. Я оглянулся и тут-то в первый раз увидел Дориана Грея. Глаза наши встретились, и я почувствовал, что бледнею. Меня охватил какой-то инстинктивный страх, и я понял: передо мной человек настолько обаятельный, что, если

so, it would absorb my whole nature, my whole soul, my very art itself. I did not want any external influence in my life. You know yourself, Harry, how independent I am by nature. I have always been my own master; had at least always been so, till I met Dorian Gray. Then — but I don't know how to explain it to you. Something seemed to tell me that I was on the verge of a terrible crisis in my life. I had a strange feeling that fate had in store for me exquisite joys and exquisite sorrows. I grew afraid and turned to quit the room. It was not conscience that made me do so: it was a sort of cowardice. I take no credit to myself for trying to escape."

"Conscience and cowardice are really the same things, Basil. Conscience is the trade-name of the firm. That is all."

"I don't believe that, Harry, and I don't believe you do either. However, whatever was my motive — and it may have been pride, for I used to be very proud — I certainly struggled to the door. There, of course, I stumbled against Lady Brandon. "You are not going to run away so soon, Mr. Hallward?" she screamed out. You know her curiously shrill voice?"

"Yes; she is a peacock in everything but beauty," said Lord Henry, pulling the daisy to bits with his long nervous fingers.

"I could not get rid of her. She brought me up to royalties, and people with stars and garters, and elderly ladies with gigantic tiaras and parrot noses. She

я поддамся его обаянию, он поглотит меня всего, мою душу и даже мое искусство. А я не хотел никаких посторонних влияний в моей жизни. Ты знаешь, Генри, какой у меня независимый характер. Я всегда был сам себе хозяин... во всяком случае, до встречи с Дорианом Греем. Ну а тут... не знаю, как и объяснить тебе... Внутренний голос говорил мне, что я накануне страшного перелома в жизни. Я смутно предчувствовал, что судьба готовит мне необычайные радости и столь же изощренные мучения. Мне стало жутко, и я уже шагнул было к двери, решив уйти. Сделал я это почти бессознательно, из какой-то трусости. Конечно, попытка сбежать не делает мне чести. По совести говоря...

— Совесть и трусость, в сущности, одно и то же, Бэзил. «Совесть» — официальное название трусости, вот и все.

— Не верю я этому, Гарри, да и ты, мне думается, не веришь... Словом, не знаю, из каких побуждений, — быть может, из гордости, так как я очень горд, — я стал пробираться к выходу. Однако у двери меня, конечно, перехватила леди Брэндон. «Уж не намерены ли вы сбежать так рано, мистер Холлуорд?» — закричала она. Знаешь, какой у нее пронзительный голос!

— Еще бы! Она — настоящий павлин, только без его красоты, — подхватил лорд Генри, разрывая маргаритку длинными нервными пальцами.

— Мне не удалось от нее отделаться. Она представила меня высочайшим особам, потом разным сановникам в звездах и орденах Подвязки и каким-то

spoke of me as her dearest friend. I had only met her once before, but she took it into her head to lionize me. I believe some picture of mine had made a great success at the time, at least had been chattered about in the penny newspapers, which is the nineteenth-century standard of immortality.

Suddenly I found myself face to face with the young man whose personality had so strangely stirred me. We were quite close, almost touching. Our eyes met again. It was reckless of me, but I asked Lady Brandon to introduce me to him. Perhaps it was not so reckless, after all. It was simply inevitable. We would have spoken to each other without any introduction. I am sure of that. Dorian told me so afterwards. He, too, felt that we were destined to know each other."

"And how did Lady Brandon describe this wonderful young man?" asked his companion. "I know she goes in for giving a rapid precis of all her guests. I remember her bringing me up to a truculent and red-faced old gentleman covered all over with orders and ribbons, and hissing into my ear, in a tragic whisper which must have been perfectly audible to everybody in the room, the most astounding details. I simply fled. I like to find out people for myself. But Lady Brandon treats her guests exactly as an auctioneer

старым дамам в огромных диадемах и с крючковатыми носами. Всем она рекомендовала меня как своего лучшего друга, хотя видела меня второй раз в жизни. Видно, она забрала себе в голову включить меня в свою коллекцию знаменитостей. Кажется, в ту пору какая-то из моих картин имела большой успех, — во всяком случае, о ней болтали в грошовых газетах, а в наше время это патент на бессмертие.

И вдруг я очутился лицом к лицу с тем самым юношей, который с первого взгляда вызвал в моей душе столь странное волнение. Он стоял так близко, что мы почти столкнулись. Глаза наши встретились снова. Тут я безрассудно попросил леди Брэндон познакомить нас. Впрочем, это, пожалуй, было не такое уж безрассудство: все равно, если бы нас и не познакомили, мы неизбежно заговорили бы друг с другом. Я в этом уверен. Это же самое сказал мне потом Дориан. И он тоже сразу почувствовал, что нас свел не случай, а судьба.

— А что же леди Брэндон сказала тебе об этом очаровательном юноше? — спросил лорд Генри. — Я ведь знаю ее манеру бегло давать précis[1] каждому гостю. Помню, как она раз подвела меня к какому-то грозному краснолицему старцу, увешанному орденами и лентами, а по дороге трагическим шепотом — его, наверное, слышали все в гостиной — сообщала мне на ухо самые ошеломительные подробности его биографии. Я просто-напросто сбежал от нее. Я люблю сам, без чужой помощи, разбирать-

---

[1] Краткую характеристику, краткий обзор *(фр.)*.

treats his goods. She either explains them entirely away, or tells one everything about them except what one wants to know."

"Poor Lady Brandon! You are hard on her, Harry!" said Hallward listlessly.

"My dear fellow, she tried to found a salon, and only succeeded in opening a restaurant. How could I admire her? But tell me, what did she say about Mr. Dorian Gray?"

"Oh, something like, "Charming boy — poor dear mother and I absolutely inseparable. Quite forget what he does — afraid he — doesn't do anything — oh, yes, plays the piano — or is it the violin, dear Mr. Gray?" Neither of us could help laughing, and we became friends at once."

"Laughter is not at all a bad beginning for a friendship, and it is far the best ending for one," said the young lord, plucking another daisy.

Hallward shook his head.

"You don't understand what friendship is, Harry," he murmured—"or what enmity is, for that matter. You like every one; that is to say, you are indifferent to every one."

"How horribly unjust of you!" cried Lord Henry, tilting his hat back and looking up at the little clouds that, like ravelled skeins of glossy white silk, were drifting across the hollowed turquoise of the summer sky. "Yes; horribly unjust of you. I make a great dif-

ся в людях. А леди Брэндон описывает своих гостей точь-в-точь как оценщик на аукционе продающиеся с молотка вещи: она либо рассказывает о них самое сокровенное, либо сообщает вам все, кроме того, что вы хотели бы узнать.

— Бедная леди Брэндон! Ты слишком уж строг к ней, Гарри, — рассеянно заметил Холлуорд.

— Дорогой мой, она стремилась создать у себя «салон», но получился попросту ресторан. А ты хочешь, чтобы я ею восхищался? Ну, бог с ней, скажи-ка мне лучше, как она отозвалась о Дориане Грее?

— Пробормотала что-то такое вроде: «Прелестный мальчик... мы с его бедной матерью были неразлучны... Забыла, чем он занимается... Боюсь, что ничем... Ах да, играет на рояле... Или на скрипке, дорогой мистер Грей?» Оба мы не могли удержаться от смеха, и это нас как-то сразу сблизило.

— Недурно, если дружба начинается смехом, и лучше всего, если она им же кончается, — заметил лорд Генри, срывая еще одну маргаритку.

Холлуорд покачал головой.

— Ты не знаешь, что такое настоящая дружба, Гарри, — сказал он тихо. — Да и вражда настоящая тебе тоже незнакома. Ты любишь всех, а любить всех — значит не любить никого. Тебе все одинаково безразличны.

— Как ты несправедлив ко мне! — воскликнул лорд Генри. Сдвинув шляпу на затылок, он смотрел на облачка, проплывавшие в бирюзовой глубине летнего неба и похожие на растрепанные мотки блестящего шелка. — Да, да, возмутительно неспра-

ference between people. I choose my friends for their good looks, my acquaintances for their good characters, and my enemies for their good intellects. A man cannot be too careful in the choice of his enemies. I have not got one who is a fool. They are all men of some intellectual power, and consequently they all appreciate me. Is that very vain of me? I think it is rather vain."

"I should think it was, Harry. But according to your category I must be merely an acquaintance."

"My dear old Basil, you are much more than an acquaintance."

"And much less than a friend. A sort of brother, I suppose?"

"Oh, brothers! I don't care for brothers. My elder brother won't die, and my younger brothers seem never to do anything else."

"Harry!" exclaimed Hallward, frowning.

"My dear fellow, I am not quite serious. But I can't help detesting my relations. I suppose it comes from the fact that none of us can stand other people having the same faults as ourselves. I quite sympathize with the rage of the English democracy against what they call the vices of the upper orders. The masses feel that drunkenness, stupidity, and immorality should be their own special property, and that if any one of us makes an ass of himself, he is poaching on their preserves. When poor Southwark got into the divorce court, their indignation was quite magnificent. And

ведлив! Я далеко не одинаково отношусь к людям. В близкие друзья выбираю себе людей красивых, в приятели — людей с хорошей репутацией, врагов завожу только умных. Тщательнее всего следует выбирать врагов. Среди моих недругов нет ни единого глупца. Все они — люди мыслящие, достаточно интеллигентные и потому умеют меня ценить. Ты скажешь, что мой выбор объясняется тщеславием? Что ж, пожалуй, это верно.

— И я так думаю, Гарри. Между прочим, согласно твоей схеме, я тебе не друг, а просто приятель?

— Дорогой мой Бэзил, ты для меня гораздо больше, чем «просто приятель».

— И гораздо меньше, чем друг? Значит, что-то вроде брата, не так ли?

— Ну, нет! К братьям своим я не питаю нежных чувств. Мой старший брат никак не хочет умереть, а младшие только это и делают.

— Гарри! — остановил его Холлуорд, нахмурив брови.

— Дружище, это же говорится не совсем всерьез. Но, признаюсь, я действительно не терплю свою родню. Это потому, должно быть, что мы не выносим людей с теми же недостатками, что у нас. Я глубоко сочувствую английским демократам, которые возмущаются так называемыми пороками высших классов. Люди низшего класса инстинктивно понимают, что пьянство, глупость и безнравственность должны быть их привилегиями, и если кто-либо из нас страдает этими пороками, он тем самым как бы узурпирует их права. Ког-

yet I don't suppose that ten per cent of the proletariat live correctly."

"I don't agree with a single word that you have said, and, what is more, Harry, I feel sure you don't either."

Lord Henry stroked his pointed brown beard and tapped the toe of his patent-leather boot with a tasselled ebony cane.

"How English you are Basil! That is the second time you have made that observation. If one puts forward an idea to a true Englishman — always a rash thing to do — he never dreams of considering whether the idea is right or wrong. The only thing he considers of any importance is whether one believes it oneself. Now, the value of an idea has nothing whatsoever to do with the sincerity of the man who expresses it. Indeed, the probabilities are that the more insincere the man is, the more purely intellectual will the idea be, as in that case it will not be coloured by either his wants, his desires, or his prejudices. However, I don't propose to discuss politics, sociology, or metaphysics with you. I like persons better than principles, and I like persons with no principles better than anything else in the world. Tell me more about Mr. Dorian Gray. How often do you see him?"

"Every day. I couldn't be happy if I didn't see him every day. He is absolutely necessary to me."

да бедняга Саутуорк вздумал развестись с женой, негодование масс было прямо-таки великолепно. Между тем я не поручусь за то, что хотя бы десять процентов пролетариев ведет добродетельный образ жизни.

— Во всем, что ты тут нагородил, нет ни единого слова, с которым можно согласиться, Гарри! И ты, конечно, сам в это не веришь.

Лорд Генри погладил каштановую бородку, похлопал своей черной тростью с кисточкой по носку лакированного ботинка.

— Какой ты истый англичанин, Бэзил! Вот уже второй раз я слышу от тебя это замечание. Попробуй высказать какую-нибудь мысль типичному англичанину, — а это большая неосторожность! — так он и не подумает разобраться, верная это мысль или неверная. Его интересует только одно: убежден ли ты сам в том, что говоришь. А между тем важна идея, независимо от того, искренне ли верит в нее тот, кто ее высказывает. Идея, пожалуй, имеет тем большую самостоятельную ценность, чем менее верит в нее тот, от кого она исходит, ибо она тогда не отражает его желаний, нужд и предрассудков... Впрочем, я не собираюсь обсуждать с тобой политические, социологические или метафизические вопросы. Люди меня интересуют больше, чем их принципы, а интереснее всего — люди без принципов. Поговорим о Дориане Грее. Часто вы встречаетесь?

— Каждый день. Я чувствовал бы себя несчастным, если бы не виделся с ним ежедневно. Я без него жить не могу.

"How extraordinary! I thought you would never care for anything but your art."

"He is all my art to me now," said the painter gravely. "I sometimes think, Harry, that there are only two eras of any importance in the world's history. The first is the appearance of a new medium for art, and the second is the appearance of a new personality for art also. What the invention of oil-painting was to the Venetians, the face of Antinous was to late Greek sculpture, and the face of Dorian Gray will some day be to me. It is not merely that I paint from him, draw from him, sketch from him. Of course, I have done all that. But he is much more to me than a model or a sitter. I won't tell you that I am dissatisfied with what I have done of him, or that his beauty is such that art cannot express it. There is nothing that art cannot express, and I know that the work I have done, since I met Dorian Gray, is good work, is the best work of my life. But in some curious way — I wonder will you understand me?—his personality has suggested to me an entirely new manner in art, an entirely new mode of style. I see things differently, I think of them differently. I can now recreate life in a way that was hidden from me before.

"A dream of form in days of thought"—who is it who says that? I forget; but it is what Dorian Gray has been to me. The merely visible presence of this lad — for he seems to me little more than a lad,

— Вот чудеса! А я-то думал, что ты всю жизнь будешь любить только свое искусство.

— Дориан для меня теперь — все мое искусство, — сказал художник серьезно. — Видишь ли, Гарри, иногда я думаю, что в истории человечества есть только два важных момента. Первый — это появление в искусстве новых средств выражения, второй — появление в нем нового образа. И лицо Дориана Грея когда-нибудь станет для меня тем, чем было для венецианцев изобретение масляных красок в живописи или для греческой скульптуры — лик Антиноя. Конечно, я пишу Дориана красками, рисую, делаю эскизы... Но дело не только в этом. Он для меня гораздо больше, чем модель или натурщик. Я не говорю, что не удовлетворен своей работой, я не стану тебя уверять, что такую красоту невозможно отобразить в искусстве. Нет ничего такого, чего не могло бы выразить искусство. Я вижу — то, что я написал со времени моего знакомства с Дорианом Греем, написано хорошо, это моя лучшая работа. Не знаю, как это объяснить и поймешь ли ты меня... Встреча с Дорианом словно дала мне ключ к чему-то совсем новому в живописи, открыла мне новую манеру письма. Теперь я вижу вещи в ином свете и все воспринимаю по-иному. Я могу в своем искусстве воссоздавать жизнь средствами, которые прежде были мне неведомы.

«Мечта о форме в дни, когда царствует мысль», — кто это сказал? Не помню. И такой мечтой стал для меня Дориан Грей. Одно присутствие этого мальчика — в моих глазах он еще мальчик, хотя ему уже

though he is really over twenty — his merely visible presence — ah! I wonder can you realize all that that means? Unconsciously he defines for me the lines of a fresh school, a school that is to have in it all the passion of the romantic spirit, all the perfection of the spirit that is Greek. The harmony of soul and body — how much that is! We in our madness have separated the two, and have invented a realism that is vulgar, an ideality that is void. Harry! if you only knew what Dorian Gray is to me! You remember that landscape of mine, for which Agnew offered me such a huge price but which I would not part with? It is one of the best things I have ever done. And why is it so? Because, while I was painting it, Dorian Gray sat beside me. Some subtle influence passed from him to me, and for the first time in my life I saw in the plain woodland the wonder I had always looked for and always missed."

"Basil, this is extraordinary! I must see Dorian Gray."

Hallward got up from the seat and walked up and down the garden. After some time he came back.

"Harry," he said, "Dorian Gray is to me simply a motive in art. You might see nothing in him. I see everything in him. He is never more present in my work than when no image of him is there. He is a suggestion, as I have said, of a new manner. I find him in the curves of certain lines, in the loveliness and subtleties of certain colours. That is all."

минуло двадцать лет... ах, не знаю, можешь ли ты себе представить, что значит для меня его присутствие! Сам того не подозревая, он открывает мне черты какой-то новой школы, школы, которая будет сочетать в себе всю страстность романтизма и все совершенство эллинизма. Гармония духа и тела — как это прекрасно! В безумии своем мы разлучили их, мы изобрели вульгарный реализм и пустой идеализм. Ах, Гарри, если бы ты только знал, что для меня Дориан Грей! Помнишь тот пейзаж, за который Эгнью предлагал мне громадные деньги, а я не захотел с ним расстаться? Это одна из лучших моих картин. А почему? Потому что, когда я ее писал, Дориан Грей сидел рядом. Какое-то его неуловимое влияние на меня помогло мне впервые увидеть в обыкновенном лесном пейзаже чудо, которое я всегда искал и не умел найти.

— Бэзил, это поразительно! Я должен увидеть Дориана Грея!

Холлуорд поднялся и стал ходить по саду. Через несколько минут он вернулся к скамье.

— Пойми, Гарри, — сказал он, — Дориан Грей для меня попросту мотив в искусстве. Ты, быть может, ничего не увидишь в нем, а я вижу все... И в тех моих картинах, на которых Дориан не изображен, его влияние чувствуется всего сильнее. Как я уже тебе сказал, он словно подсказывает мне новую манеру письма. Я нахожу его, как откровение, в изгибах некоторых линий, в нежной прелести иных тонов. Вот и все.

"Then why won't you exhibit his portrait?" asked Lord Henry.

"Because, without intending it, I have put into it some expression of all this curious artistic idolatry, of which, of course, I have never cared to speak to him. He knows nothing about it. He shall never know anything about it. But the world might guess it, and I will not bare my soul to their shallow prying eyes. My heart shall never be put under their microscope. There is too much of myself in the thing, Harry — too much of myself!"

"Poets are not so scrupulous as you are. They know how useful passion is for publication. Nowadays a broken heart will run to many editions."

"I hate them for it," cried Hallward. "An artist should create beautiful things, but should put nothing of his own life into them. We live in an age when men treat art as if it were meant to be a form of autobiography. We have lost the abstract sense of beauty. Some day I will show the world what it is; and for that reason the world shall never see my portrait of Dorian Gray."

"I think you are wrong, Basil, but I won't argue with you. It is only the intellectually lost who ever argue. Tell me, is Dorian Gray very fond of you?"

The painter considered for a few moments.

— Но почему же тогда ты не хочешь выставить его портрет? — спросил лорд Генри.

— Потому что я невольно выразил в этом портрете ту непостижимую влюбленность художника, в которой я, разумеется, никогда не признавался Дориану. Дориан о ней не знает. И никогда не узнает. Но другие люди могли бы отгадать правду, а я не хочу обнажать душу перед их любопытными и близорукими глазами. Никогда я не позволю им рассматривать мое сердце под микроскопом. Понимаешь теперь, Гарри? В это полотно я вложил слишком много души, слишком много самого себя.

— А вот поэты — те не так стыдливы, как ты. Они прекрасно знают, что о любви писать выгодно, на нее большой спрос. В наше время разбитое сердце выдерживает множество изданий.

— Я презираю таких поэтов! — воскликнул Холлуорд. — Художник должен создавать прекрасные произведения искусства, не внося в них ничего из своей личной жизни. В наш век люди думают, что произведение искусства должно быть чем-то вроде автобиографии. Мы утратили способность отвлеченно воспринимать красоту. Я надеюсь когда-нибудь показать миру, что такое абстрактное чувство прекрасного, — и потому-то мир никогда не увидит портрет Дориана Грея.

— По-моему, ты не прав, Бэзил, но не буду с тобой спорить. Спорят только безнадежные кретины. Скажи, Дориан Грей очень тебя любит?

Художник задумался.

"He likes me," he answered after a pause; "I know he likes me. Of course I flatter him dreadfully. I find a strange pleasure in saying things to him that I know I shall be sorry for having said. As a rule, he is charming to me, and we sit in the studio and talk of a thousand things. Now and then, however, he is horribly thoughtless, and seems to take a real delight in giving me pain. Then I feel, Harry, that I have given away my whole soul to some one who treats it as if it were a flower to put in his coat, a bit of decoration to charm his vanity, an ornament for a summer's day."

"Days in summer, Basil, are apt to linger," murmured Lord Henry. "Perhaps you will tire sooner than he will. It is a sad thing to think of, but there is no doubt that genius lasts longer than beauty. That accounts for the fact that we all take such pains to over-educate ourselves. In the wild struggle for existence, we want to have something that endures, and so we fill our minds with rubbish and facts, in the silly hope of keeping our place. The thoroughly well-informed man — that is the modern ideal. And the mind of the thoroughly well-informed man is a dreadful thing. It is like a bric-a-brac shop, all monsters and dust, with everything priced above its proper value. I think you will tire first, all the same. Some day you will look at your friend, and he will seem to you to be a little out of drawing, or you won't like his tone of colour, or something. You will bitterly reproach him in your own heart, and seriously think that he has behaved

— Дориан ко мне привязан, — ответил он после недолгого молчания. — Знаю, что привязан. Оно и понятно: я ему всячески льщу. Мне доставляет странное удовольствие говорить ему вещи, которые говорить не следовало бы, — хоть я и знаю, что потом пожалею об этом. В общем, он относится ко мне очень хорошо, и мы проводим вдвоем целые дни, беседуя на тысячу тем. Но иногда он бывает ужасно не чуток, и ему как будто очень нравится мучить меня. Тогда я чувствую, Гарри, что отдал всю душу человеку, для которого она — то же, что цветок в петлице, украшение, которым он будет тешить свое тщеславие только один летний день.

— Летние дни долги, Бэзил, — сказал вполголоса лорд Генри. — И, быть может, ты пресытишься раньше, чем Дориан. Как это ни печально, Гений, несомненно, долговечнее Красоты. Потому-то мы так и стремимся сверх всякой меры развивать свой ум. В жестокой борьбе за существование мы хотим сохранить хоть что-нибудь устойчивое, прочное и начиняем голову фактами и всяким хламом в бессмысленной надежде удержать за собой место в жизни. Высокообразованный, сведущий человек — вот современный идеал. А мозг такого высокообразованного человека — это нечто страшное. Он подобен лавке антиквария, набитой всяким пыльным старьем, где каждая вещь оценена гораздо выше своей настоящей стоимости... Да, Бэзил, я все-таки думаю, что ты пресытишься первый. В один прекрасный день ты взглянешь на своего друга — и красота его покажется тебе уже немного

very badly to you. The next time he calls, you will be perfectly cold and indifferent. It will be a great pity, for it will alter you. What you have told me is quite a romance, a romance of art one might call it, and the worst of having a romance of any kind is that it leaves one so unromantic."

"Harry, don't talk like that. As long as I live, the personality of Dorian Gray will dominate me. You can't feel what I feel. You change too often."

"Ah, my dear Basil, that is exactly why I can feel it. Those who are faithful know only the trivial side of love: it is the faithless who know love's tragedies."

And Lord Henry struck a light on a dainty silver case and began to smoke a cigarette with a self-conscious and satisfied air, as if he had summed up the world in a phrase.

There was a rustle of chirruping sparrows in the green lacquer leaves of the ivy, and the blue cloud-shadows chased themselves across the grass like swallows. How pleasant it was in the garden! And how delightful other people's emotions were!—much more delightful than their ideas, it seemed to him. One's own soul, and the passions of one's friends — those were the fascinating things in life. He pictured to himself with silent amusement the tedious luncheon

менее гармоничной, тебе вдруг не понравится тон его кожи или что-нибудь еще. В душе ты горько упрекнешь в этом его и самым серьезным образом начнешь думать, будто он в чем-то виноват перед тобой. При следующем свидании ты будешь уже совершенно холоден и равнодушен. И можно только очень пожалеть об этой будущей перемене в тебе. То, что ты мне сейчас рассказал, — настоящий роман. Можно сказать, роман на почве искусства. А пережив роман своей прежней жизни, человек — увы! — становится так прозаичен!

— Не говори так, Гарри. Я на всю жизнь пленен Дорианом. Тебе меня не понять: ты такой непостоянный.

— Ах, дорогой Бэзил, именно поэтому я и способен понять твои чувства. Тем, кто верен в любви, доступна лишь ее банальная сущность. Трагедию же любви познают лишь те, кто изменяет.

Достав изящную серебряную спичечницу, лорд Генри закурил папиросу с самодовольным и удовлетворенным видом человека, сумевшего вместить в одну фразу всю житейскую мудрость.

В блестящих зеленых листьях плюща возились и чирикали воробьи, голубые тени облаков, как стаи быстрых ласточек, скользили по траве. Как хорошо было в саду! «И как увлекательно-интересны чувства людей, гораздо интереснее их мыслей! — говорил себе лорд Генри. — Собственная душа и страсти друзей — вот что самое занятное в жизни». Он с тайным удовольствием вспомнил, что, засидевшись у Бэзила Холлуорда, пропустил

that he had missed by staying so long with Basil Hallward. Had he gone to his aunt's, he would have been sure to have met Lord Goodbody there, and the whole conversation would have been about the feeding of the poor and the necessity for model lodging-houses. Each class would have preached the importance of those virtues, for whose exercise there was no necessity in their own lives. The rich would have spoken on the value of thrift, and the idle grown eloquent over the dignity of labour. It was charming to have escaped all that!

As he thought of his aunt, an idea seemed to strike him. He turned to Hallward and said,

"My dear fellow, I have just remembered."

"Remembered what, Harry?"

"Where I heard the name of Dorian Gray."

"Where was it?" asked Hallward, with a slight frown.

"Don't look so angry, Basil. It was at my aunt, Lady Agatha's. She told me she had discovered a wonderful young man who was going to help her in the East End, and that his name was Dorian Gray. I am bound to state that she never told me he was good-looking. Women have no appreciation of good looks; at least, good women have not. She said that he was very earnest and had a beautiful nature. I at once pictured to myself a creature with spectacles and lank hair, horribly freckled, and tramping about on huge feet. I wish I had known it was your friend."

скучный завтрак у своей тетушки. У нее, несомненно, завтракает сегодня лорд Гудбоди, и разговор все время вертится вокруг образцовых столовых и ночлежных домов, которые необходимо открыть для бедняков. При этом каждый восхваляет те добродетели, в которых ему самому нет надобности упражняться: богачи проповедуют бережливость, а бездельники красноречиво распространяются о великом значении труда. Как хорошо, что на сегодня он избавлен от всего этого!

Мысль о тетушке вдруг вызвала в уме лорда Генри одно воспоминание. Он повернулся к Холлуорду.

— Знаешь, я сейчас вспомнил...

— Что вспомнил, Гарри?

— Вспомнил, где я слышал про Дориана Грея.

— Где же? — спросил Холлуорд, сдвинув брови.

— Не смотри на меня так сердито, Бэзил. Это было у моей тетушки, леди Агаты. Она рассказывала, что нашла премилого молодого человека, который обещал помогать ей в Ист-Энде, и зовут его Дориан Грей. Заметь, она и словом не упомянула о его красоте. Женщины, — во всяком случае, добродетельные женщины, — не ценят красоту. Тетушка сказала только, что он юноша серьезный, с прекрасным сердцем, — и я сразу представил себе субъекта в очках, с прямыми волосами, веснушчатой физиономией и огромными ногами. Жаль, я тогда не знал, что этот Дориан — твой друг.

"I am very glad you didn't, Harry."

"Why?"

"I don't want you to meet him."

"You don't want me to meet him?"

"No."

"Mr. Dorian Gray is in the studio, sir," said the butler, coming into the garden.

"You must introduce me now," cried Lord Henry, laughing.

The painter turned to his servant, who stood blinking in the sunlight.

"Ask Mr. Gray to wait, Parker: I shall be in in a few moments."

The man bowed and went up the walk.

Then he looked at Lord Henry.

"Dorian Gray is my dearest friend," he said. "He has a simple and a beautiful nature. Your aunt was quite right in what she said of him. Don't spoil him. Don't try to influence him. Your influence would be bad. The world is wide, and has many marvellous people in it. Don't take away from me the one person who gives to my art whatever charm it possesses: my life as an artist depends on him. Mind, Harry, I trust you."

He spoke very slowly, and the words seemed wrung out of him almost against his will.

"What nonsense you talk!" said Lord Henry, smiling, and taking Hallward by the arm, he almost led him into the house.

— А я очень рад, что ты этого не знал, Гарри.

— Почему?

— Я не хочу, чтобы вы познакомились.

— Не хочешь, чтобы мы познакомились?

— Нет.

— Мистер Дориан Грей в студии, сэр, — доложил лакей, появляясь в саду.

— Ага, теперь тебе волей-неволей придется нас познакомить! — со смехом воскликнул лорд Генри.

Художник повернулся к лакею, который стоял, жмурясь от солнца.

— Попросите мистера Грея подождать, Паркер: я сию минуту приду.

Лакей поклонился и пошел по дорожке к дому.

Тогда Холлуорд посмотрел на лорда Генри.

— Дориан Грей — мой лучший друг, — сказал он. — У него открытая и светлая душа — твоя тетушка была совершенно права. Смотри, Гарри, не испорти его! Не пытайся на него влиять. Твое влияние было бы гибельно для него. Свет велик, в нем много интереснейших людей. Так не отнимай же у меня единственного человека, который вдохнул в мое искусство то прекрасное, что есть в нем. Все мое будущее художника зависит от него. Помни, Гарри, я надеюсь на твою совесть!

Он говорил очень медленно, и слова, казалось, вырывались у него помимо воли.

— Что за глупости! — с улыбкой перебил лорд Генри и, взяв Холлуорда под руку, почти насильно повел его в дом.

Chapter II

As they entered they saw Dorian Gray. He was seated at the piano, with his back to them, turning over the pages of a volume of Schumann's "Forest Scenes."

"You must lend me these, Basil," he cried. "I want to learn them. They are perfectly charming."

"That entirely depends on how you sit to-day, Dorian."

"Oh, I am tired of sitting, and I don't want a life-sized portrait of myself," answered the lad, swinging round on the music-stool in a wilful, petulant manner. When he caught sight of Lord Henry, a faint blush coloured his cheeks for a moment, and he started up. "I beg your pardon, Basil, but I didn't know you had any one with you."

"This is Lord Henry Wotton, Dorian, an old Oxford friend of mine. I have just been telling him what a capital sitter you were, and now you have spoiled everything."

"You have not spoiled my pleasure in meeting you, Mr. Gray," said Lord Henry, stepping forward and extending his hand. "My aunt has often spoken to me about you. You are one of her favourites, and, I am afraid, one of her victims also."

"I am in Lady Agatha's black books at present," answered Dorian with a funny look of penitence. "I promised to go to a club in Whitechapel with her last Tuesday, and I really forgot all about it. We were

Глава II

В мастерской они застали Дориана Грея. Он сидел за роялем, спиной к ним, и перелистывал шумановский альбом «Лесные картинки».

— Что за прелесть! Я хочу их разучить, — сказал он, не оборачиваясь. — Дайте их мне на время, Бэзил.

— Дам, если вы сегодня будете хорошо позировать, Дориан.

— Ох, надоело мне это! И я вовсе не стремлюсь иметь свой портрет в натуральную величину, — возразил юноша капризно. Повернувшись на табурете, он увидел лорда Генри и поспешно встал, порозовев от смущения. — Извините, Бэзил, я не знал, что у вас гость.

— Знакомьтесь, Дориан, это лорд Генри Уоттон, мой старый товарищ по университету. Я только что говорил ему, что вы превосходно позируете, а вы своим брюзжанием все испортили!

— Но ничуть не испортили мне удовольствия познакомиться с вами, мистер Грей, — сказал лорд Генри, подходя к Дориану и протягивая ему руку. — Я много наслышался о вас от моей тетушки. Вы — ее любимец и, боюсь, одна из ее жертв.

— Как раз теперь я у леди Агаты на плохом счету, — отозвался Дориан с забавно-покаянным видом. — Я обещал в прошлый вторник поехать с ней на концерт в один уайтчеплский клуб — и совер-

to have played a duet together — three duets, I believe. I don't know what she will say to me. I am far too frightened to call."

"Oh, I will make your peace with my aunt. She is quite devoted to you. And I don't think it really matters about your not being there. The audience probably thought it was a duet. When Aunt Agatha sits down to the piano, she makes quite enough noise for two people."

"That is very horrid to her, and not very nice to me," answered Dorian, laughing.

Lord Henry looked at him. Yes, he was certainly wonderfully handsome, with his finely curved scarlet lips, his frank blue eyes, his crisp gold hair. There was something in his face that made one trust him at once. All the candour of youth was there, as well as all youth's passionate purity. One felt that he had kept himself unspotted from the world. No wonder Basil Hallward worshipped him.

"You are too charming to go in for philanthropy, Mr. Gray — far too charming." And Lord Henry flung himself down on the divan and opened his cigarette-case.

The painter had been busy mixing his colours and getting his brushes ready. He was looking worried, and when he heard Lord Henry's last remark, he glanced at him, hesitated for a moment, and then said,

шенно забыл об этом. Мы должны были там играть с ней в четыре руки, — кажется, даже целых три дуэта. Уж не знаю, как она теперь меня встретит. Боюсь показаться ей на глаза.

— Ничего, я вас помирю. Тетушка Агата вас очень любит. И то, что вы не выступили вместе с нею на концерте, вряд ли так уж важно. Публика, вероятно, думала, что исполняется дуэт, — ведь за роялем тетя Агата вполне может нашуметь за двоих.

— Такое мнение крайне обидно для нее и не очень-то лестно для меня, — сказал Дориан, смеясь.

Лорд Генри смотрел на Дориана, любуясь его ясными голубыми глазами, золотистыми кудрями, изящным рисунком алого рта. Этот юноша в самом деле был удивительно красив, и что-то в его лице сразу внушало доверие. В нем чувствовалась искренность и чистота юности, ее целомудренная пылкость. Легко было поверить, что жизнь еще ничем не загрязнила этой молодой души. Недаром Бэзил Холлуорд боготворил Дориана!

— Ну можно ли такому очаровательному молодому человеку заниматься благотворительностью! Нет, вы для этого слишком красивы, мистер Грэй, — сказал лорд Генри и, развалясь на диване, достал свой портсигар.

Художник тем временем приготовил кисти и смешивал краски на палитре. На хмуром его лице было заметно сильное беспокойство. Услышав последнее замечание лорда Генри, он быстро оглянулся на него и после минутного колебания сказал:

"Harry, I want to finish this picture to-day. Would you think it awfully rude of me if I asked you to go away?"

Lord Henry smiled and looked at Dorian Gray.

"Am I to go, Mr. Gray?" he asked.

"Oh, please don't, Lord Henry. I see that Basil is in one of his sulky moods, and I can't bear him when he sulks. Besides, I want you to tell me why I should not go in for philanthropy."

"I don't know that I shall tell you that, Mr. Gray. It is so tedious a subject that one would have to talk seriously about it. But I certainly shall not run away, now that you have asked me to stop. You don't really mind, Basil, do you? You have often told me that you liked your sitters to have some one to chat to."

Hallward bit his lip.

"If Dorian wishes it, of course you must stay. Dorian's whims are laws to everybody, except himself."

Lord Henry took up his hat and gloves.

"You are very pressing, Basil, but I am afraid I must go. I have promised to meet a man at the Orleans. Good-bye, Mr. Gray. Come and see me some afternoon in Curzon Street. I am nearly always at home at five o'clock. Write to me when you are coming. I should be sorry to miss you."

"Basil," cried Dorian Gray, "if Lord Henry Wotton goes, I shall go, too. You never open your lips while you are painting, and it is horribly dull standing on

— Гарри, мне хотелось бы окончить сегодня портрет. Ты не обидишься, если я попрошу тебя уйти?

Лорд Генри с улыбкой посмотрел на Дориана.

— Уйти мне, мистер Грей?

— Ах нет, лорд Генри, пожалуйста, не уходите! Бэзил, я вижу, сегодня опять в дурном настроении, а я терпеть не могу, когда он сердится. Притом вы еще не объяснили, почему мне не следует заниматься-ся благотворительностью?

— Стоит ли объяснять это, мистер Грей? На такую скучную тему говорить пришлось бы серьезно. Но я, конечно, не уйду, раз вы меня просите остаться. Ты ведь не будешь возражать, Бэзил? Ты сам не раз говорил мне, что любишь, когда кто-нибудь занимает тех, кто тебе позирует.

Холлуорд закусил губу.

— Конечно, оставайся, раз Дориан этого хочет. Его прихоти — закон для всех, кроме него самого.

Лорд Генри взял шляпу и перчатки.

— Несмотря на твои настояния, Бэзил, я, к сожалению, должен вас покинуть. Я обещал встретиться кое с кем в Орлеанском клубе. До свиданья, мистер Грей. Навестите меня как-нибудь на Керзон-стрит. В пять я почти всегда дома. Но лучше вы сообщите заранее, когда захотите прийти: было бы обидно, если бы вы меня не застали.

— Бэзил, — воскликнул Дориан Грей, — если лорд Генри уйдет, я тоже уйду! Вы никогда рта не раскрываете во время работы, и мне ужасно надо-

a platform and trying to look pleasant. Ask him to stay. I insist upon it."

"Stay, Harry, to oblige Dorian, and to oblige me," said Hallward, gazing intently at his picture. "It is quite true, I never talk when I am working, and never listen either, and it must be dreadfully tedious for my unfortunate sitters. I beg you to stay."

"But what about my man at the Orleans?"

The painter laughed.

"I don't think there will be any difficulty about that. Sit down again, Harry. And now, Dorian, get up on the platform, and don't move about too much, or pay any attention to what Lord Henry says. He has a very bad influence over all his friends, with the single exception of myself."

Dorian Gray stepped up on the dais with the air of a young Greek martyr, and made a little moue of discontent to Lord Henry, to whom he had rather taken a fancy. He was so unlike Basil. They made a delightful contrast. And he had such a beautiful voice. After a few moments he said to him,

"Have you really a very bad influence, Lord Henry? As bad as Basil says?"

"There is no such thing as a good influence, Mr. Gray. All influence is immoral — immoral from the scientific point of view."

"Why?"

"Because to influence a person is to give him one's own soul. He does not think his natural thoughts, or

едает стоять на подмостках и все время мило улыбаться. Попросите его не уходить!

— Оставайся, Гарри. Дориан будет рад, и меня ты этим очень обяжешь, — сказал Холлуорд, не отводя глаз от картины. — Я действительно всегда молчу во время работы и не слушаю, что мне говорят, так что моим бедным натурщикам, должно быть, нестерпимо скучно. Пожалуйста, посиди с нами.

— А как же мое свидание в клубе?

Художник усмехнулся.

— Не думаю, чтобы это было так уж важно. Садись, Гарри. Ну, а вы, Дориан, станьте на подмостки и поменьше вертитесь. Да не очень-то слушайте лорда Генри — он на всех знакомых, кроме меня, оказывает самое дурное влияние.

Дориан Грей с видом юного мученика взошел на помост и, сделав легкую moue[1], переглянулся с лордом Генри. Этот друг Бэзила ему очень нравился. Он и Бэзил были совсем разные, составляли прелюбопытный контраст. И голос у лорда Генри был такой приятный! Выждав минуту, Дориан спросил:

— Лорд Генри, вы в самом деле так вредно влияете на других?

— Хорошего влияния не существует, мистер Грей. Всякое влияние уже само по себе безнравственно — безнравственно с научной точки зрения.

— Почему же?

— Потому что влиять на другого человека — это значит передать ему свою душу. Он начнет думать

---

[1] Недовольную гримасу (фр.).

burn with his natural passions. His virtues are not real to him. His sins, if there are such things as sins, are borrowed. He becomes an echo of some one else's music, an actor of a part that has not been written for him. The aim of life is self-development. To realize one's nature perfectly — that is what each of us is here for. People are afraid of themselves, nowadays. They have forgotten the highest of all duties, the duty that one owes to one's self. Of course, they are charitable. They feed the hungry and clothe the beggar. But their own souls starve, and are naked. Courage has gone out of our race. Perhaps we never really had it. The terror of society, which is the basis of morals, the terror of God, which is the secret of religion — these are the two things that govern us. And yet—"

"Just turn your head a little more to the right, Dorian, like a good boy," said the painter, deep in his work and conscious only that a look had come into the lad's face that he had never seen there before.

"And yet," continued Lord Henry, in his low, musical voice, and with that graceful wave of the hand that was always so characteristic of him, and that he had even in his Eton days, "I believe that if one man were to live out his life fully and completely, were to give form to every feeling, expression to every thought, reality to every dream — I believe that the world would gain such a fresh impulse of joy that we would forget all the maladies of mediaevalism, and re-

не своими мыслями, пылать не своими страстями. И добродетели у него будут не свои, и грехи, — если предположить, что таковые вообще существуют, — будут заимствованные. Он станет отголоском чужой мелодии, актером, выступающим в роли, которая не для него написана. Цель жизни — самовыражение. Проявить во всей полноте свою сущность — вот для чего мы живем. А в наш век люди стали бояться самих себя. Они забыли, что высший долг — это долг перед самим собой. Разумеется, они милосердны. Они накормят голодного, оденут нищего. Но их собственные души наги и умирают с голоду. Мы утратили мужество. А может быть, его у нас никогда и не было. Боязнь общественного мнения, эта основа морали, и страх перед богом, страх, на котором держится религия, — вот что властвует над нами. Между тем...

— Будьте добры, Дориан, поверните-ка голову немного вправо, — попросил художник. Поглощенный своей работой, он ничего не слышал и только подметил на лице юноши выражение, какого до сих пор никогда не видел.

— А между тем, — своим низким, певучим голосом продолжал лорд Генри с характерными для него плавными жестами, памятными всем, кто знавал его еще в Итоне, — мне думается, что, если бы каждый человек мог жить полной жизнью, давая волю каждому чувству и выражение каждой мысли, осуществляя каждую свою мечту, — мир ощутил бы вновь такой мощный порыв к радости, что забыты были бы все болезни Средневековья и мы вернулись бы к иде-

turn to the Hellenic ideal — to something finer, richer than the Hellenic ideal, it may be. But the bravest man amongst us is afraid of himself. The mutilation of the savage has its tragic survival in the self-denial that mars our lives. We are punished for our refusals. Every impulse that we strive to strangle broods in the mind and poisons us. The body sins once, and has done with its sin, for action is a mode of purification. Nothing remains then but the recollection of a pleasure, or the luxury of a regret. The only way to get rid of a temptation is to yield to it. Resist it, and your soul grows sick with longing for the things it has forbidden to itself, with desire for what its monstrous laws have made monstrous and unlawful. It has been said that the great events of the world take place in the brain. It is in the brain, and the brain only, that the great sins of the world take place also. You, Mr. Gray, you yourself, with your rose-red youth and your rose-white boyhood, you have had passions that have made you afraid, thoughts that have filled you with terror, day-dreams and sleeping dreams whose mere memory might stain your cheek with shame—"

"Stop!" faltered Dorian Gray, "stop! you bewilder me. I don't know what to say. There is some answer to you, but I cannot find it. Don't speak. Let me think. Or, rather, let me try not to think."

алам эллинизма, а может быть, и к чему-либо еще более ценному и прекрасному. Но и самый смелый из нас боится самого себя. Самоотречение, этот трагический пережиток тех диких времен, когда люди себя калечили, омрачает нам жизнь. И мы расплачиваемся за это самоограничение. Всякое желание, которое мы стараемся подавить, бродит в нашей душе и отравляет нас. А согрешив, человек избавляется от влечения к греху, ибо осуществление — это путь к очищению. После этого остаются лишь воспоминания о наслаждении или сладострастие раскаяния. Единственный способ отделаться от искушения — уступить ему. А если вздумаешь бороться с ним, душу будет томить влечение к запретному, и тебя измучают желания, которые чудовищный закон, тобой же созданный, признал порочными и преступными. Кто-то сказал, что величайшие события в мире — это те, которые происходят в мозгу у человека. А я скажу, что и величайшие грехи мира рождаются в мозгу, и только в мозгу. Да ведь и в вас, мистер Грей, даже в пору светлого отрочества и розовой юности, уже бродили страсти, пугавшие вас, мысли, которые вас приводили в ужас. Вы знали мечты и сновидения, при одном воспоминании о которых вы краснеете от стыда...

— Постойте, постойте! — пробормотал, запинаясь, Дориан Грей. — Вы смутили меня, я не знаю, что сказать... С вами можно бы поспорить, но я сейчас не нахожу слов... Не говорите больше ничего! Дайте мне подумать... Впрочем, лучше не думать об этом!

For nearly ten minutes he stood there, motionless, with parted lips and eyes strangely bright. He was dimly conscious that entirely fresh influences were at work within him. Yet they seemed to him to have come really from himself. The few words that Basil's friend had said to him — words spoken by chance, no doubt, and with wilful paradox in them — had touched some secret chord that had never been touched before, but that he felt was now vibrating and throbbing to curious pulses.

Music had stirred him like that. Music had troubled him many times. But music was not articulate. It was not a new world, but rather another chaos, that it created in us. Words! Mere words! How terrible they were! How clear, and vivid, and cruel! One could not escape from them. And yet what a subtle magic there was in them! They seemed to be able to give a plastic form to formless things, and to have a music of their own as sweet as that of viol or of lute. Mere words! Was there anything so real as words?

Yes; there had been things in his boyhood that he had not understood. He understood them now. Life suddenly became fiery-coloured to him. It seemed to him that he had been walking in fire. Why had he not known it?

With his subtle smile, Lord Henry watched him. He knew the precise psychological moment when to say nothing. He felt intensely interested. He was

Минут десять Дориан стоял неподвижно, с полу-открытым ртом и странным блеском в глазах. Он смутно сознавал, что в нем просыпаются какие-то совсем новые мысли и чувства. Ему казалось, что они пришли не извне, а поднимались из глубины его существа. Да, он чувствовал, что несколько слов, сказанных этим другом Бэзила, сказанных, вероятно, просто так, между прочим, и намеренно парадок-сальных, затронули в нем какую-то тайную струну, которой до сих пор не касался никто, и сейчас она трепетала, вибрировала порывистыми толчками.

До сих пор так волновала его только музыка. Да, музыка не раз будила в его душе волнение, но вол-нение смутное, бездумное. Она ведь творит в душе не новый мир, а скорее — новый хаос. А тут прозву-чали слова! Простые слова — но как они страшны! От них никуда не уйдешь. Как они ясны, неотрази-мо сильны и жестоки! И вместе с тем — какое в них таится коварное очарование! Они, казалось, прида-вали зримую и осязаемую форму неопределенным мечтам, и в них была своя музыка, сладостнее зву-ков лютни и виолы. Только слова! Но есть ли что-либо весомее слов?

Да, в ранней юности он, Дориан, не понимал не-которых вещей. Сейчас он понял все. Жизнь вдруг засверкала перед ним жаркими красками. Ему ка-залось, что он шагает среди бушующего пламени. И как он до сих пор не чувствовал этого?

Лорд Генри с тонкой усмешкой наблюдал за ним. Он знал, когда следует помолчать. Дориан живо за-интересовал его, и он сам сейчас удивлялся тому

Оскар Уайльд

amazed at the sudden impression that his words had produced, and, remembering a book that he had read when he was sixteen, a book which had revealed to him much that he had not known before, he wondered whether Dorian Gray was passing through a similar experience. He had merely shot an arrow into the air. Had it hit the mark? How fascinating the lad was!

Hallward painted away with that marvellous bold touch of his, that had the true refinement and perfect delicacy that in art, at any rate comes only from strength. He was unconscious of the silence.

"Basil, I am tired of standing," cried Dorian Gray suddenly. "I must go out and sit in the garden. The air is stifling here."

"My dear fellow, I am so sorry. When I am painting, I can't think of anything else. But you never sat better. You were perfectly still. And I have caught the effect I wanted — the half-parted lips and the bright look in the eyes. I don't know what Harry has been saying to you, but he has certainly made you have the most wonderful expression. I suppose he has been paying you compliments. You mustn't believe a word that he says."

"He has certainly not been paying me compliments. Perhaps that is the reason that I don't believe anything he has told me."

"You know you believe it all," said Lord Henry, looking at him with his dreamy languorous eyes. "I will go out to the garden with you. It is horribly

впечатлению, какое произвели на юношу его слова. Ему вспомнилась одна книга, которую он прочитал в шестнадцать лет; она открыла ему тогда многое такое, чего он не знал раньше. Быть может, Дориан Грей сейчас переживает то же самое? Неужели стрела, пущенная наугад, просто так, в пространство, попала в цель? Как этот мальчик мил!..

Холлуорд писал с увлечением, как всегда, чудесными, смелыми мазками, с тем подлинным изяществом и утонченностью, которые — в искусстве по крайней мере — всегда являются признаком мощного таланта. Он не замечал наступившего молчания.

— Бэзил, я устал стоять, — воскликнул вдруг Дориан. — Мне надо побыть на воздухе, в саду. Здесь очень душно!

— Ах, простите, мой друг! Когда я пишу, я забываю обо всем. А вы сегодня стояли, не шелохнувшись. Никогда еще вы так хорошо не позировали. И я поймал то выражение, какое все время искал. Полуоткрытые губы, блеск в глазах... Не знаю, о чем тут разглагольствовал Гарри, но, конечно, это он вызвал на вашем лице такое удивительное выражение. Должно быть, наговорил вам кучу комплиментов? А вы не верьте ни единому его слову.

— Нет, он говорил мне вещи совсем не лестные. Поэтому я и не склонен ему верить.

— Ну, ну, в душе вы отлично знаете, что поверили всему, — сказал лорд Генри, задумчиво глядя на него своими томными глазами. — Я, пожалуй,

hot in the studio. Basil, let us have something iced to drink, something with strawberries in it."

"Certainly, Harry. Just touch the bell, and when Parker comes I will tell him what you want. I have got to work up this background, so I will join you later on. Don't keep Dorian too long. I have never been in better form for painting than I am to-day. This is going to be my masterpiece. It is my masterpiece as it stands."

Lord Henry went out to the garden and found Dorian Gray burying his face in the great cool lilac-blossoms, feverishly drinking in their perfume as if it had been wine. He came close to him and put his hand upon his shoulder.

"You are quite right to do that," he murmured. "Nothing can cure the soul but the senses, just as nothing can cure the senses but the soul."

The lad started and drew back. He was bareheaded, and the leaves had tossed his rebellious curls and tangled all their gilded threads. There was a look of fear in his eyes, such as people have when they are suddenly awakened. His finely chiselled nostrils quivered, and some hidden nerve shook the scarlet of his lips and left them trembling.

"Yes," continued Lord Henry, "that is one of the great secrets of life — to cure the soul by means of the senses, and the senses by means of the soul. You are a wonderful creation. You know more than you think you know, just as you know less than you want to know."

тоже выйду с вами в сад, здесь невыносимо жарко. Бэзил, прикажи подать нам какого-нибудь питья со льдом... и хорошо бы с земляничным соком.

— С удовольствием, Гарри. Позвони Паркеру, и я скажу ему, что принести. Я приду к вам в сад немного погодя, надо еще подработать фон. Но не задерживай Дориана надолго. Мне сегодня, как никогда, хочется писать. Этот портрет будет моим шедевром. Даже в таком виде, как сейчас, он уже чудо как хорош.

Выйдя в сад, лорд Генри нашел Дориана у куста сирени: зарывшись лицом в прохладную массу цветов, он упивался их ароматом, как жаждущий — вином. Лорд Генри подошел к нему вплотную и дотронулся до его плеча.

— Вот это правильно, — сказал он тихо. — Душу лучше всего лечить ощущениями, а от ощущений лечит только душа.

Юноша вздрогнул и отступил. Он был без шляпы, и ветки растрепали его непокорные кудри, спутав золотистые пряди. Глаза у него были испуганные, как у внезапно разбуженного человека. Тонко очерченные ноздри нервно вздрагивали, алые губы трепетали от какого-то тайного волнения.

— Да, — продолжал лорд Генри, — надо знать этот великий секрет жизни: лечите душу ощущениями, а ощущения пусть врачует душа. Вы — удивительный человек, мистер Грей. Вы знаете больше, чем вам это кажется, но меньше, чем хотели бы знать.

Dorian Gray frowned and turned his head away. He could not help liking the tall, graceful young man who was standing by him. His romantic, olive-coloured face and worn expression interested him. There was something in his low languid voice that was absolutely fascinating. His cool, white, flowerlike hands, even, had a curious charm. They moved, as he spoke, like music, and seemed to have a language of their own.

But he felt afraid of him, and ashamed of being afraid. Why had it been left for a stranger to reveal him to himself? He had known Basil Hallward for months, but the friendship between them had never altered him. Suddenly there had come some one across his life who seemed to have disclosed to him life's mystery. And, yet, what was there to be afraid of? He was not a schoolboy or a girl. It was absurd to be frightened.

"Let us go and sit in the shade," said Lord Henry. "Parker has brought out the drinks, and if you stay any longer in this glare, you will be quite spoiled, and Basil will never paint you again. You really must not allow yourself to become sunburnt. It would be unbecoming."

"What can it matter?" cried Dorian Gray, laughing, as he sat down on the seat at the end of the garden.

"It should matter everything to you, Mr. Gray."

"Why?"

"Because you have the most marvellous youth, and youth is the one thing worth having."

Дориан Грей нахмурился и отвел глаза. Ему безотчетно нравился высокий и красивый человек, стоявший рядом с ним. Смуглое романтическое лицо лорда Генри, его усталое выражение вызывало интерес, и что-то завораживающее было в низком и протяжном голосе. Даже руки его, прохладные, белые и нежные, как цветы, таили в себе странное очарование. В движениях этих рук, как и в голосе, была музыка, и казалось, что они говорят своим собственным языком.

Дориан чувствовал, что боится этого человека, — и стыдился своего страха. Зачем нужно было, чтобы кто-то чужой научил его понимать собственную душу? Ведь вот с Бэзилом Холлуордом он давно знаком, но дружба их ничего не изменила в нем. И вдруг приходит этот незнакомец — и словно открывает перед ним тайны жизни. Но все-таки чего же ему бояться? Он не школьник и не девушка. Ему бояться лорда Генри просто глупо.

— Давайте сядем где-нибудь в тени, — сказал лорд Генри. — Вот Паркер уже несет нам питье. А если вы будете стоять на солнцепеке, вы подурнеете, и Бэзил больше не захочет вас писать. Загар будет вам не к лицу.

— Эка важность, подумаешь! — засмеялся Дориан Грей, садясь на скамью в углу сада.

— Для вас это очень важно, мистер Грей.

— Почему же?

— Да потому, что вам дана чудесная красота молодости, а молодость — единственное богатство, которое стоит беречь.

"I don't feel that, Lord Henry."

"No, you don't feel it now. Some day, when you are old and wrinkled and ugly, when thought has seared your forehead with its lines, and passion branded your lips with its hideous fires, you will feel it, you will feel it terribly. Now, wherever you go, you charm the world. Will it always be so? ... You have a wonderfully beautiful face, Mr. Gray. Don't frown. You have. And beauty is a form of genius — is higher, indeed, than genius, as it needs no explanation. It is of the great facts of the world, like sunlight, or spring-time, or the reflection in dark waters of that silver shell we call the moon. It cannot be questioned. It has its divine right of sovereignty. It makes princes of those who have it. You smile? Ah! when you have lost it you won't smile... People say sometimes that beauty is only superficial. That may be so, but at least it is not so superficial as thought is. To me, beauty is the wonder of wonders. It is only shallow people who do not judge by appearances. The true mystery of the world is the visible, not the invisible...

Yes, Mr. Gray, the gods have been good to you. But what the gods give they quickly take away. You have only a few years in which to live really, perfectly, and fully. When your youth goes, your beauty will go with it, and then you will suddenly discover that there are no triumphs left for you, or have to content yourself with those mean triumphs that the memory of your past will make more bitter than defeats. Every month as it wanes brings you nearer to something dreadful.

— Я этого не думаю, лорд Генри.

— Теперь вы, конечно, этого не думаете. Но когда вы станете безобразным стариком, когда думы избороздят ваш лоб морщинами, а страсти своим губительным огнем иссушат ваши губы, — вы поймете это с неумолимой ясностью. Теперь, куда бы вы ни пришли, вы всех пленяете. Но разве так будет всегда? Вы удивительно хороши собой, мистер Грей. Не хмурьтесь, это правда. А Красота — один из видов Гения, она еще выше Гения, ибо не требует понимания. Она — одно из великих явлений окружающего нас мира, как солнечный свет, или весна, или отражение в темных водах серебряного щита луны. Красота неоспорима. Она имеет высшее право на власть и делает царями тех, кто ею обладает. Вы улыбаетесь? О, когда вы ее утратите, вы не будете улыбаться... Иные говорят, что Красота — это тщета земная. Быть может. Но, во всяком случае, она не так тщетна, как Мысль. Для меня Красота — чудо из чудес. Только пустые, ограниченные люди не судят по внешности. Подлинная тайна жизни заключена в зримом, а не в сокровенном...

Да, мистер Грей, боги к вам милостивы. Но боги скоро отнимают то, что дают. У вас впереди не много лет для жизни настоящей, полной и прекрасной. Минет молодость, а с нею красота — и вот вам вдруг станет ясно, что время побед прошло, или придется довольствоваться победами столь жалкими, что в сравнении с прошлым они вам будут казаться горше поражений. Каждый уходящий месяц приближает вас к этому тяжкому будущему. Время рев-

Time is jealous of you, and wars against your lilies and your roses. You will become sallow, and hollow-cheeked, and dull-eyed. You will suffer horribly... Ah! realize your youth while you have it. Don't squander the gold of your days, listening to the tedious, trying to improve the hopeless failure, or giving away your life to the ignorant, the common, and the vulgar. These are the sickly aims, the false ideals, of our age. Live! Live the wonderful life that is in you! Let nothing be lost upon you. Be always searching for new sensations. Be afraid of nothing... A new Hedonism — that is what our century wants. You might be its visible symbol. With your personality there is nothing you could not do. The world belongs to you for a season...

The moment I met you I saw that you were quite unconscious of what you really are, of what you really might be. There was so much in you that charmed me that I felt I must tell you something about yourself. I thought how tragic it would be if you were wasted. For there is such a little time that your youth will last — such a little time. The common hill-flowers wither, but they blossom again. The laburnum will be as yellow next June as it is now. In a month there will be purple stars on the clematis, and year after year the green night of its leaves will hold its purple stars. But we never get back our youth. The pulse of joy that beats in us at twenty becomes sluggish. Our limbs fail, our senses rot. We degenerate into hideous puppets, haunted by the memory of the passions of which we were too much afraid, and the exquisite

ниво, оно покушается на лилии и розы, которыми одарили вас боги. Щеки ваши пожелтеют и ввалятся, глаза потускнеют. Вы будете страдать ужасно... Так пользуйтесь же своей молодостью, пока она не ушла. Не тратьте понапрасну золотые дни, слушая нудных святош, не пытайтесь исправлять то, что неисправимо, не отдавайте свою жизнь невеждам, пошлякам и ничтожествам, следуя ложным идеям и нездоровым стремлениям нашей эпохи. Живите! Живите той чудесной жизнью, что скрыта в вас. Ничего не упускайте, вечно ищите все новых ощущений! Ничего не бойтесь! Новый гедонизм — вот что нужно нашему поколению. И вы могли бы стать его зримым символом. Для такого, как вы, нет ничего невозможного. На короткое время мир принадлежит вам...

Я с первого взгляда понял, что вы себя еще не знаете, не знаете, чем вы могли бы быть. Многое в вас меня пленило, и я почувствовал, что должен помочь вам познать самого себя. Я думал: «Как было бы трагично, если бы эта жизнь пропала даром!» Ведь молодость ваша пройдет так быстро! Простые полевые цветы вянут, но опять расцветают. Будущим летом ракитник в июне будет так же сверкать золотом, как сейчас. Через месяц зацветет пурпурными звездами ломонос, и каждый год в зеленой ночи его листьев будут загораться все новые пурпурные звезды. А к нам молодость не возвращается. Слабеет пульс радости, что бьется так сильно в двадцать лет, дряхлеет тело, угасают чувства. Мы превращаемся в отвратительных марионеток с неотвязными воспоминаниями о тех страстях, ко-

temptations that we had not the courage to yield to. Youth! Youth! There is absolutely nothing in the world but youth!"

Dorian Gray listened, open-eyed and wondering. The spray of lilac fell from his hand upon the gravel. A furry bee came and buzzed round it for a moment. Then it began to scramble all over the oval stellated globe of the tiny blossoms. He watched it with that strange interest in trivial things that we try to develop when things of high import make us afraid, or when we are stirred by some new emotion for which we cannot find expression, or when some thought that terrifies us lays sudden siege to the brain and calls on us to yield. After a time the bee flew away. He saw it creeping into the stained trumpet of a Tyrian convolvulus. The flower seemed to quiver, and then swayed gently to and fro.

Suddenly the painter appeared at the door of the studio and made staccato signs for them to come in. They turned to each other and smiled.

"I am waiting," he cried. "Do come in. The light is quite perfect, and you can bring your drinks."

They rose up and sauntered down the walk together. Two green-and-white butterflies fluttered past them, and in the pear-tree at the corner of the garden a thrush began to sing.

"You are glad you have met me, Mr. Gray," said Lord Henry, looking at him.

торых мы слишком боялись, и соблазнах, которым мы не посмели уступить. Молодость! Молодость! В мире нет ничего ей равного!

Дориан Грей слушал с жадным вниманием, широко раскрыв глаза. Веточка сирени выскользнула из его пальцев и упала на гравий. Тотчас подлетела мохнатая пчела, с минуту покружилась над нею, жужжа, потом стала путешествовать по всей кисти, переползая с одной звездочки на другую. Дориан наблюдал за ней с тем неожиданным интересом, с каким мы сосредоточиваем порой внимание на самых незначительных мелочах, когда нам страшно думать о самом важном, или когда нас волнует новое чувство, еще неясное нам самим, или какая-нибудь страшная мысль осаждает мозг и принуждает нас сдаться. Пчела скоро полетела дальше. Дориан видел, как она забралась в трубчатую чашечку вьюнка. Цветок, казалось, вздрогнул и тихонько закачался на стебельке.

Неожиданно в дверях мастерской появился Холлуорд и энергичными жестами стал звать своих гостей в дом. Лорд Генри и Дориан переглянулись.

— Я жду, — крикнул художник. — Идите же! Освещение сейчас для работы самое подходящее... А пить вы можете и здесь.

Они поднялись и медленно зашагали по дорожке. Мимо пролетели две бледно-зеленые бабочки, в дальнем углу сада на груше запел дрозд.

— Ведь вы довольны, что познакомились со мной, мистер Грей? — сказал лорд Генри, глядя на Дориана.

"Yes, I am glad now. I wonder shall I always be glad?"

"Always! That is a dreadful word. It makes me shudder when I hear it. Women are so fond of using it. They spoil every romance by trying to make it last for ever. It is a meaningless word, too. The only difference between a caprice and a lifelong passion is that the caprice lasts a little longer."

As they entered the studio, Dorian Gray put his hand upon Lord Henry's arm.

"In that case, let our friendship be a caprice," he murmured, flushing at his own boldness, then stepped up on the platform and resumed his pose.

Lord Henry flung himself into a large wicker arm-chair and watched him. The sweep and dash of the brush on the canvas made the only sound that broke the stillness, except when, now and then, Hallward stepped back to look at his work from a distance. In the slanting beams that streamed through the open doorway the dust danced and was golden. The heavy scent of the roses seemed to brood over everything.

After about a quarter of an hour Hallward stopped painting, looked for a long time at Dorian Gray, and then for a long time at the picture, biting the end of one of his huge brushes and frowning.

"It is quite finished," he cried at last, and stooping down he wrote his name in long vermilion letters on the left-hand corner of the canvas.

Lord Henry came over and examined the picture. It was certainly a wonderful work of art, and a wonderful likeness as well.

— Да, сейчас я этому рад. Не знаю только, всегда ли так будет.

— Всегда!.. Какое ужасное слово! Я содрогаюсь, когда слышу его. Его особенно любят женщины. Они портят всякий роман, стремясь, чтобы он длился вечно. Притом «всегда» — это пустое слово. Между капризом и «вечной любовью» разница только та, что каприз длится несколько дольше.

Они уже входили в мастерскую. Дориан Грей положил руку на плечо лорда Генри.

— Если так, пусть наша дружба будет капризом, — шепнул он, краснея, смущенный собственной смелостью. Затем взошел на подмостки и стал в позу.

Лорд Генри, расположившись в широком плетеном кресле, наблюдал за ним. Тишину в комнате нарушали только легкий стук и шуршанье кисти по полотну, затихавшее, когда Холлуорд отходил от мольберта, чтобы издали взглянуть на свою работу. В открытую дверь лились косые солнечные лучи, в них плясали золотые пылинки. Приятный аромат роз словно плавал в воздухе.

Прошло с четверть часа. Художник перестал работать. Он долго смотрел на Дориана Грея, потом, так же долго, — на портрет, хмурясь и покусывая кончик длинной кисти.

— Готово! — воскликнул он наконец и, нагнувшись, подписал свое имя длинными красными буквами в левом углу картины.

Лорд Генри подошел ближе, чтобы лучше рассмотреть ее. Несомненно, это было дивное произведение искусства, да и сходство было поразительное.

"My dear fellow, I congratulate you most warmly," he said. "It is the finest portrait of modern times. Mr. Gray, come over and look at yourself."

The lad started, as if awakened from some dream.

"Is it really finished?" he murmured, stepping down from the platform.

"Quite finished," said the painter. "And you have sat splendidly to-day. I am awfully obliged to you."

"That is entirely due to me," broke in Lord Henry. "Isn't it, Mr. Gray?"

Dorian made no answer, but passed listlessly in front of his picture and turned towards it. When he saw it he drew back, and his cheeks flushed for a moment with pleasure. A look of joy came into his eyes, as if he had recognized himself for the first time. He stood there motionless and in wonder, dimly conscious that Hallward was speaking to him, but not catching the meaning of his words. The sense of his own beauty came on him like a revelation. He had never felt it before. Basil Hallward's compliments had seemed to him to be merely the charming exaggeration of friendship. He had listened to them, laughed at them, forgotten them. They had not influenced his nature. Then had come Lord Henry Wotton with his strange panegyric on youth, his terrible warning of its brevity. That had stirred him at the time, and now, as he stood gazing at the shadow of his own loveliness, the full reality of the description flashed across him. Yes, there would be a day when his face would be wrinkled

— Дорогой мой Бэзил, поздравляю тебя от всей души, — сказал он. — Я не знаю лучшего портрета во всей современной живописи. Подойдите же сюда, мистер Грей, и судите сами.

Юноша вздрогнул, как человек, внезапно очнувшийся от сна.

— В самом деле кончено? — спросил он, сходя с подмостков.

— Да, да. И вы сегодня прекрасно позировали. Я вам за это бесконечно благодарен.

— За это надо благодарить меня, — вмешался лорд Генри. — Правда, мистер Грей?

Дориан, не отвечая, с рассеянным видом прошел мимо мольберта, затем повернулся к нему лицом. При первом взгляде на портрет он невольно сделал шаг назад и вспыхнул от удовольствия. Глаза его блеснули так радостно, словно он в первый раз увидел себя. Он стоял неподвижно, погруженный в созерцание, смутно сознавая, что Холлуорд что-то говорит ему, но не вникая в смысл его слов. Как откровение пришло к нему сознание своей красоты. До сих пор он как-то ее не замечал, и восхищение Бэзила Холлуорда казалось ему трогательным ослеплением дружбы. Он выслушивал его комплименты, подсмеивался над ними и забывал их. Они не производили на него никакого впечатления. Но вот появился лорд Генри, прозвучал его восторженный гимн молодости, грозное предостережение о том, что она быстротечна. Это взволновало Дориана, и сейчас, когда он смотрел на отражение своей красоты, перед ним вдруг с поразительной ясностью

and wizen, his eyes dim and colourless, the grace of his figure broken and deformed. The scarlet would pass away from his lips and the gold steal from his hair. The life that was to make his soul would mar his body. He would become dreadful, hideous, and uncouth.

As he thought of it, a sharp pang of pain struck through him like a knife and made each delicate fibre of his nature quiver. His eyes deepened into amethyst, and across them came a mist of tears. He felt as if a hand of ice had been laid upon his heart.

"Don't you like it?" cried Hallward at last, stung a little by the lad's silence, not understanding what it meant.

"Of course he likes it," said Lord Henry. "Who wouldn't like it? It is one of the greatest things in modern art. I will give you anything you like to ask for it. I must have it."

"It is not my property, Harry."

"Whose property is it?"

"Dorian's, of course," answered the painter.

"He is a very lucky fellow."

"How sad it is!" murmured Dorian Gray with his eyes still fixed upon his own portrait. "How sad it is! I shall grow old, and horrible, and dreadful. But this picture will remain always young. It will never be older than this particular day of June... If it were only the other way! If it were I who was to be always young, and the picture that was to grow old! For that — for

встало то будущее, о котором говорил лорд Генри. Да, наступит день, когда его лицо поблекнет и сморщится, глаза потускнеют, выцветут, стройный стан согнется, станет безобразным. Годы унесут с собой алость губ и золото волос. Жизнь, формируя его душу, будет разрушать его тело. Он станет отталкивающе некрасив, жалок и страшен.

При этой мысли острая боль, как ножом, пронзила Дориана, и каждая жилка в нем затрепетала. Глаза потемнели, став из голубых аметистовыми, и затуманились слезами. Словно ледяная рука легла ему на сердце.

— Разве портрет вам не нравится? — воскликнул наконец Холлуорд, немного задетый непонятным молчанием Дориана.

— Ну конечно нравится, — ответил за него лорд Генри. — Кому он мог бы не понравиться? Это один из шедевров современной живописи. Я готов отдать за него столько, сколько ты потребуешь. Этот портрет должен принадлежать мне.

— Я не могу его продать, Гарри. Он не мой.

— А чей же?

— Дориана, разумеется, — ответил художник.

— Вот счастливец!

— Как это печально! — пробормотал вдруг Дориан Грей, все еще не отводя глаз от своего портрета. — Как печально! Я состарюсь, стану противным уродом, а мой портрет будет вечно молод. Он никогда не станет старше, чем в этот июньский день... Ах, если бы могло быть наоборот! Если бы старел этот портрет, а я навсегда остался молодым! За это... за

that — I would give everything! Yes, there is nothing in the whole world I would not give! I would give my soul for that!"

"You would hardly care for such an arrangement, Basil," cried Lord Henry, laughing. "It would be rather hard lines on your work."

"I should object very strongly, Harry," said Hallward.

Dorian Gray turned and looked at him.

"I believe you would, Basil. You like your art better than your friends. I am no more to you than a green bronze figure. Hardly as much, I dare say."

The painter stared in amazement. It was so unlike Dorian to speak like that. What had happened? He seemed quite angry. His face was flushed and his cheeks burning.

"Yes," he continued, "I am less to you than your ivory Hermes or your silver Faun. You will like them always. How long will you like me? Till I have my first wrinkle, I suppose. I know, now, that when one loses one's good looks, whatever they may be, one loses everything. Your picture has taught me that. Lord Henry Wotton is perfectly right. Youth is the only thing worth having. When I find that I am growing old, I shall kill myself."

Hallward turned pale and caught his hand.

"Dorian! Dorian!" he cried, "don't talk like that. I have never had such a friend as you, and I shall

это я отдал бы все на свете. Да, ничего не пожалел бы! Душу бы отдал за это!

— Тебе, Бэзил, такой порядок вещей вряд ли понравился бы! — воскликнул лорд Генри со смехом. — Тяжела тогда была бы участь художника!

— Да, я горячо протестовал бы против этого, — отозвался Холлуорд.

Дориан Грей обернулся и в упор посмотрел на него.

— О Бэзил, в этом я не сомневаюсь! Свое искусство вы любите больше, чем друзей. Я вам не дороже какой-нибудь позеленевшей бронзовой статуэтки. Нет, пожалуй, ею вы дорожите больше.

Удивленный художник смотрел на него во все глаза. Очень странно было слышать такие речи от Дориана. Что это с ним? Он, видимо, был очень раздражен, лицо его пылало.

— Да, да, — продолжал Дориан. — Я вам не так дорог, как ваш серебряный Фавн или Гермес из слоновой кости. Их вы будете любить всегда. А долго ли будете любить меня? Вероятно, до первой морщинки на моем лице. Я теперь знаю — когда человек теряет красоту, он теряет все. Ваша картина мне это подсказала. Лорд Генри совершенно прав: молодость — единственное, что ценно в нашей жизни. Когда я замечу, что старею, я покончу с собой.

Холлуорд побледнел и схватил его за руку.

— Дориан, Дориан, что вы такое говорите! У меня не было и не будет друга ближе вас. Что это вы

never have such another. You are not jealous of material things, are you?—you who are finer than any of them!"

"I am jealous of everything whose beauty does not die. I am jealous of the portrait you have painted of me. Why should it keep what I must lose? Every moment that passes takes something from me and gives something to it. Oh, if it were only the other way! If the picture could change, and I could be always what I am now! Why did you paint it? It will mock me some day — mock me horribly!"

The hot tears welled into his eyes; he tore his hand away and, flinging himself on the divan, he buried his face in the cushions, as though he was praying.

"This is your doing, Harry," said the painter bitterly.

Lord Henry shrugged his shoulders.

"It is the real Dorian Gray — that is all."

"It is not."

"If it is not, what have I to do with it?"

"You should have gone away when I asked you," he muttered.

"I stayed when you asked me," was Lord Henry's answer.

"Harry, I can't quarrel with my two best friends at once, but between you both you have made me hate the finest piece of work I have ever done, and I will destroy it. What is it but canvas and colour? I will not let it come across our three lives and mar them."

вздумали завидовать каким-то неодушевленным предметам? Да вы прекраснее их всех!

— Я завидую всему, чья красота бессмертна. Завидую этому портрету, который вы с меня написали. Почему он сохранит то, что мне суждено утратить? Каждое уходящее мгновение отнимает что-то у меня и дарит ему. О, если бы было наоборот! Если бы портрет менялся, а я мог всегда оставаться таким, как сейчас! Зачем вы его написали? Придет время, когда он будет дразнить меня, постоянно насмехаться надо мной!

Горячие слезы подступили к глазам Дориана, он вырвал свою руку из руки Холлуорда и, упав на диван, спрятал лицо в подушки.

— Это ты наделал, Гарри! — сказал художник с горечью.

Лорд Генри пожал плечами.

— Это заговорил настоящий Дориан Грей, вот и все.

— Неправда.

— А если нет, при чем же тут я?

— Тебе следовало уйти, когда я просил тебя об этом.

— Я остался по твоей же просьбе, — возразил лорд Генри.

— Гарри, я не хочу поссориться разом с двумя моими близкими друзьями... Но вы оба сделали мне ненавистной мою лучшую картину. Я ее уничтожу. Что ж, ведь это только холст и краски. И я не допущу, чтобы она омрачила жизнь всем нам.

Dorian Gray lifted his golden head from the pillow, and with pallid face and tear-stained eyes, looked at him as he walked over to the deal painting-table that was set beneath the high curtained window. What was he doing there? His fingers were straying about among the litter of tin tubes and dry brushes, seeking for something. Yes, it was for the long palette-knife, with its thin blade of lithe steel. He had found it at last. He was going to rip up the canvas.

With a stifled sob the lad leaped from the couch, and, rushing over to Hallward, tore the knife out of his hand, and flung it to the end of the studio.

"Don't, Basil, don't!" he cried. "It would be murder!"

"I am glad you appreciate my work at last, Dorian," said the painter coldly when he had recovered from his surprise. "I never thought you would."

"Appreciate it? I am in love with it, Basil. It is part of myself. I feel that."

"Well, as soon as you are dry, you shall be varnished, and framed, and sent home. Then you can do what you like with yourself."

And he walked across the room and rang the bell for tea.

"You will have tea, of course, Dorian? And so will you, Harry? Or do you object to such simple pleasures?"

"I adore simple pleasures," said Lord Henry. "They are the last refuge of the complex. But I don't like scenes, except on the stage. What absurd fellows you

Дориан Грей поднял голову с подушки и, бледнея, заплаканными глазами следил за художником, который подошел к своему рабочему столу у высокого занавешенного окна. Что он там делает? Шарит среди беспорядочно нагроможденных на столе тюбиков с красками и сухих кистей, — видимо, разыскивает что-то. Ага, это он искал длинный шпатель с тонким и гибким стальным лезвием. И нашел его наконец. Он хочет изрезать портрет!

Всхлипнув, юноша вскочил с дивана, подбежал к Холлуорду и, вырвав у него из рук шпатель, швырнул его в дальний угол.

— Не смейте, Бэзил! Не смейте! — крикнул он. — Это все равно что убийство!

— Вы, оказывается, все-таки цените мою работу? Очень рад, — сказал художник сухо, когда опомнился от удивления. — А я на это уже не надеялся.

— Ценю ее? Да я в нее влюблен, Бэзил. У меня такое чувство, словно этот портрет — часть меня самого.

— Ну и отлично. Как только вы высохнете, вас покроют лаком, вставят в раму и отправят домой. Тогда можете делать с собой что хотите.

Пройдя через комнату, Холлуорд позвонил.

— Вы, конечно, не откажетесь выпить чаю, Дориан? И ты тоже, Гарри? Или ты не охотник до таких простых удовольствий?

— Я обожаю простые удовольствия, — сказал лорд Генри. — Они — последнее прибежище для сложных натур. Но драматические сцены я терплю

are, both of you! I wonder who it was defined man as a rational animal. It was the most premature definition ever given. Man is many things, but he is not rational. I am glad he is not, after all — though I wish you chaps would not squabble over the picture. You had much better let me have it, Basil. This silly boy doesn't really want it, and I really do."

"If you let any one have it but me, Basil, I shall never forgive you!" cried Dorian Gray; "and I don't allow people to call me a silly boy."

"You know the picture is yours, Dorian. I gave it to you before it existed."

"And you know you have been a little silly, Mr. Gray, and that you don't really object to being reminded that you are extremely young."

"I should have objected very strongly this morning, Lord Henry."

"Ah! this morning! You have lived since then."

There came a knock at the door, and the butler entered with a laden tea-tray and set it down upon a small Japanese table. There was a rattle of cups and saucers and the hissing of a fluted Georgian urn. Two globe-shaped china dishes were brought in by a page.

Dorian Gray went over and poured out the tea. The two men sauntered languidly to the table and examined what was under the covers.

только на театральных подмостках. Какие вы оба нелепые люди! Интересно, кто это выдумал, что человек — разумное животное? Что за скороспелое суждение! У человека есть что угодно, только не разум. И, в сущности, это очень хорошо!.. Однако мне неприятно, что вы ссоритесь из-за портрета. Вы бы лучше отдали его мне, Бэзил! Этому глупому мальчику вовсе не так уж хочется его иметь, а мне очень хочется.

— Бэзил, я вам никогда не прощу, если вы его отдадите не мне! — воскликнул Дориан Грей. — И я никому не позволю обзывать меня «глупым мальчиком».

— Я уже сказал, что дарю портрет вам, Дориан. Я так решил еще прежде, чем начал его писать.

— А на меня не обижайтесь, мистер Грей, — сказал лорд Генри. — Вы сами знаете, что вели себя довольно глупо. И не так уж вам неприятно, когда вам напоминают, что вы еще мальчик.

— Еще сегодня утром мне было бы это очень неприятно, лорд Генри.

— Ах, утром! Но с тех пор вы многое успели пережить.

В дверь постучали, вошел лакей с чайным подносом и поставил его на японский столик. Звякали чашки и блюдца, пыхтел большой старинный чайник. За лакеем мальчик внес два шарообразных фарфоровых блюда.

Дориан Грей подошел к столу и стал разливать чай. Бэзил и лорд Генри не спеша подошли тоже и, приподняв крышки, посмотрели, что лежит на блюдах.

"Let us go to the theatre to-night," said Lord Henry. "There is sure to be something on, somewhere. I have promised to dine at White's, but it is only with an old friend, so I can send him a wire to say that I am ill, or that I am prevented from coming in consequence of a subsequent engagement. I think that would be a rather nice excuse: it would have all the surprise of candour."

"It is such a bore putting on one's dress-clothes," muttered Hallward. "And, when one has them on, they are so horrid."

"Yes," answered Lord Henry dreamily, "the costume of the nineteenth century is detestable. It is so sombre, so depressing. Sin is the only real colour-element left in modern life."

"You really must not say things like that before Dorian, Harry."

"Before which Dorian? The one who is pouring out tea for us, or the one in the picture?"

"Before either."

"I should like to come to the theatre with you, Lord Henry," said the lad.

"Then you shall come; and you will come, too, Basil, won't you?"

"I can't, really. I would sooner not. I have a lot of work to do."

"Well, then, you and I will go alone, Mr. Gray."

"I should like that awfully."

The painter bit his lip and walked over, cup in hand, to the picture.

— А не пойти ли нам сегодня вечером в театр? — предложил лорд Генри. — Наверное, где-нибудь идет что-нибудь интересное. Правда, я обещал одному человеку обедать сегодня с ним у Уайта, но это мой старый приятель, ему можно телеграфировать, что я заболел или что мне помешало прийти более позднее приглашение... Пожалуй, такого рода отговорка ему даже больше понравится своей неожиданной откровенностью.

— Ох, надевать фрак! Как это скучно! — буркнул Холлуорд. — Терпеть не могу фраки!

— Да, — лениво согласился лорд Генри. — Современные костюмы безобразны, они угнетают своей мрачностью. В нашей жизни не осталось ничего красочного, кроме порока.

— Право, Гарри, тебе не следует говорить таких вещей при Дориане!

— При котором из них? При том, что наливает нам чай, или том, что на портрете?

— И при том, и при другом.

— Я с удовольствием пошел бы с вами в театр, лорд Генри, — промолвил Дориан.

— Прекрасно. Значит, едем. И вы с нами, Бэзил?

— Нет, право, не могу. У меня уйма дел.

— Ну, так мы пойдем вдвоем — вы и я, мистер Грей.

— Как я рад!

Художник, закусив губу, с чашкой в руке подошел к портрету.

"I shall stay with the real Dorian," he said, sadly.

"Is it the real Dorian?" cried the original of the portrait, strolling across to him. "Am I really like that?"

"Yes; you are just like that."

"How wonderful, Basil!"

"At least you are like it in appearance. But it will never alter," sighed Hallward. "That is something."

"What a fuss people make about fidelity!" exclaimed Lord Henry. "Why, even in love it is purely a question for physiology. It has nothing to do with our own will. Young men want to be faithful, and are not; old men want to be faithless, and cannot: that is all one can say."

"Don't go to the theatre to-night, Dorian," said Hallward. "Stop and dine with me."

"I can't, Basil."

"Why?"

"Because I have promised Lord Henry Wotton to go with him."

"He won't like you the better for keeping your promises. He always breaks his own. I beg you not to go."

Dorian Gray laughed and shook his head.

"I entreat you."

The lad hesitated, and looked over at Lord Henry, who was watching them from the tea-table with an amused smile.

— А я останусь с подлинным Дорианом, — сказал он грустно.

— Так, по-вашему, это — подлинный Дориан? — спросил Дориан Грей, подходя к нему. — Неужели я в самом деле такой?

— Да, именно такой.

— Как это чудесно, Бэзил!

— По крайней мере, внешне вы такой. И на портрете всегда таким останетесь, — со вздохом сказал Холлуорд. — А это чего-нибудь да стоит.

— Как люди гонятся за постоянством! — воскликнул лорд Генри. — Господи, да ведь и в любви верность — это всецело вопрос физиологии, она ничуть не зависит от нашей воли. Люди молодые хотят быть верны — и не бывают, старики хотели бы изменять, но где уж им! Вот и все.

— Не ходите сегодня в театр, Дориан, — сказал Холлуорд. — Останьтесь у меня, пообедаем вместе.

— Не могу, Бэзил.

— Почему?

— Я же обещал лорду Генри пойти с ним.

— Думаете, он станет хуже относиться к вам, если вы не сдержите слова? Он сам никогда не выполняет своих обещаний. Я вас очень прошу, не уходите.

Дориан засмеялся и покачал головой.

— Умоляю вас!

Юноша в нерешимости посмотрел на лорда Генри, который, сидя за чайным столом, с улыбкой слушал их разговор.

"I must go, Basil," he answered.

"Very well," said Hallward, and he went over and laid down his cup on the tray. "It is rather late, and, as you have to dress, you had better lose no time. Good-bye, Harry. Good-bye, Dorian. Come and see me soon. Come to-morrow."

"Certainly."

"You won't forget?"

"No, of course not," cried Dorian.

"And ... Harry!"

"Yes, Basil?"

"Remember what I asked you, when we were in the garden this morning."

"I have forgotten it."

"I trust you."

"I wish I could trust myself," said Lord Henry, laughing. "Come, Mr. Gray, my hansom is outside, and I can drop you at your own place. Good-bye, Basil. It has been a most interesting afternoon."

As the door closed behind them, the painter flung himself down on a sofa, and a look of pain came into his face.

Chapter III

At half-past twelve next day Lord Henry Wotton strolled from Curzon Street over to the Albany to call on his uncle, Lord Fermor, a genial if somewhat rough-mannered old bachelor, whom the outside world called selfish because it derived no particular

— Нет, я должен идти, Бэзил.

— Как знаете. — Холлуорд отошел к столу и поставил свою чашку на поднос. — В таком случае не теряйте времени. Уже поздно, а вам еще надо переодеться. До свиданья, Гарри. До свиданья, Дориан. Приходите поскорее — ну, хотя бы завтра. Придете?

— Непременно.

— Не забудете?

— Нет, конечно нет! — заверил его Дориан.

— И вот еще что... Гарри!

— Что, Бэзил?

— Помни то, о чем я просил тебя утром в саду!

— А я уже забыл, о чем именно.

— Смотри! Я тебе доверяю.

— Хотел бы я сам себе доверять! — сказал лорд Генри со смехом. — Идемте, мистер Грей, мой кабриолет у ворот, и я могу довезти вас до дому. До свиданья, Бэзил. Мы сегодня очень интересно провели время.

Когда дверь закрылась за гостями, художник тяжело опустился на диван. По лицу его видно было, как ему больно.

Глава III

На другой день в половине первого лорд Генри Уоттон вышел из своего дома на Керзон-стрит и направился в Олбени. Он хотел навестить своего дядю, лорда Фермора, добродушного, хотя и резковатого старого холостяка, которого за пределами светского

benefit from him, but who was considered generous by Society as he fed the people who amused him. His father had been our ambassador at Madrid when Isabella was young and Prim unthought of, but had retired from the diplomatic service in a capricious moment of annoyance on not being offered the Embassy at Paris, a post to which he considered that he was fully entitled by reason of his birth, his indolence, the good English of his dispatches, and his inordinate passion for pleasure. The son, who had been his father's secretary, had resigned along with his chief, somewhat foolishly as was thought at the time, and on succeeding some months later to the title, had set himself to the serious study of the great aristocratic art of doing absolutely nothing. He had two large town houses, but preferred to live in chambers as it was less trouble, and took most of his meals at his club. He paid some attention to the management of his collieries in the Midland counties, excusing himself for this taint of industry on the ground that the one advantage of having coal was that it enabled a gentleman to afford the decency of burning wood on his own hearth. In politics he was a Tory, except when the Tories were in office, during which period he roundly abused them for being a pack of Radicals. He was a hero to his valet, who bullied him, and a terror to most of his relations, whom he bullied in turn. Only England could have produced him, and he always said that the country was going to the dogs. His principles were out of date, but there was a good deal to be said for his prejudices.

круга считали эгоистом, ибо он ничем особенно не
был людям полезен, а в светском кругу — щедрым
и добрым, ибо лорд Фермор охотно угощал тех, кто
его развлекал. Отец лорда Фермора состоял английским послом в Мадриде в те времена, когда королева Изабелла была молода, а Прима еще и в помине
не было. Под влиянием минутного каприза он ушел
с дипломатической службы, рассерженный тем,
что его не назначили послом в Париж, хотя на этот
пост ему давали полное право его происхождение,
праздность, прекрасный слог дипломатических де-
пеш и неумеренная страсть к наслаждениям. Сын,
состоявший при отце секретарем, ушел вместе
с ним — что тогда все считали безрассудством —
и, несколько месяцев спустя унаследовав титул,
принялся серьезно изучать великое аристократиче-
ское искусство ничегонеделания. У него в Лондоне
было два больших дома, но он предпочитал жить
на холостую ногу в наемной меблированной квар-
тире, находя это менее хлопотным, а обедал и за-
втракал чаще всего в клубе. Лорд Фермор уделял
некоторое внимание своим угольным копям в цен-
тральных графствах и оправдывал этот нездоровый
интерес к промышленности тем, что, владея углем,
он имеет возможность, как это прилично джентль-
мену, топить свой камин дровами. По политиче-
ским убеждениям он был консерватор, но только не
тогда, когда консерваторы приходили к власти, —
в такие периоды он энергично ругал их, называя
шайкой радикалов. Он героически воевал со своим
камердинером, который держал его в ежовых рука-

When Lord Henry entered the room, he found his uncle sitting in a rough shooting-coat, smoking a cheroot and grumbling over The Times.

"Well, Harry," said the old gentleman, "what brings you out so early? I thought you dandies never got up till two, and were not visible till five."

"Pure family affection, I assure you, Uncle George. I want to get something out of you."

"Money, I suppose," said Lord Fermor, making a wry face. "Well, sit down and tell me all about it. Young people, nowadays, imagine that money is everything."

"Yes," murmured Lord Henry, settling his buttonhole in his coat; "and when they grow older they know it. But I don't want money. It is only people who pay their bills who want that, Uncle George, and I never pay mine. Credit is the capital of a younger son, and one lives charmingly upon it. Besides, I always deal with Dartmoor's tradesmen, and consequently they never bother me. What I want is information: not useful information, of course; useless information."

вицах. Сам же он, в свою очередь, терроризировал многочисленную родню. Породить его могла только Англия, а между тем он был ею недоволен и всегда твердил, что страна идет к гибели. Принципы его были старомодны, зато многое можно было сказать в защиту его предрассудков.

В комнате, куда вошел лорд Генри, дядя его сидел в толстой охотничьей куртке, с сигарой в зубах и читал «Таймс», ворчливо выражая вслух свое недовольство этой газетой.

— А, Гарри! — сказал почтенный старец. — Что это ты так рано? Я думал, что вы, денди, встаете не раньше двух часов дня и до пяти не выходите из дому.

— Поверьте, дядя Джордж, меня привели к вам в такой ранний час исключительно родственные чувства. Мне от вас кое-что нужно.

— Денег, вероятно? — сказал лорд Фермор с кислым видом. — Ладно, садись и рассказывай. Нынешние молодые люди воображают, что деньги — это все.

— Да, — согласился лорд Генри, поправляя цветок в петлице. — А с годами они в этом убеждаются. Но мне деньги не нужны, дядя Джордж, — они нужны тем, кто имеет привычку платить долги, а я своим кредиторам никогда не плачу. Кредит — это единственный капитал младшего сына в семье, и на этот капитал можно отлично прожить. Кроме того, я имею дело только с поставщиками Дартмура, — и, естественно, они меня никогда не беспокоят. К вам я пришел не за деньгами, а за сведениями. Разумеется, не за полезными: за бесполезными.

"Well, I can tell you anything that is in an English Blue Book, Harry, although those fellows nowadays write a lot of nonsense. When I was in the Diplomatic, things were much better. But I hear they let them in now by examination. What can you expect? Examinations, sir, are pure humbug from beginning to end. If a man is a gentleman, he knows quite enough, and if he is not a gentleman, whatever he knows is bad for him."

"Mr. Dorian Gray does not belong to Blue Books, Uncle George," said Lord Henry languidly.

"Mr. Dorian Gray? Who is he?" asked Lord Fermor, knitting his bushy white eyebrows.

"That is what I have come to learn, Uncle George. Or rather, I know who he is. He is the last Lord Kelso's grandson. His mother was a Devereux, Lady Margaret Devereux. I want you to tell me about his mother. What was she like? Whom did she marry? You have known nearly everybody in your time, so you might have known her. I am very much interested in Mr. Gray at present. I have only just met him."

"Kelso's grandson!" echoed the old gentleman. "Kelso's grandson! ... Of course... I knew his mother intimately. I believe I was at her christening. She was an extraordinarily beautiful girl, Margaret Devereux, and made all the men frantic by running away with a penniless young fellow — a mere nobody, sir, a sub-

— Ну что ж, от меня ты можешь узнать все, что есть в любой Синей книге Англии, хотя нынче в них пишут много ерунды. В те времена, когда я был дипломатом, это делалось гораздо лучше. Но теперь, говорят, дипломатов зачисляют на службу только после того, как они выдержат экзамен. Так чего же от них ожидать? Экзамены, сэр, — это чистейшая чепуха, от начала до конца. Если ты джентльмен, так тебя учить нечему, тебе достаточно того, что ты знаешь. А если ты не джентльмен, то знания тебе только во вред.

— Мистер Дориан Грей в Синих книгах не числится, дядя Джордж, — небрежно заметил лорд Генри.

— Мистер Дориан Грей? А кто же он такой? — спросил лорд Фермор, хмуря седые косматые брови.

— Вот это-то я и пришел у вас узнать, дядя Джордж. Впрочем, кто он, мне известно: он — внук последнего лорда Келсо. Фамилия его матери была Девере, леди Маргарет Девере. Расскажите мне, что вы знаете о ней. Какая она была, за кого вышла замуж? Ведь вы знали в свое время весь лондонский свет, — так, может, и ее тоже? Я только что познакомился с мистером Греем, и он меня очень интересует.

— Внук Келсо! — повторил старый лорд. — Внук Келсо... Как же, как же, я очень хорошо знал его мать. Помнится, даже был на ее крестинах. Красавица она была необыкновенная, эта Маргарет Девере, и все мужчины бесновались, когда она убежала с каким-то молодчиком, полнейшим ничтожеством

altern in a foot regiment, or something of that kind. Certainly. I remember the whole thing as if it happened yesterday. The poor chap was killed in a duel at Spa a few months after the marriage. There was an ugly story about it. They said Kelso got some rascally adventurer, some Belgian brute, to insult his son-in-law in public — paid him, sir, to do it, paid him — and that the fellow spitted his man as if he had been a pigeon. The thing was hushed up, but, egad, Kelso ate his chop alone at the club for some time afterwards. He brought his daughter back with him, I was told, and she never spoke to him again. Oh, yes; it was a bad business. The girl died, too, died within a year. So she left a son, did she? I had forgotten that. What sort of boy is he? If he is like his mother, he must be a good-looking chap."

"He is very good-looking," assented Lord Henry.

"I hope he will fall into proper hands," continued the old man. "He should have a pot of money waiting for him if Kelso did the right thing by him. His mother had money, too. All the Selby property came to her, through her grandfather. Her grandfather hated Kelso, thought him a mean dog. He was, too. Came to Madrid once when I was there. Egad, I was ashamed of him. The Queen used to ask me about the English noble who was always quarrelling with the cabmen about their fares. They made quite a story of it. I didn't dare show my face at Court for a month.

без гроша за душой, — он был офицерик пехотного полка или что-то в таком роде. Да, да, помню все, как будто это случилось вчера. Бедняга был убит на дуэли в Спа через несколько месяцев после того, как они поженились. Насчет этого ходили тогда скверные слухи. Говорили, что Келсо подослал какого-то прохвоста, бельгийского авантюриста, чтобы тот публично оскорбил его зятя... понимаешь, подкупил его, заплатил подлецу, — и тот на дуэли насадил молодого человека на свою шпагу, как голубя на вертел. Дело замяли, но, ей-богу, после этого Келсо долгое время ел в клубе свой бифштекс в полном одиночестве. Мне рассказывали, что дочь он привез домой, но с тех пор она не говорила с ним до самой смерти. Да, скверная история! И дочь умерла очень скоро — года не прошло. Так ты говоришь, после нее остался сын? А я и забыл об этом. Что он собой представляет? Если похож на мать, так, наверное, красивый малый.

— Да, очень красивый, — подтвердил лорд Генри.

— Надеюсь, он попадет в хорошие руки, — продолжал лорд Фермор. — Если Келсо его не обидел в завещании, у него, должно быть, куча денег. Да и у Маргарет было свое состояние. Все поместье Селби перешло к ней от деда. Ее дед ненавидел Келсо, называл его скаредом. Он и в самом деле был скряга. Помню, он приезжал в Мадрид, когда я жил там. Ей-богу, я краснел за него! Королева несколько раз спрашивала меня, кто этот английский пэр, который постоянно торгуется с извозчиками. О нем там анекдоты ходили. Целый месяц я не решался по-

I hope he treated his grandson better than he did the jarvies."

"I don't know," answered Lord Henry. "I fancy that the boy will be well off. He is not of age yet. He has Selby, I know. He told me so. And ... his mother was very beautiful?"

"Margaret Devereux was one of the loveliest creatures I ever saw, Harry. What on earth induced her to behave as she did, I never could understand. She could have married anybody she chose. Carlington was mad after her. She was romantic, though. All the women of that family were. The men were a poor lot, but, egad! the women were wonderful. Carlington went on his knees to her. Told me so himself. She laughed at him, and there wasn't a girl in London at the time who wasn't after him. And by the way, Harry, talking about silly marriages, what is this humbug your father tells me about Dartmoor wanting to marry an American? Ain't English girls good enough for him?"

"It is rather fashionable to marry Americans just now, Uncle George."

"I'll back English women against the world, Harry," said Lord Fermor, striking the table with his fist.

"The betting is on the Americans."

"They don't last, I am told," muttered his uncle.

казываться при дворе. Надеюсь, Келсо был щедрее к своему внуку, чем к мадридским извозчикам?

— Этого я не знаю, — отозвался лорд Генри. — Дориан еще несовершеннолетний. Но думаю, что он будет богат. Селби перешло к нему, это я слышал от него самого... Так вы говорите, его мать была очень красива?

— Маргарет Девере была одна из прелестнейших девушек, каких я видывал в жизни. Я никогда не мог понять, что ее толкнуло на такой странный брак. Ведь она могла выйти за кого бы ни пожелала. Сам Карлингтон был от нее без ума. Но вся беда в том, что она обладала романтическим воображением. В их роду все женщины были романтичны. Мужчины немногого стоили, но женщины, ей-богу, были замечательные... Карлингтон на коленях стоял перед Маргарет — он сам мне это говорил. А ведь в Лондоне в те времена все девушки были влюблены в него. Но Маргарет только смеялась над ним. Да, кстати о дурацких браках, — что это за вздор молол твой отец насчет Дартмура, — будто он хочет жениться на американке? Неужели англичанки для него недостаточно хороши?

— Видите ли, дядя Джордж, жениться на американках теперь очень модно.

— Ну а я — за англичанок и готов спорить с целым светом! — Лорд Фермор стукнул кулаком по столу.

— Ставка нынче только на американок.

— Я слышал, что их ненадолго хватает, — буркнул дядя Джордж.

"A long engagement exhausts them, but they are capital at a steeplechase. They take things flying. I don't think Dartmoor has a chance."

"Who are her people?" grumbled the old gentleman. "Has she got any?"

Lord Henry shook his head.

"American girls are as clever at concealing their parents, as English women are at concealing their past," he said, rising to go.

"They are pork-packers, I suppose?"

"I hope so, Uncle George, for Dartmoor's sake. I am told that pork-packing is the most lucrative profession in America, after politics."

"Is she pretty?"

"She behaves as if she was beautiful. Most American women do. It is the secret of their charm."

"Why can't these American women stay in their own country? They are always telling us that it is the paradise for women."

"It is. That is the reason why, like Eve, they are so excessively anxious to get out of it," said Lord Henry. "Good-bye, Uncle George. I shall be late for lunch, if I stop any longer. Thanks for giving me the information I wanted. I always like to know everything about my new friends, and nothing about my old ones."

"Where are you lunching, Harry?"

"At Aunt Agatha's. I have asked myself and Mr. Gray. He is her latest protege."

— Их утомляют долгие заезды, но в скачках с препятствиями они великолепны. На лету берут барьеры. Думаю, что Дартмуру несдобровать.

— А кто ее родители? — ворчливо осведомился лорд Фермор. — Они у нее вообще имеются?

Лорд Генри покачал головой.

— Американские девицы так же ловко скрывают своих родителей, как английские дамы — свое прошлое, — сказал он, вставая.

— Должно быть, папаша ее — экспортер свинины?

— Ради Дартмура, дядя Джордж, я желал бы, чтобы это было так. Говорят, в Америке это самое прибыльное дело. Выгоднее его только политика.

— А эта американка, по крайней мере, хорошенькая?

— Подобно большинству американок, она ведет себя так, как будто бы она красавица. В этом — секрет их успеха.

— И отчего они не сидят у себя в Америке? Ведь нас всегда уверяют, что там для женщин — рай.

— Так оно и есть. Потому-то они, подобно праматери Еве, и стремятся выбраться оттуда, — пояснил лорд Генри. — Ну, до свиданья, дядя Джордж. Я должен идти, иначе опоздаю к завтраку. Спасибо за сведения о Дориане. Я люблю знать все о своих новых знакомых и ничего — о старых.

— А где ты сегодня завтракаешь, Гарри?

— У тетушки Агаты. Я напросился сам и пригласил мистера Грея. Он — ее новый протеже.

"Humph! tell your Aunt Agatha, Harry, not to bother me any more with her charity appeals. I am sick of them. Why, the good woman thinks that I have nothing to do but to write cheques for her silly fads."

"All right, Uncle George, I'll tell her, but it won't have any effect. Philanthropic people lose all sense of humanity. It is their distinguishing characteristic."

The old gentleman growled approvingly and rang the bell for his servant. Lord Henry passed up the low arcade into Burlington Street and turned his steps in the direction of Berkeley Square.

So that was the story of Dorian Gray's parentage. Crudely as it had been told to him, it had yet stirred him by its suggestion of a strange, almost modern romance. A beautiful woman risking everything for a mad passion. A few wild weeks of happiness cut short by a hideous, treacherous crime. Months of voiceless agony, and then a child born in pain. The mother snatched away by death, the boy left to solitude and the tyranny of an old and loveless man. Yes; it was an interesting background. It posed the lad, made him more perfect, as it were. Behind every exquisite thing that existed, there was something tragic. Worlds had to be in travail, that the meanest flower might blow...

And how charming he had been at dinner the night before, as with startled eyes and lips parted in

— Гм!.. Так вот что, Гарри: передай своей тетушке Агате, чтобы она перестала меня атаковать воззваниями о пожертвованиях. Надоели они мне до смерти. Эта добрая женщина вообразила, что у меня другого дела нет, как только выписывать чеки на ее дурацкие благотворительные затеи.

— Хорошо, дядя Джордж, передам. Но ведь это бесполезно. Филантропы, увлекаясь благотворительностью, теряют всякое человеколюбие. Это их отличительная черта.

Старый джентльмен одобрительно хмыкнул и позвонил лакею, чтобы тот проводил гостя. Лорд Генри прошел пассажем на Берлингтон-стрит и направился в Берклей-сквер.

Он вспомнил то, что услышал от дяди о родных Дориана Грея. Даже рассказанная в общих чертах, история эта взволновала его своей необычайностью, своей почти современной романтичностью. Прекрасная девушка, пожертвовавшая всем ради страстной любви. Несколько недель безмерного счастья, разбитого гнусным преступлением. Потом — месяцы новых страданий, рожденный в муках ребенок. Мать унесена смертью, удел сына — сиротство и тирания бессердечного старика. Да, это интересный фон, он выгодно оттеняет облик юноши, придает ему еще больше очарования. За прекрасным всегда скрыта какая-нибудь трагедия. Чтобы зацвел самый скромный цветочек, миры должны претерпеть родовые муки.

...Как обворожителен был Дориан вчера вечером, когда они обедали вдвоем в клубе! В его ошеломлен-

frightened pleasure he had sat opposite to him at the club, the red candleshades staining to a richer rose the wakening wonder of his face. Talking to him was like playing upon an exquisite violin. He answered to every touch and thrill of the bow...

There was something terribly enthralling in the exercise of influence. No other activity was like it. To project one's soul into some gracious form, and let it tarry there for a moment; to hear one's own intellectual views echoed back to one with all the added music of passion and youth; to convey one's temperament into another as though it were a subtle fluid or a strange perfume: there was a real joy in that — perhaps the most satisfying joy left to us in an age so limited and vulgar as our own, an age grossly carnal in its pleasures, and grossly common in its aims...

He was a marvellous type, too, this lad, whom by so curious a chance he had met in Basil's studio, or could be fashioned into a marvellous type, at any rate. Grace was his, and the white purity of boyhood, and beauty such as old Greek marbles kept for us. There was nothing that one could not do with him. He could be made a Titan or a toy. What a pity it was that such beauty was destined to fade!..

And Basil? From a psychological point of view, how interesting he was! The new manner in art, the fresh mode of looking at life, suggested so strangely by the merely visible presence of one who was un-

ном взоре и приоткрытых губах читались тревога и робкая радость, а в тени красных абажуров лицо казалось еще розовее и еще ярче выступала его дивная расцветающая красота. Говорить с этим мальчиком было все равно что играть на редкостной скрипке. Он отзывался на каждое прикосновение, на малейшую дрожь смычка...

А как это увлекательно — проверять силу своего влияния на другого человека! Ничто не может с этим сравниться. Перелить свою душу в другого, дать ей побыть в нем; слышать отзвуки собственных мыслей, усиленные музыкой юности и страсти; передавать другому свой темперамент как тончайший флюид или своеобразный аромат, — это истинное наслаждение, самая большая радость, быть может, какая дана человеку в наш ограниченный и пошлый век с его грубо-чувственными утехами и грубо-примитивными стремлениями.

...К тому же этот мальчик, с которым он по столь счастливой случайности встретился в мастерской Бэзила, — замечательный тип... или, во всяком случае, из него можно сделать нечто замечательное. У него есть все — обаяние, белоснежная чистота юности и красота, та красота, какую запечатлели в мраморе древние греки. Из него можно вылепить что угодно, сделать его титаном — или игрушкой. Как жаль, что такой красоте суждено увянуть!..

А Бэзил? Как психологически интересно то, что он говорил! Новая манера в живописи, новое восприятие действительности, неожиданно возникшее благодаря одному лишь присутствию человека, ко-

conscious of it all; the silent spirit that dwelt in dim woodland, and walked unseen in open field, suddenly showing herself, Dryadlike and not afraid, because in his soul who sought for her there had been wakened that wonderful vision to which alone are wonderful things revealed; the mere shapes and patterns of things becoming, as it were, refined, and gaining a kind of symbolical value, as though they were themselves patterns of some other and more perfect form whose shadow they made real: how strange it all was!

He remembered something like it in history. Was it not Plato, that artist in thought, who had first analyzed it? Was it not Buonarotti who had carved it in the coloured marbles of a sonnet-sequence? But in our own century it was strange...

Yes; he would try to be to Dorian Gray what, without knowing it, the lad was to the painter who had fashioned the wonderful portrait. He would seek to dominate him — had already, indeed, half done so. He would make that wonderful spirit his own. There was something fascinating in this son of love and death.

Suddenly he stopped and glanced up at the houses. He found that he had passed his aunt's some distance, and, smiling to himself, turned back. When he entered the somewhat sombre hall, the butler told him that they had gone in to lunch. He gave one of the footmen his hat and stick and passed into the dining-room.

торый об этом и не подозревает... Душа природы, обитавшая в дремучих лесах, бродившая в чистом поле, дотоле незримая и безгласная, вдруг, как Дриада, явилась художнику без всякого страха, ибо его душе, давно ее искавшей, дана та вдохновенная прозорливость, которой только и открываются дивные тайны; и простые формы, образы вещей обрели высокое совершенство и некий символический смысл, словно являя художнику иную, более совершенную форму, которая из смутной грезы превратилась в реальность. Как это все необычайно!

Нечто подобное бывало и в прошлые века. Платон, для которого мышление было искусством, первый задумался над этим чудом. А Буонарроти? Разве не выразил он его в своем цикле сонетов, высеченных в цветном мраморе? Но в наш век это удивительно...

И лорд Генри решил, что ему следует стать для Дориана Грея тем, чем Дориан, сам того не зная, стал для художника, создавшего его великолепный портрет. Он попытается покорить Дориана, — собственно, он уже наполовину этого достиг, — и душа чудесного юноши будет принадлежать ему. Как щедро одарила судьба это дитя Любви и Смерти!

Лорд Генри вдруг остановился и окинул взглядом соседние дома. Увидев, что он уже миновал дом своей тетушки и отошел от него довольно далеко, он, посмеиваясь над собой, повернул обратно. Когда он вошел в темноватую прихожую, дворецкий доложил ему, что все уже в столовой. Лорд Генри отдал одному из лакеев шляпу и трость и прошел туда.

"Late as usual, Harry," cried his aunt, shaking her head at him.

He invented a facile excuse, and having taken the vacant seat next to her, looked round to see who was there. Dorian bowed to him shyly from the end of the table, a flush of pleasure stealing into his cheek. Opposite was the Duchess of Harley, a lady of admirable good-nature and good temper, much liked by every one who knew her, and of those ample architectural proportions that in women who are not duchesses are described by contemporary historians as stoutness. Next to her sat, on her right, Sir Thomas Burdon, a Radical member of Parliament, who followed his leader in public life and in private life followed the best cooks, dining with the Tories and thinking with the Liberals, in accordance with a wise and well-known rule. The post on her left was occupied by Mr. Erskine of Treadley, an old gentleman of considerable charm and culture, who had fallen, however, into bad habits of silence, having, as he explained once to Lady Agatha, said everything that he had to say before he was thirty.

His own neighbour was Mrs. Vandeleur, one of his aunt's oldest friends, a perfect saint amongst women, but so dreadfully dowdy that she reminded one of a badly bound hymn-book. Fortunately for him she had on the other side Lord Faudel, a most intelligent middle-aged mediocrity, as bald as a ministerial statement in the House of Commons, with whom she was conversing in that intensely earnest manner

— Ты, как всегда, опаздываешь, Гарри! — воскликнула его тетушка, укоризненно качая головой.

Он извинился, тут же придумав какое-то объяснение, и, сев на свободный стул рядом с хозяйкой дома, обвел глазами собравшихся гостей. С другого конца стола ему застенчиво кивнул Дориан, краснея от удовольствия. Напротив сидела герцогиня Харли, очень любимая всеми, кто ее знал, дама в высшей степени кроткого и веселого нрава и тех архитектурных пропорций, которые современные историки называют тучностью (когда речь идет не о герцогинях!). Справа от герцогини сидел сэр Томас Бэрден, член парламента, радикал. В общественной жизни он был верным сторонником своего лидера, а в частной — сторонником хорошей кухни, то есть следовал общеизвестному мудрому правилу: «Выступай с либералами, а обедай с консерваторами». По левую руку герцогини занял место мистер Эрскин из Тредли, пожилой джентльмен, весьма культурный и приятный, но усвоивший себе дурную привычку всегда молчать в обществе, ибо, как он однажды объяснил леди Агате, еще до тридцати лет высказал все, что имел сказать.

Соседкой лорда Генри за столом была миссис Ванделер, одна из давнишних приятельниц его тетушки, поистине святая женщина, но одетая так безвкусно и крикливо, что ее можно было сравнить с молитвенником в скверном аляповатом переплете. К счастью для лорда Генри, соседом миссис Ванделер с другой стороны оказался лорд Фаудел, мужчина средних лет, большого ума, но посред-

which is the one unpardonable error, as he remarked once himself, that all really good people fall into, and from which none of them ever quite escape.

"We are talking about poor Dartmoor, Lord Henry," cried the duchess, nodding pleasantly to him across the table. "Do you think he will really marry this fascinating young person?"

"I believe she has made up her mind to propose to him, Duchess."

"How dreadful!" exclaimed Lady Agatha. "Really, some one should interfere."

"I am told, on excellent authority, that her father keeps an American dry-goods store," said Sir Thomas Burdon, looking supercilious.

"My uncle has already suggested pork-packing, Sir Thomas."

"Dry-goods! What are American dry-goods?" asked the duchess, raising her large hands in wonder and accentuating the verb.

"American novels," answered Lord Henry, helping himself to some quail.

The duchess looked puzzled.

"Don't mind him, my dear," whispered Lady Agatha. "He never means anything that he says."

"When America was discovered," said the Radical member — and he began to give some wearisome facts. Like all people who try to exhaust a subject, he

ственных способностей, бесцветный и скучный, как отчет министра в палате общин. Беседа между ним и миссис Ванделер велась с той усиленной серьезностью, которой, по его же словам, непростительно грешат все добродетельные люди и от которой никто из них никак не может вполне освободиться.

— Мы говорим о бедном Дартмуре, — громко сказала лорду Генри герцогиня, приветливо кивнув ему через стол. — Как вы думаете, он в самом деле женится на этой обворожительной американке?

— Да, герцогиня. Она, кажется, решила сделать ему предложение.

— Какой ужас! — воскликнула леди Агата. — Право, следовало бы помешать этому!

— Я слышал из самых верных источников, что ее отец в Америке торгует галантереей или каким-то другим убогим товаром, — с презрительной миной объявил сэр Томас Бэрден.

— А мой дядя утверждает, что свининой, сэр Томас.

— Что это еще за «убогий» товар? — осведомилась герцогиня, в удивлении поднимая полные руки.

— Американские романы, — пояснил лорд Генри, принимаясь за куропатку.

Герцогиня была озадачена.

— Не слушайте его, дорогая, — шепнула ей леди Агата. — Он никогда ничего не говорит серьезно.

— Когда была открыта Америка... — начал радикал — и дальше пошли всякие скучнейшие сведения. Как все ораторы, которые ставят себе целью

exhausted his listeners. The duchess sighed and exercised her privilege of interruption.

"I wish to goodness it never had been discovered at all!" she exclaimed. "Really, our girls have no chance nowadays. It is most unfair."

"Perhaps, after all, America never has been discovered," said Mr. Erskine; "I myself would say that it had merely been detected."

"Oh! but I have seen specimens of the inhabitants," answered the duchess vaguely. "I must confess that most of them are extremely pretty. And they dress well, too. They get all their dresses in Paris. I wish I could afford to do the same."

"They say that when good Americans die they go to Paris," chuckled Sir Thomas, who had a large wardrobe of Humour's cast-off clothes.

"Really! And where do bad Americans go to when they die?" inquired the duchess.

"They go to America," murmured Lord Henry.

Sir Thomas frowned.

"I am afraid that your nephew is prejudiced against that great country," he said to Lady Agatha. "I have travelled all over it in cars provided by the directors, who, in such matters, are extremely civil. I assure you that it is an education to visit it."

исчерпать тему, он исчерпал терпение слушателей. Герцогиня вздохнула и воспользовалась своей привилегией перебивать других.

— Было бы гораздо лучше, если бы эта Америка совсем не была открыта! — воскликнула она. — Ведь американки отбивают у наших девушек всех женихов. Это безобразие!

— Пожалуй, я сказал бы, что Америка вовсе не открыта, — заметил мистер Эрскин. — Она еще только обнаружена.

— О, я видела представительниц ее населения, — неопределенным тоном отозвалась герцогиня. — И должна признать, что большинство из них — прехорошенькие. И одеваются прекрасно. Все туалеты заказывают в Париже. Я, к сожалению, не могу себе этого позволить.

— Есть поговорка, что хорошие американцы после смерти отправляются в Париж, — изрек, хихикая, сэр Томас, у которого имелся в запасе большой выбор потрепанных острот.

— Вот как! А куда же отправляются после смерти дурные американцы? — поинтересовалась герцогиня.

— В Америку, — пробормотал лорд Генри.

Сэр Томас сдвинул брови.

— Боюсь, что ваш племянник предубежден против этой великой страны, — сказал он леди Агате. — Я изъездил ее всю вдоль и поперек, — мне предоставляли всегда специальные вагоны, тамошние директора весьма любезны, — и, уверяю вас, поездки в Америку имеют большое образовательное значение.

"But must we really see Chicago in order to be educated?" asked Mr. Erskine plaintively. "I don't feel up to the journey."

Sir Thomas waved his hand.

"Mr. Erskine of Treadley has the world on his shelves. We practical men like to see things, not to read about them. The Americans are an extremely interesting people. They are absolutely reasonable. I think that is their distinguishing characteristic. Yes, Mr. Erskine, an absolutely reasonable people. I assure you there is no nonsense about the Americans."

"How dreadful!" cried Lord Henry. "I can stand brute force, but brute reason is quite unbearable. There is something unfair about its use. It is hitting below the intellect."

"I do not understand you," said Sir Thomas, growing rather red.

"I do, Lord Henry," murmured Mr. Erskine, with a smile.

"Paradoxes are all very well in their way..." rejoined the baronet.

"Was that a paradox?" asked Mr. Erskine. "I did not think so. Perhaps it was. Well, the way of paradoxes is the way of truth. To test reality we must see it on the tight rope. When the verities become acrobats, we can judge them."

— Неужели же, чтобы стать образованным человеком, необходимо повидать Чикаго? — жалобно спросил мистер Эрскин. — Я не чувствую себя в силах совершить такое путешествие.

Сэр Томас махнул рукой.

— Для мистера Эрскина мир сосредоточен на его книжных полках. А мы, люди дела, хотим своими глазами все видеть, не только читать обо всем. Американцы — очень интересный народ и обладают большим здравым смыслом. Я считаю, что это их самая отличительная черта. Да, да, мистер Эрскин, это весьма здравомыслящие люди. Поверьте мне, американец никогда не делает глупостей.

— Какой ужас! — воскликнул лорд Генри. — Я еще могу примириться с грубой силой, но грубая, тупая рассудочность совершенно невыносима. Руководствоваться рассудком — в этом есть что-то неблагородное. Это значит — предавать интеллект.

— Не понимаю, что вы этим хотите сказать, — отозвался сэр Томас, побагровев.

— А я вас понял, лорд Генри, — с улыбкой пробормотал мистер Эрскин.

— Парадоксы имеют свою прелесть, но... — начал баронет.

— Разве это был парадокс? — спросил мистер Эрскин. — А я и не догадался... Впрочем, может быть, вы правы. Ну, так что же? Правда жизни открывается нам именно в форме парадоксов. Чтобы постигнуть Действительность, надо видеть, как она балансирует на канате. И только посмотрев все те акробатические штуки, какие проделывает Истина, мы можем правильно судить о ней.

"Dear me!" said Lady Agatha, "how you men argue! I am sure I never can make out what you are talking about. Oh! Harry, I am quite vexed with you. Why do you try to persuade our nice Mr. Dorian Gray to give up the East End? I assure you he would be quite invaluable. They would love his playing."

"I want him to play to me," cried Lord Henry, smiling, and he looked down the table and caught a bright answering glance.

"But they are so unhappy in Whitechapel," continued Lady Agatha.

"I can sympathize with everything except suffering," said Lord Henry, shrugging his shoulders. "I cannot sympathize with that. It is too ugly, too horrible, too distressing. There is something terribly morbid in the modern sympathy with pain. One should sympathize with the colour, the beauty, the joy of life. The less said about life's sores, the better."

"Still, the East End is a very important problem," remarked Sir Thomas with a grave shake of the head.

"Quite so," answered the young lord. "It is the problem of slavery, and we try to solve it by amusing the slaves."

The politician looked at him keenly.

"What change do you propose, then?" he asked.

Lord Henry laughed.

"I don't desire to change anything in England except the weather," he answered. "I am quite content with philosophic contemplation. But, as the nine-

— Господи, как мужчины любят спорить! — вздохнула леди Агата. — Никак не могу взять в толк, о чем вы говорите. А на тебя, Гарри, я очень сердита. Зачем это ты отговариваешь нашего милого мистера Грея работать со мной в Ист-Энде? Пойми, он мог бы оказать нам неоценимые услуги: его игра так всем нравится.

— А я хочу, чтобы он играл для меня, — смеясь, возразил лорд Генри и, глянув туда, где сидел Дориан, встретил его ответный радостный взгляд.

— Но в Уайтчепле видишь столько людского горя! — не унималась леди Агата.

— Я сочувствую всему, кроме людского горя. — Лорд Генри пожал плечами. — Ему я сочувствовать не могу. Оно слишком безобразно, слишком ужасно и угнетает нас. Во всеобщем сочувствии к страданиям есть нечто в высшей степени нездоровое. Сочувствовать надо красоте, ярким краскам и радостям жизни. И как можно меньше говорить о темных ее сторонах.

— Но Ист-Энд — очень серьезная проблема, — внушительно заметил сэр Томас, качая головой.

— Несомненно, — согласился лорд Генри. — Ведь это — проблема рабства, и мы пытаемся разрешить ее, увеселяя рабов.

Старый политикан пристально посмотрел на него.

— А что же вы предлагаете взамен? — спросил он.

Лорд Генри рассмеялся.

— Я ничего не хотел бы менять в Англии, кроме погоды, и вполне довольствуюсь философским созерцанием. Но девятнадцатый век пришел к бан-

teenth century has gone bankrupt through an over-expenditure of sympathy, I would suggest that we should appeal to science to put us straight. The advantage of the emotions is that they lead us astray, and the advantage of science is that it is not emotional."

"But we have such grave responsibilities," ventured Mrs. Vandeleur timidly.

"Terribly grave," echoed Lady Agatha.

Lord Henry looked over at Mr. Erskine.

"Humanity takes itself too seriously. It is the world's original sin. If the caveman had known how to laugh, history would have been different."

"You are really very comforting," warbled the duchess. "I have always felt rather guilty when I came to see your dear aunt, for I take no interest at all in the East End. For the future I shall be able to look her in the face without a blush."

"A blush is very becoming, Duchess," remarked Lord Henry.

"Only when one is young," she answered. "When an old woman like myself blushes, it is a very bad sign. Ah! Lord Henry, I wish you would tell me how to become young again."

He thought for a moment.

"Can you remember any great error that you committed in your early days, Duchess?" he asked, looking at her across the table.

"A great many, I fear," she cried.

кротству из-за того, что слишком щедро расточал сострадание. И потому, мне кажется, наставить людей на путь истинный может только Наука. Эмоции хороши тем, что уводят нас с этого пути, а Наука — тем, что она не знает эмоций.

— Но ведь на нас лежит такая ответственность! — робко вмешалась миссис Ванделер.

— Громадная ответственность! — поддержала ее леди Агата.

Лорд Генри через стол переглянулся с мистером Эрскином.

— Человечество преувеличивает свою роль на земле. Это — его первородный грех. Если бы пещерные люди умели смеяться, история пошла бы по другому пути.

— Вы меня очень утешили, — проворковала герцогиня. — До сих пор, когда я бывала у вашей милой тетушки, мне всегда становилось совестно, что я не интересуюсь Ист-Эндом. Теперь я буду смотреть ей в глаза, не краснея.

— Но румянец женщине очень к лицу, герцогиня, — заметил лорд Генри.

— Только в молодости, — возразила она. — А когда краснеет такая старуха, как я, это очень дурной признак. Ах, лорд Генри, хоть бы вы мне посоветовали, как снова стать молодой!

Лорд Генри подумал с минуту.

— Можете вы, герцогиня, припомнить какую-нибудь большую ошибку вашей молодости? — спросил он, наклонясь к ней через стол.

— Увы, и не одну!

"Then commit them over again," he said gravely. "To get back one's youth, one has merely to repeat one's follies."

"A delightful theory!" she exclaimed. "I must put it into practice."

"A dangerous theory!" came from Sir Thomas's tight lips. Lady Agatha shook her head, but could not help being amused. Mr. Erskine listened.

"Yes," he continued, "that is one of the great secrets of life. Nowadays most people die of a sort of creeping common sense, and discover when it is too late that the only things one never regrets are one's mistakes."

A laugh ran round the table.

He played with the idea and grew wilful; tossed it into the air and transformed it; let it escape and recaptured it; made it iridescent with fancy and winged it with paradox. The praise of folly, as he went on, soared into a philosophy, and philosophy herself became young, and catching the mad music of pleasure, wearing, one might fancy, her wine-stained robe and wreath of ivy, danced like a Bacchante over the hills of life, and mocked the slow Silenus for being sober. Facts fled before her like frightened forest things. Her white feet trod the huge press at which wise Omar sits, till the seething grape-juice rose round her bare limbs in waves of purple bubbles, or crawled in red foam over the vat's black, dripping, sloping sides.

— Тогда совершите их все снова, — сказал он серьезно. — Чтобы вернуть молодость, стоит только повторить все ее безумства.

— Замечательная теория! — восхитилась герцогиня. — Непременно проверю ее на практике.

— Теория опасная! — процедил сэр Томас сквозь плотно сжатые губы. А леди Агата покачала головой, но невольно засмеялась. Мистер Эрскин слушал молча.

— Да, — продолжал лорд Генри. — Это одна из великих тайн жизни. В наши дни большинство людей умирает от ползучей формы рабского благоразумия, и все слишком поздно спохватываются, что единственное, о чем никогда не пожалеешь, это наши ошибки и заблуждения.

За столом грянул дружный смех.

А лорд Генри стал своенравно играть этой мыслью, давая волю фантазии: он жонглировал ею, преображал ее, то отбрасывал, то подхватывал снова; заставлял ее искриться, украшая радужными блестками своего воображения, окрылял парадоксами. Этот гимн безумствам воспарил до высот Философии, а Философия обрела юность и, увлеченная дикой музыкой Наслаждения, как вакханка в залитом вином наряде и венке из плюща, понеслась в исступленной пляске по холмам жизни, насмехаясь над трезвостью медлительного Силена. Факты уступали ей дорогу, разлетались, как испуганные лесные духи. Ее обнаженные ноги попирали гигантский камень давильни, на котором восседает мудрый Омар, и журчащий сок винограда вскипал

It was an extraordinary improvisation. He felt that the eyes of Dorian Gray were fixed on him, and the consciousness that amongst his audience there was one whose temperament he wished to fascinate seemed to give his wit keenness and to lend colour to his imagination. He was brilliant, fantastic, irresponsible. He charmed his listeners out of themselves, and they followed his pipe, laughing. Dorian Gray never took his gaze off him, but sat like one under a spell, smiles chasing each other over his lips and wonder growing grave in his darkening eyes.

At last, liveried in the costume of the age, reality entered the room in the shape of a servant to tell the duchess that her carriage was waiting. She wrung her hands in mock despair.

"How annoying!" she cried. "I must go. I have to call for my husband at the club, to take him to some absurd meeting at Willis's Rooms, where he is going to be in the chair. If I am late he is sure to be furious, and I couldn't have a scene in this bonnet. It is far too fragile. A harsh word would ruin it. No, I must go, dear Agatha. Good-bye, Lord Henry, you are quite delightful and dreadfully demoralizing. I am sure I don't know what to say about your views. You must come and dine with us some night. Tuesday? Are you disengaged Tuesday?"

вокруг этих белых ног волнами пурпуровых брызг, растекаясь затем красной пеной по отлогим черным стенкам чана.

То была блестящая и оригинальная импровизация. Лорд Генри чувствовал, что Дориан Грей не сводит с него глаз, и сознание, что среди слушателей есть человек, которого ему хочется пленить, оттачивало его остроумие, придавало красочность речам. То, что он говорил, было увлекательно, безответственно, противоречило логике и разуму. Слушатели смеялись, но были невольно очарованы и покорно следовали за полетом его фантазии, как дети — за легендарным дудочником. Дориан Грей смотрел ему в лицо не отрываясь, как завороженный, и по губам его то и дело пробегала улыбка, а в потемневших глазах восхищение сменялось задумчивостью.

Наконец Действительность в костюме нашего века вступила в комнату в образе слуги, доложившего герцогине, что экипаж ее подан. Герцогиня в шутливом отчаянии заломила руки.

— Экая досада! Приходится уезжать. Я должна заехать в клуб за мужем и отвезти его на какое-то глупейшее собрание, на котором он будет председательствовать. Если опоздаю, он обязательно рассердится, а я стараюсь избегать сцен, когда на мне эта шляпка: она чересчур воздушна, одно резкое слово может ее погубить. Нет, нет, не удерживайте меня, милая Агата. До свидания, лорд Генри! Вы — прелесть, но настоящий демон-искуситель. Я положительно не знаю, что думать о ваших теориях. Непременно приезжайте к нам обедать. Ну, скажем, во вторник. Во вторник вы никуда не приглашены?

"For you I would throw over anybody, Duchess," said Lord Henry with a bow.

"Ah! that is very nice, and very wrong of you," she cried; "so mind you come"; and she swept out of the room, followed by Lady Agatha and the other ladies.

When Lord Henry had sat down again, Mr. Erskine moved round, and taking a chair close to him, placed his hand upon his arm.

"You talk books away," he said; "why don't you write one?"

"I am too fond of reading books to care to write them, Mr. Erskine. I should like to write a novel certainly, a novel that would be as lovely as a Persian carpet and as unreal. But there is no literary public in England for anything except newspapers, primers, and encyclopaedias. Of all people in the world the English have the least sense of the beauty of literature."

"I fear you are right," answered Mr. Erskine. "I myself used to have literary ambitions, but I gave them up long ago. And now, my dear young friend, if you will allow me to call you so, may I ask if you really meant all that you said to us at lunch?"

"I quite forget what I said," smiled Lord Henry. "Was it all very bad?"

"Very bad indeed. In fact I consider you extremely dangerous, and if anything happens to our good duchess, we shall all look on you as being primarily responsible. But I should like to talk to you about life. The generation into which I was born was tedi-

— Для вас, герцогиня, я готов изменить всем, — сказал с поклоном лорд Генри.

— О, это очень мило с вашей стороны, но и очень дурно, — воскликнула почтенная дама. — Так помните же, мы вас ждем. — И она величаво выплыла из комнаты, а за ней — леди Агата и другие дамы.

Когда лорд Генри снова сел на свое место, мистер Эрскин, усевшись рядом, положил ему руку на плечо.

— Ваши речи интереснее всяких книг, — начал он. — Почему вы не напишете что-нибудь?

— Я слишком люблю читать книги, мистер Эрскин, и потому не пишу их. Конечно, хорошо бы написать роман, роман чудесный, как персидский ковер, и столь же фантастический. Но у нас в Англии читают только газеты, энциклопедические словари да учебники. Англичане меньше всех народов мира понимают красоты литературы.

— Боюсь, что вы правы, — отозвался мистер Эрскин. — Я сам когда-то мечтал стать писателем, но давно отказался от этой мысли... Теперь, мой молодой друг, — если позволите вас так называть, — я хочу задать вам один вопрос: вы действительно верите во все, что говорили за завтраком?

— А я уже совершенно не помню, что говорил. — Лорд Генри улыбнулся. — Какую-нибудь ересь?

— Да, безусловно. На мой взгляд, вы — человек чрезвычайно опасный, и, если с нашей милой герцогиней что-нибудь стрясется, все мы будем считать вас главным виновником... Я хотел бы побеседовать с вами о жизни. Люди моего поколения

ous. Some day, when you are tired of London, come down to Treadley and expound to me your philosophy of pleasure over some admirable Burgundy I am fortunate enough to possess."

"I shall be charmed. A visit to Treadley would be a great privilege. It has a perfect host, and a perfect library."

"You will complete it," answered the old gentleman with a courteous bow. "And now I must bid good-bye to your excellent aunt. I am due at the Athenaeum. It is the hour when we sleep there."

"All of you, Mr. Erskine?"

"Forty of us, in forty arm-chairs. We are practising for an English Academy of Letters."

Lord Henry laughed and rose.

"I am going to the park," he cried.

As he was passing out of the door, Dorian Gray touched him on the arm.

"Let me come with you," he murmured.

"But I thought you had promised Basil Hallward to go and see him," answered Lord Henry.

"I would sooner come with you; yes, I feel I must come with you. Do let me. And you will promise to talk to me all the time? No one talks so wonderfully as you do."

"Ah! I have talked quite enough for to-day," said Lord Henry, smiling. "All I want now is to look at life. You may come and look at it with me, if you care to."

прожили жизнь скучно. Как-нибудь, когда Лондон вам надоест, приезжайте ко мне в Тредли. Там вы изложите мне свою философию наслаждения за стаканом чудесного бургундского, которое у меня, к счастью, еще сохранилось.

— С большим удовольствием. Сочту за счастье побывать в Тредли, где такой радушный хозяин и такая замечательная библиотека.

— Вы ее украсите своим присутствием, — отозвался старый джентльмен с учтивым поклоном. — Ну а теперь пойду прощусь с вашей добрейшей тетушкой. Мне пора в Атенеум. В этот час мы обычно дремлем там.

— В полном составе, мистер Эрскин?

— Да, сорок человек в сорока креслах. Таким образом мы готовимся стать Английской академией литературы.

Лорд Генри расхохотался.

— Ну а я пойду в парк, — сказал он, вставая.

У двери Дориан Грей дотронулся до его руки.

— Можно и мне с вами?

— Но вы, кажется, обещали навестить Бэзила Холлуорда?

— Мне больше хочется побыть с вами. Да, да, мне непременно надо пойти с вами. Можно? И вы обещаете все время говорить со мной? Никто не говорит так интересно, как вы.

— Ох, я сегодня уже достаточно наговорил! — с улыбкой возразил лорд Генри. — Теперь мне хочется только наблюдать жизнь. Пойдемте и будем наблюдать вместе, если хотите.

Chapter IV

One afternoon, a month later, Dorian Gray was re-
clining in a luxurious arm-chair, in the little library
of Lord Henry's house in Mayfair. It was, in its way, a
very charming room, with its high panelled wainscoting of olive-stained oak, its cream-coloured frieze and
ceiling of raised plasterwork, and its brickdust felt
carpet strewn with silk, long-fringed Persian rugs.
On a tiny satinwood table stood a statuette by Clo-
dion, and beside it lay a copy of Les Cent Nouvelles,
bound for Margaret of Valois by Clovis Eve and powdered with the gilt daisies that Queen had selected
for her device. Some large blue china jars and parrot-
tulips were ranged on the mantelshelf, and through
the small leaded panes of the window streamed the
apricot-coloured light of a summer day in London.

Lord Henry had not yet come in. He was always
late on principle, his principle being that punctual-
ity is the thief of time. So the lad was looking rather
sulky, as with listless fingers he turned over the pages
of an elaborately illustrated edition of Manon Lescaut
that he had found in one of the book-cases. The formal monotonous ticking of the Louis Quatorze clock
annoyed him. Once or twice he thought of going away.

At last he heard a step outside, and the door
opened.

Глава IV

Однажды днем, месяц спустя, Дориан Грей, расположившись в удобном кресле, сидел в небольшой библиотеке лорда Генри, в его доме в Мэйфере. Это была красивая комната, с высокими дубовыми оливково-зелеными панелями, желтоватым фризом и лепным потолком. По кирпично-красному сукну, покрывавшему пол, разбросаны были шелковые персидские коврики с длинной бахромой. На столике красного дерева стояла статуэтка Клодиона, а рядом лежал экземпляр «Les Cent Nouvelles»[1] в переплете работы Кловиса Эва. Книга принадлежала некогда Маргарите Валуа, и переплет ее был усеян золотыми маргаритками — этот цветок королева избрала своей эмблемой. На камине красовались пестрые тюльпаны в больших голубых вазах китайского фарфора. В окна с частым свинцовым переплетом вливался абрикосовый свет летнего лондонского дня.

Лорд Генри еще не вернулся. Он поставил себе за правило всегда опаздывать, считая, что пунктуальность — вор времени. И Дориан, недовольно хмурясь, рассеянно перелистывал превосходно иллюстрированное издание «Манон Леско», найденное им в одном из книжных шкафов. Размеренно тикали часы в стиле Людовика Четырнадцатого, и даже это раздражало Дориана. Он уже несколько раз порывался уйти, не дождавшись хозяина.

Наконец за дверью послышались шаги, и она отворилась.

---

[1] «Сто новелл» (фр.).

"How late you are, Harry!" he murmured.

"I am afraid it is not Harry, Mr. Gray," answered a shrill voice.

He glanced quickly round and rose to his feet.

"I beg your pardon. I thought—"

"You thought it was my husband. It is only his wife. You must let me introduce myself. I know you quite well by your photographs. I think my husband has got seventeen of them."

"Not seventeen, Lady Henry?"

"Well, eighteen, then. And I saw you with him the other night at the opera."

She laughed nervously as she spoke, and watched him with her vague forget-me-not eyes. She was a curious woman, whose dresses always looked as if they had been designed in a rage and put on in a tempest. She was usually in love with somebody, and, as her passion was never returned, she had kept all her illusions. She tried to look picturesque, but only succeeded in being untidy. Her name was Victoria, and she had a perfect mania for going to church.

"That was at Lohengrin, Lady Henry, I think?"

"Yes; it was at dear Lohengrin. I like Wagner's music better than anybody's. It is so loud that one can talk the whole time without other people hearing what one says. That is a great advantage, don't you think so, Mr. Gray?"

The same nervous staccato laugh broke from her thin lips, and her fingers began to play with a long tortoise-shell paper-knife.

— Как вы поздно, Гарри! — буркнул Дориан.

— К сожалению, это не Гарри, мистер Грей, — отозвался высокий и резкий голос.

Дориан поспешно обернулся и вскочил.

— Простите! Я думал...

— Вы думали, что это мой муж. А это только его жена, — разрешите представиться. Вас я уже очень хорошо знаю по фотографиям. У моего супруга их, если не ошибаюсь, семнадцать штук.

— Будто уж семнадцать, леди Генри?

— Ну не семнадцать, так восемнадцать. И потом я недавно видела вас с ним в опере.

Говоря это, она как-то беспокойно посмеивалась и внимательно смотрела на Дориана своими бегающими, голубыми, как незабудки, глазами. Все туалеты этой странной женщины имели такой вид, как будто они были задуманы в припадке безумия и надеты в бурю. Леди Уоттон всегда была в кого-нибудь влюблена — и всегда безнадежно, так что она сохранила все свои иллюзии. Она старалась быть эффектной, но выглядела только неряшливой. Звали ее Викторией, и она до страсти любила ходить в церковь — это превратилось у нее в манию.

— Вероятно, на «Лоэнгрине», леди Генри?

— Да, на моем любимом «Лоэнгрине». Музыку Вагнера я предпочитаю всякой другой. Она такая шумная, под нее можно болтать в театре весь вечер, не боясь, что тебя услышат посторонние. Это очень удобно, не так ли, мистер Грей?

Тот же беспокойный и отрывистый смешок сорвался с ее узких губ, и она принялась вертеть в руках длинный черепаховый нож для разрезания бумаги.

Dorian smiled and shook his head:

"I am afraid I don't think so, Lady Henry. I never talk during music — at least, during good music. If one hears bad music, it is one's duty to drown it in conversation."

"Ah! that is one of Harry's views, isn't it, Mr. Gray? I always hear Harry's views from his friends. It is the only way I get to know of them. But you must not think I don't like good music. I adore it, but I am afraid of it. It makes me too romantic. I have simply worshipped pianists — two at a time, sometimes, Harry tells me. I don't know what it is about them. Perhaps it is that they are foreigners. They all are, ain't they? Even those that are born in England become foreigners after a time, don't they? It is so clever of them, and such a compliment to art. Makes it quite cosmopolitan, doesn't it? You have never been to any of my parties, have you, Mr. Gray? You must come. I can't afford orchids, but I spare no expense in foreigners. They make one's rooms look so picturesque. But here is Harry! Harry, I came in to look for you, to ask you something — I forget what it was — and I found Mr. Gray here. We have had such a pleasant chat about music. We have quite the same ideas. No; I think our ideas are quite different. But he has been most pleasant. I am so glad I've seen him."

Дориан с улыбкой покачал головой.

— Извините, не могу с вами согласиться, леди Генри. Я всегда слушаю музыку внимательно и не болтаю, если она хороша. Ну а скверную музыку, конечно, следует заглушать разговорами.

— Ага, это мнение Гарри, не так ли, мистер Грей? Я постоянно слышу мнения Гарри от его друзей. Только таким путем я их и узнаю. Ну а музыка... Вы не подумайте, что я ее не люблю. Хорошую музыку я обожаю, но боюсь ее — она настраивает меня чересчур романтично. Пианистов я прямо-таки боготворю, иногда влюбляюсь даже в двух разом — так уверяет Гарри. Не знаю, что в них так меня привлекает... Может быть, то, что они иностранцы? Ведь они, кажется, все иностранцы? Даже те, что родились в Англии, со временем становятся иностранцами, не правда ли? Это очень разумно с их стороны и создает хорошую репутацию их искусству, делает его космополитичным. Не так ли, мистер Грей?.. Вы, кажется, не были еще ни на одном из моих вечеров? Приходите непременно. Орхидей я не заказываю, это мне не по средствам, но на иностранцев денег не жалею — они придают гостиной такой живописный вид! Ага! Вот и Гарри! Гарри, я зашла, чтобы спросить у тебя кое-что, — не помню, что именно, — и застала здесь мистера Грея. Мы с ним очень интересно поговорили о музыке. И совершенно сошлись во мнениях... впрочем, нет — кажется, совершенно разошлись. Но он такой приятный собеседник, и я очень рада, что познакомилась с ним.

"I am charmed, my love, quite charmed," said Lord Henry, elevating his dark, crescent-shaped eyebrows and looking at them both with an amused smile. "So sorry I am late, Dorian. I went to look after a piece of old brocade in Wardour Street and had to bargain for hours for it. Nowadays people know the price of everything and the value of nothing."

"I am afraid I must be going," exclaimed Lady Henry, breaking an awkward silence with her silly sudden laugh. "I have promised to drive with the duchess. Good-bye, Mr. Gray. Good-bye, Harry. You are dining out, I suppose? So am I. Perhaps I shall see you at Lady Thornbury's."

"I dare say, my dear," said Lord Henry, shutting the door behind her as, looking like a bird of paradise that had been out all night in the rain, she flitted out of the room, leaving a faint odour of frangipanni. Then he lit a cigarette and flung himself down on the sofa.

"Never marry a woman with straw-coloured hair, Dorian," he said after a few puffs.

"Why, Harry?"

"Because they are so sentimental."

"But I like sentimental people."

"Never marry at all, Dorian. Men marry because they are tired; women, because they are curious: both are disappointed."

— Я тоже очень рад, дорогая, очень рад, — сказал лорд Генри, поднимая темные изогнутые брови и с веселой улыбкой глядя то на жену, то на Дориана. — Извините, что заставил вас ждать, Дориан. Я ходил на Уордор-стрит, где присмотрел кусок старинной парчи, и пришлось торговаться за нее добрых два часа. В наше время люди всему знают цену, но понятия не имеют о подлинной ценности.

— Как ни жаль, мне придется вас покинуть! — объявила леди Генри, прерывая наступившее неловкое молчание, и засмеялась — как всегда, неожиданно и некстати. — Я обещала герцогине поехать с ней кататься. До свиданья, мистер Грей! До свиданья, Гарри. Ты, вероятно, обедаешь сегодня в гостях? Я тоже. Может быть, встретимся у леди Торнбэри?

— Очень возможно, дорогая, — ответил лорд Генри, закрывая за ней дверь. Когда его супруга, напоминая райскую птицу, которая целую ночь пробыла под дождем, выпорхнула из комнаты, оставив после себя легкий запах жасмина, он закурил папиросу и развалился на диване.

— Ни за что не женитесь на женщине с волосами соломенного цвета, — сказал он после нескольких затяжек.

— Почему, Гарри?

— Они ужасно сентиментальны.

— А я люблю сентиментальных людей.

— Да и вообще лучше не женитесь, Дориан. Мужчины женятся от усталости, женщины выходят замуж из любопытства. И тем и другим брак приносит разочарование.

"I don't think I am likely to marry, Harry. I am too much in love. That is one of your aphorisms. I am putting it into practice, as I do everything that you say."

"Who are you in love with?" asked Lord Henry after a pause.

"With an actress," said Dorian Gray, blushing.

Lord Henry shrugged his shoulders.

"That is a rather commonplace debut."

"You would not say so if you saw her, Harry."

"Who is she?"

"Her name is Sibyl Vane."

"Never heard of her."

"No one has. People will some day, however. She is a genius."

"My dear boy, no woman is a genius. Women are a decorative sex. They never have anything to say, but they say it charmingly. Women represent the triumph of matter over mind, just as men represent the triumph of mind over morals."

"Harry, how can you?"

"My dear Dorian, it is quite true. I am analysing women at present, so I ought to know. The subject is not so abstruse as I thought it was. I find that, ultimately, there are only two kinds of women, the plain and the coloured. The plain women are very useful. If you want to gain a reputation for respectability, you have merely to take them down to supper. The other women are very charming. They commit one mistake,

— Вряд ли я когда-нибудь женюсь, Гарри. Я слишком влюблен. Это тоже один из ваших афоризмов. Я его претворяю в жизнь, как и все, что вы проповедуете.

— В кого же это вы влюблены? — спросил лорд Генри после некоторого молчания.

— В одну актрису, — краснея, ответил Дориан Грей.

Лорд Генри пожал плечами.

— Довольно банальное начало.

— Вы не сказали бы этого, если бы видели ее, Гарри.

— Кто же она?

— Ее зовут Сибила Вэйн.

— Никогда не слыхал о такой актрисе.

— Никто еще не слыхал. Но когда-нибудь о ней узнают все. Она гениальна.

— Мой мальчик, женщины не бывают гениями. Они — декоративный пол. Им нечего сказать миру, но они говорят — и говорят премило. Женщина — это воплощение торжествующей над духом материи, мужчина же олицетворяет собой торжество мысли над моралью.

— Помилуйте, Гарри!..

— Дорогой мой Дориан, верьте, это святая правда. Я изучаю женщин, как же мне не знать! И, надо сказать, не такой уж это трудный для изучения предмет. Я пришел к выводу, что в основном женщины делятся на две категории: ненакрашенные и накрашенные. Первые нам очень полезны. Если хотите приобрести репутацию почтенного человека, вам стоит только пригласить такую женщину поужинать

however. They paint in order to try and look young. Our grandmothers painted in order to try and talk brilliantly. Rouge and esprit used to go together. That is all over now. As long as a woman can look ten years younger than her own daughter, she is perfectly satisfied. As for conversation, there are only five women in London worth talking to, and two of these can't be admitted into decent society. However, tell me about your genius. How long have you known her?"

"Ah! Harry, your views terrify me."

"Never mind that. How long have you known her?"

"About three weeks."

"And where did you come across her?"

"I will tell you, Harry, but you mustn't be unsympathetic about it. After all, it never would have happened if I had not met you. You filled me with a wild desire to know everything about life. For days after I met you, something seemed to throb in my veins. As I lounged in the park, or strolled down Piccadilly, I used to look at every one who passed me and wonder, with a mad curiosity, what sort of lives they led. Some of them fascinated me. Others filled me with

с вами. Женщины второй категории очаровательны. Но они совершают одну ошибку: красятся лишь для того, чтобы казаться моложе. Наши бабушки красились, чтобы прослыть остроумными и блестящими собеседницами: в те времена «rouge»[1] и «esprit»[2] считались неразлучными. Нынче все не так. Если женщина добилась того, что выглядит на десять лет моложе своей дочери, она этим вполне удовлетворяется. А остроумной беседы от них не жди. Во всем Лондоне есть только пять женщин, с которыми стоит поговорить, да и то двум из этих пяти не место в приличном обществе... Ну все-таки расскажите мне про своего гения. Давно вы с ней знакомы?

— Ах, Гарри, ваши рассуждения приводят меня в ужас.

— Пустяки. Так когда же вы с ней познакомились?

— Недели три назад.

— И где?

— Сейчас расскажу. Но не вздумайте меня расхолаживать, Гарри. В сущности, не встреться я с вами, ничего не случилось бы: ведь это вы разбудили во мне страстное желание узнать все о жизни. После нашей встречи у Бэзила я не знал покоя, во мне трепетала каждая жилка. Шатаясь по парку или Пикадилли, я с жадным любопытством всматривался в каждого встречного и пытался угадать, какую жизнь он ведет. К некоторым меня тянуло. Другие

---

[1] Румяна *(фр.)*.

[2] Остроумие *(фр.)*.

terror. There was an exquisite poison in the air. I had a passion for sensations... Well, one evening about seven o'clock, I determined to go out in search of some adventure. I felt that this grey monstrous London of ours, with its myriads of people, its sordid sinners, and its splendid sins, as you once phrased it, must have something in store for me. I fancied a thousand things. The mere danger gave me a sense of delight. I remembered what you had said to me on that wonderful evening when we first dined together, about the search for beauty being the real secret of life. I don't know what I expected, but I went out and wandered eastward, soon losing my way in a labyrinth of grimy streets and black grassless squares. About half-past eight I passed by an absurd little theatre, with great flaring gas-jets and gaudy play-bills. A hideous Jew, in the most amazing waistcoat I ever beheld in my life, was standing at the entrance, smoking a vile cigar. He had greasy ringlets, and an enormous diamond blazed in the centre of a soiled shirt. "Have a box, my Lord?" he said, when he saw me, and he took off his hat with an air of gorgeous servility. There was something about him, Harry, that amused me. He was such a monster. You will laugh at me, I know, but I really went in and paid a whole guinea for the stage-box. To the present day I can't make out why I did so; and yet if I hadn't — my dear Harry, if I hadn't — I should have missed the greatest romance of my life. I see you are laughing. It is horrid of you!"

внушали мне страх. Словно какая-то сладкая отрава была разлита в воздухе. Меня мучила жажда новых впечатлений... И вот раз вечером, часов в семь, я пошел бродить по Лондону в поисках этого нового. Я чувствовал, что в нашем сером огромном городе с мириадами жителей, мерзкими грешниками и пленительными пороками — так вы описывали мне его — припасено кое-что и для меня. Я рисовал себе тысячу вещей... Даже ожидающие меня опасности я предвкушал с восторгом. Я вспоминал ваши слова, сказанные в тот чудесный вечер, когда мы в первый раз обедали вместе: «Подлинный секрет счастья — в искании красоты». Сам не зная, чего жду, я вышел из дому и зашагал по направлению к Ист-Энду. Скоро я заблудился в лабиринте грязных улиц и унылых бульваров без зелени. Около половины девятого я проходил мимо какого-то жалкого театрика с большими газовыми рожками и кричащими афишами у входа. Препротивный еврей в уморительной жилетке, какой я в жизни не видывал, стоял у входа и курил дрянную сигару. Волосы у него были сальные, завитые, а на грязной манишке сверкал громадный бриллиант. «Не угодно ли ложу, милорд?» — предложил он, увидев меня, и с подчеркнутой любезностью снял шляпу. Этот урод показался мне занятным. Вы, конечно, посмеетесь надо мной — но представьте, Гарри, я вошел и заплатил целую гинею за ложу у сцены. До сих пор не понимаю, как это вышло. А ведь не сделай я этого, — ах, дорогой мой Гарри, не сделай я этого, я пропустил бы прекраснейший роман моей жизни!.. Вы смеетесь? Честное слово, это возмутительно!

"I am not laughing, Dorian; at least I am not laughing at you. But you should not say the greatest romance of your life. You should say the first romance of your life. You will always be loved, and you will always be in love with love. A grande passion is the privilege of people who have nothing to do. That is the one use of the idle classes of a country. Don't be afraid. There are exquisite things in store for you. This is merely the beginning."

"Do you think my nature so shallow?" cried Dorian Gray angrily.

"No; I think your nature so deep."

"How do you mean?"

"My dear boy, the people who love only once in their lives are really the shallow people. What they call their loyalty, and their fidelity, I call either the lethargy of custom or their lack of imagination. Faithfulness is to the emotional life what consistency is to the life of the intellect — simply a confession of failure. Faithfulness! I must analyse it some day. The passion for property is in it. There are many things that we would throw away if we were not afraid that others might pick them up. But I don't want to interrupt you. Go on with your story."

"Well, I found myself seated in a horrid little private box, with a vulgar drop-scene staring me in the face. I looked out from behind the curtain and surveyed the house. It was a tawdry affair, all Cupids and cornucopias, like a third-rate wedding-cake. The

— Я не смеюсь, Дориан. Во всяком случае, смеюсь не над вами. Но не надо говорить, что это прекраснейший роман вашей жизни. Скажите лучше: «первый». В вас всегда будут влюбляться, и вы всегда будете влюблены в любовь. Grande passion[1] — привилегия людей, которые проводят жизнь в праздности. Это единственное, на что способны нетрудящиеся классы. Не бойтесь, у вас впереди много чудесных переживаний. Это только начало.

— Так вы меня считаете настолько поверхностным человеком? — воскликнул Дориан Грей.

— Наоборот, глубоко чувствующим.

— Как так?

— Мой мальчик, поверхностными людьми я считаю как раз тех, кто любит только раз в жизни. Их так называемая верность, постоянство — лишь летаргия привычки или отсутствие воображения. Верность в любви, как и последовательность и неизменность мыслей, — это попросту доказательство бессилия... Верность! Когда-нибудь я займусь анализом этого чувства. В нем — жадность собственника. Многое мы охотно бросили бы, если бы не боязнь, что кто-нибудь другой это подберет... Но не буду больше перебивать вас. Рассказывайте дальше.

— Так вот — я очутился в скверной, тесной ложе у сцены, и перед глазами у меня был аляповато размалеванный занавес. Я стал осматривать зал. Он был отделан с мишурной роскошью, везде — купидоны и рога изобилия, как на дешевом свадебном

---

[1] Великая страсть *(фр.)*.

gallery and pit were fairly full, but the two rows of dingy stalls were quite empty, and there was hardly a person in what I suppose they called the dress-circle. Women went about with oranges and ginger-beer, and there was a terrible consumption of nuts going on."

"It must have been just like the palmy days of the British drama."

"Just like, I should fancy, and very depressing. I began to wonder what on earth I should do when I caught sight of the play-bill. What do you think the play was, Harry?"

"I should think "The Idiot Boy", or "Dumb but Innocent". Our fathers used to like that sort of piece, I believe. The longer I live, Dorian, the more keenly I feel that whatever was good enough for our fathers is not good enough for us. In art, as in politics, les grandpères ont toujours tort."

"This play was good enough for us, Harry. It was Romeo and Juliet. I must admit that I was rather annoyed at the idea of seeing Shakespeare done in such a wretched hole of a place. Still, I felt interested, in a sort of way. At any rate, I determined to wait for the first act. There was a dreadful orchestra, presided over by a young Hebrew who sat at a cracked piano, that nearly drove me away, but at last the drop-scene was drawn up and the play began. Romeo was a stout elderly gentleman, with corked eyebrows, a husky tragedy voice, and a figure like a beer-barrel. Mercu-

торте. Галерея и задние ряды были переполнены, а первые ряды обтрепанных кресел пустовали, да и на тех местах, что здесь, кажется, называют балконом, не видно было ни души. Между рядами ходили продавцы имбирного пива и апельсинов, и все зрители ожесточенно щелкали орехи.

— Точь-в-точь как в славные дни расцвета британской драмы!

— Да, наверное. Обстановка эта действовала угнетающе. И я уже подумывал, как бы мне выбраться оттуда, но тут взгляд мой упал на афишу. Как вы думаете, Гарри, что за пьеса шла в тот вечер?

— Ну что-нибудь вроде «Идиот» или «Нем, но невиновен». Деды наши любили такие пьесы. Чем дальше я живу на свете, Дориан, тем яснее вижу: то, чем удовлетворялись наши деды, для нас уже не годится. В искусстве, как и в политике, les grand-pères ont toujours tort[1].

— Эта пьеса, Гарри, и для нас достаточно хороша: это был Шекспир, «Ромео и Джульетта». Признаться, сначала мне стало обидно за Шекспира, которого играют в такой дыре. Но в то же время это меня немного заинтересовало. Во всяком случае, я решил посмотреть первое действие. Заиграл ужасающий оркестр, которым управлял молодой еврей, сидевший за разбитым пианино. От этой музыки я чуть не сбежал из зала, но наконец занавес поднялся, и представление началось. Ромео играл тучный пожилой мужчина с наведенными жженой пробкой

---

[1] Деды всегда не правы (фр.).

tio was almost as bad. He was played by the low-co-median, who had introduced gags of his own and was on most friendly terms with the pit. They were both as grotesque as the scenery, and that looked as if it had come out of a country-booth. But Juliet! Harry, imagine a girl, hardly seventeen years of age, with a little, flowerlike face, a small Greek head with plaited coils of dark-brown hair, eyes that were violet wells of passion, lips that were like the petals of a rose. She was the loveliest thing I had ever seen in my life. You said to me once that pathos left you unmoved, but that beauty, mere beauty, could fill your eyes with tears.

I tell you, Harry, I could hardly see this girl for the mist of tears that came across me. And her voice — I never heard such a voice. It was very low at first, with deep mellow notes that seemed to fall singly upon one's ear. Then it became a little louder, and sounded like a flute or a distant hautboy. In the garden-scene it had all the tremulous ecstasy that one hears just before dawn when nightingales are singing. There were moments, later on, when it had the wild passion of violins. You know how a voice can stir one. Your voice and the voice of Sibyl Vane are two things that I shall never forget. When I close my eyes, I hear them, and each of them says something different. I don't know which to follow. Why should I not love her? Harry, I do love her. She is everything to me in life. Night after night I go to see her play. One evening she is Rosalind, and the next evening she is

бровями и хриплым трагическим голосом. Фигурой он напоминал пивной бочонок. Меркуцио был немногим лучше. Эту роль исполнял комик, который привык играть в фарсах. Он вставлял в текст отсебятину и был в самых дружеских отношениях с галеркой. Оба эти актера были так же нелепы, как и декорации, и все вместе напоминало ярмарочный балаган. Но Джульетта!.. Гарри, представьте себе девушку лет семнадцати, с нежным, как цветок, личиком, с головкой гречанки, обвитой темными косами. Глаза — синие озера страсти, губы — лепестки роз. Первый раз в жизни я видел такую дивную красоту! Вы сказали как-то, что никакой пафос вас не трогает, но красота, одна лишь красота способна вызвать у вас слезы.

Так вот, Гарри, я с трудом мог разглядеть эту девушку, потому что слезы туманили мне глаза. А голос! Никогда я не слышал такого голоса! Вначале он был очень тих, но каждая его глубокая, ласкающая нота как будто отдельно вливалась в уши. Потом он стал громче и звучал, как флейта или далекий гобой. Во время сцены в саду в нем зазвенел тот трепетный восторг, что звучит перед зарей в песне соловья. Бывали мгновения, когда слышалось в нем исступленное пение скрипок. Вы знаете, как может волновать чей-нибудь голос. Ваш голос и голос Сибилы Вэйн мне не забыть никогда! Стоит мне закрыть глаза — и я слышу ваши голоса. Каждый из них говорит мне другое, и я не знаю, которого слушаться... Как мог я не полюбить ее? Гарри, я ее люблю. Она для меня все. Каждый вечер я вижу ее на сцене. Сегодня она — Розалинда, завтра —

Imogen. I have seen her die in the gloom of an Italian tomb, sucking the poison from her lover's lips. I have watched her wandering through the forest of Arden, disguised as a pretty boy in hose and doublet and dainty cap. She has been mad, and has come into the presence of a guilty king, and given him rue to wear and bitter herbs to taste of. She has been innocent, and the black hands of jealousy have crushed her reedlike throat. I have seen her in every age and in every costume. Ordinary women never appeal to one's imagination. They are limited to their century. No glamour ever transfigures them. One knows their minds as easily as one knows their bonnets. One can always find them. There is no mystery in any of them. They ride in the park in the morning and chatter at tea-parties in the afternoon. They have their stereotyped smile and their fashionable manner. They are quite obvious. But an actress! How different an actress is! Harry! why didn't you tell me that the only thing worth loving is an actress?"

"Because I have loved so many of them, Dorian."

"Oh, yes, horrid people with dyed hair and painted faces."

"Don't run down dyed hair and painted faces. There is an extraordinary charm in them, sometimes," said Lord Henry.

"I wish now I had not told you about Sibyl Vane."

"You could not have helped telling me, Dorian. All through your life you will tell me everything you do."

Имоджена. Я видел ее в Италии умирающей во мраке склепа, видел, как она в поцелуе выпила яд с губ возлюбленного. Я следил за ней, когда она бродила по Арденнским лесам, переодетая юношей, прелестная в этом костюме — коротком камзоле, плотно обтягивающих ноги штанах, изящной шапочке. Безумная, приходила она к преступному королю и давала ему руту и горькие травы. Она была невинной Дездемоной, и черные руки ревности сжимали ее тонкую, как тростник, шейку. Я видел ее во все века и во всяких костюмах. Обыкновенные женщины не волнуют нашего воображения. Они не выходят за рамки своего времени. Они не способны преображаться как по волшебству. Их души нам так же знакомы, как их шляпки. В них нет тайны. По утрам они катаются верхом в Парке, днем болтают со знакомыми за чайным столом. У них стереотипная улыбка и хорошие манеры. Они для нас — открытая книга. Но актриса!.. Актриса — совсем другое дело. И отчего вы мне не сказали, Гарри, что любить стоит только актрису?

— Оттого, что я любил очень многих актрис, Дориан.

— О, знаю я каких: этих ужасных женщин с крашеными волосами и размалеванными лицами.

— Не презирайте крашеные волосы и размалеванные лица, Дориан! В них порой находишь какую-то удивительную прелесть.

— Право, я жалею, что рассказал вам о Сибиле Вэйн!

— Вы не могли не рассказать мне, Дориан. Вы всю жизнь будете мне поверять все.

"Yes, Harry, I believe that is true. I cannot help telling you things. You have a curious influence over me. If I ever did a crime, I would come and confess it to you. You would understand me."

"People like you — the wilful sunbeams of life — don't commit crimes, Dorian. But I am much obliged for the compliment, all the same. And now tell me — reach me the matches, like a good boy — thanks — what are your actual relations with Sibyl Vane?"

Dorian Gray leaped to his feet, with flushed cheeks and burning eyes.

"Harry! Sibyl Vane is sacred!"

"It is only the sacred things that are worth touching, Dorian," said Lord Henry, with a strange touch of pathos in his voice. "But why should you be annoyed? I suppose she will belong to you some day. When one is in love, one always begins by deceiving one's self, and one always ends by deceiving others. That is what the world calls a romance. You know her, at any rate, I suppose?"

"Of course I know her. On the first night I was at the theatre, the horrid old Jew came round to the box after the performance was over and offered to take me behind the scenes and introduce me to her. I was furious with him, and told him that Juliet had been dead for hundreds of years and that her body was lying in a marble tomb in Verona. I think, from his blank look of amazement, that he was under the impression that I had taken too much champagne, or something."

"I am not surprised."

— Да, Гарри, пожалуй, вы правы. Я ничего не могу от вас скрыть. Вы имеете надо мной какую-то непонятную власть. Даже если бы я когда-нибудь совершил преступление, я пришел бы и признался вам. Вы поняли бы меня.

— Такие, как вы, Дориан, — своенравные солнечные лучи, озаряющие жизнь, — не совершают преступлений. А за лестное мнение обо мне спасибо! Ну, теперь скажите... Передайте мне спички, пожалуйста! Благодарю... Скажите, как далеко зашли ваши отношения с Сибилой Вэйн?

Дориан вскочил, весь вспыхнув, глаза его засверкали.

— Гарри! Сибила Вэйн для меня святыня!

— Только святыни и стоит касаться, Дориан, — сказал лорд Генри с ноткой пафоса в голосе. — И чего вы рассердились? Ведь рано или поздно, я полагаю, она будет вашей. Влюбленность начинается с того, что человек обманывает себя, а кончается тем, что он обманывает другого. Это и принято называть романом. Надеюсь, вы уже, по крайней мере, познакомились с нею?

— Ну, разумеется. В первый же вечер тот противный старый еврей после спектакля пришел в ложу и предложил провести меня за кулисы и познакомить с Джульеттой. Я вскипел и сказал ему, что Джульетта умерла несколько сот лет тому назад и прах ее покоится в мраморном склепе в Вероне. Он слушал меня с величайшим удивлением, — наверное, подумал, что я выпил слишком много шампанского...

— Вполне возможно.

"Then he asked me if I wrote for any of the newspapers. I told him I never even read them. He seemed terribly disappointed at that, and confided to me that all the dramatic critics were in a conspiracy against him, and that they were every one of them to be bought."

"I should not wonder if he was quite right there. But, on the other hand, judging from their appearance, most of them cannot be at all expensive."

"Well, he seemed to think they were beyond his means," laughed Dorian. "By this time, however, the lights were being put out in the theatre, and I had to go. He wanted me to try some cigars that he strongly recommended. I declined. The next night, of course, I arrived at the place again. When he saw me, he made me a low bow and assured me that I was a munificent patron of art. He was a most offensive brute, though he had an extraordinary passion for Shakespeare. He told me once, with an air of pride, that his five bankruptcies were entirely due to "The Bard," as he insisted on calling him. He seemed to think it a distinction."

"It was a distinction, my dear Dorian — a great distinction. Most people become bankrupt through having invested too heavily in the prose of life. To have ruined one's self over poetry is an honour. But when did you first speak to Miss Sibyl Vane?"

"The third night. She had been playing Rosalind. I could not help going round. I had thrown her some flowers, and she had looked at me — at least I fancied that she had. The old Jew was persistent. He seemed

— Затем он спросил, не пишу ли я в газетах. Я ответил, что даже не читаю их. Он, видимо, был сильно разочарован и сообщил мне, что все театральные критики в заговоре против него и все они продажны.

— Пожалуй, в этом он совершенно прав. Впрочем, судя по их виду, большинство критиков продаются за недорогую цену.

— Ну, и он, по-видимому, находит, что ему они не по карману, — сказал Дориан со смехом. — Пока мы так беседовали, в театре стали уже гасить огни, и мне пора было уходить. Еврей настойчиво предлагал мне еще какие-то сигары, усиленно их расхваливая, но я и от них отказался. В следующий вечер я, конечно, опять пришел в театр. Увидев меня, еврей отвесил низкий поклон и объявил, что я щедрый покровитель искусства. Пренеприятный субъект, — однако, надо вам сказать, он страстный поклонник Шекспира. Он с гордостью сказал мне, что пять раз прогорал только из-за своей любви к «барду» (так он упорно величает Шекспира). Он, кажется, считает это своей великой заслугой.

— Это и в самом деле заслуга, дорогой мой, великая заслуга! Большинство людей становятся банкротами из-за чрезмерного пристрастия не к Шекспиру, а к прозе жизни. И разориться из-за любви к поэзии — это честь... Ну, так когда же вы впервые заговорили с мисс Сибилой Вэйн?

— В третий вечер. Она тогда играла Розалинду. Я наконец сдался и пошел к ней за кулисы. До того я бросил ей цветы, и она на меня взглянула... По крайней мере, так мне показалось... А старый еврей

determined to take me behind, so I consented. It was curious my not wanting to know her, wasn't it?"

"No; I don't think so."

"My dear Harry, why?"

"I will tell you some other time. Now I want to know about the girl."

"Sibyl? Oh, she was so shy and so gentle. There is something of a child about her. Her eyes opened wide in exquisite wonder when I told her what I thought of her performance, and she seemed quite unconscious of her power. I think we were both rather nervous. The old Jew stood grinning at the doorway of the dusty greenroom, making elaborate speeches about us both, while we stood looking at each other like children. He would insist on calling me "My Lord," so I had to assure Sibyl that I was not anything of the kind. She said quite simply to me, "You look more like a prince. I must call you Prince Charming.""

"Upon my word, Dorian, Miss Sibyl knows how to pay compliments."

"You don't understand her, Harry. She regarded me merely as a person in a play. She knows nothing of life. She lives with her mother, a faded tired woman who played Lady Capulet in a sort of magenta dressing-wrapper on the first night, and looks as if she had seen better days."

"I know that look. It depresses me," murmured Lord Henry, examining his rings.

все приставал ко мне — он, видимо, решил во что бы то ни стало свести меня к Сибиле. И я пошел... Не правда ли, это странно, что мне так не хотелось с ней знакомиться?

— Нет, ничуть не странно.

— А почему же, Гарри?

— Объясню как-нибудь потом. Сейчас я хочу дослушать ваш рассказ об этой девушке.

— О Сибиле? Она так застенчива и мила. В ней много детского. Когда я стал восторгаться ее игрой, она с очаровательным изумлением широко открыла глаза — она совершенно не сознает, какой у нее талант! Оба мы в тот вечер были, кажется, порядком смущены. Еврей торчал в дверях пыльного фойе и, ухмыляясь, красноречиво разглагольствовал, а мы стояли и молча смотрели друг на друга, как дети! Старик упорно величал меня «милордом», и я поторопился уверить Сибилу, что я вовсе не лорд. Она сказала простодушно: «Вы скорее похожи на принца. Я буду называть вас «Прекрасный Принц».

— Клянусь честью, мисс Сибила умеет говорить комплименты!

— Нет, Гарри, вы не понимаете: для нее я — все равно что герой какой-то пьесы. Она совсем не знает жизни. Живет с матерью, замученной, увядшей женщиной, которая в первый вечер играла леди Капулетти в каком-то красном капоте. Заметно, что эта женщина знавала лучшие дни.

— Встречал я таких... Они на меня всегда наводят тоску, — вставил лорд Генри, разглядывая свои перстни.

"The Jew wanted to tell me her history, but I said it did not interest me."

"You were quite right. There is always something infinitely mean about other people's tragedies."

"Sibyl is the only thing I care about. What is it to me where she came from? From her little head to her little feet, she is absolutely and entirely divine. Every night of my life I go to see her act, and every night she is more marvellous."

"That is the reason, I suppose, that you never dine with me now. I thought you must have some curious romance on hand. You have; but it is not quite what I expected."

"My dear Harry, we either lunch or sup together every day, and I have been to the opera with you several times," said Dorian, opening his blue eyes in wonder.

"You always come dreadfully late."

"Well, I can't help going to see Sibyl play," he cried, "even if it is only for a single act. I get hungry for her presence; and when I think of the wonderful soul that is hidden away in that little ivory body, I am filled with awe."

"You can dine with me to-night, Dorian, can't you?"

He shook his head.

"To-night she is Imogen," he answered, "and to-morrow night she will be Juliet."

"When is she Sibyl Vane?"

— Еврей хотел рассказать мне ее историю, но я не стал слушать, сказал, что меня это не интересует.

— И правильно сделали. В чужих драмах есть что-то безмерно жалкое.

— Меня интересует только сама Сибила. Какое мне дело до ее семьи и происхождения? В ней все — совершенство, все божественно — от головы до маленьких ножек. Я каждый вечер хожу смотреть ее на сцене, и с каждым вечером она кажется мне все чудеснее.

— Так вот почему вы больше не обедаете со мной по вечерам! Я так и думал, что у вас какой-нибудь роман. Однако это не совсем то, чего я ожидал.

— Гарри, дорогой, ведь мы каждый день либо завтракаем, либо ужинаем вместе! И, кроме того, я несколько раз ездил с вами в оперу, — удивленно возразил Дориан.

— Да, но вы всегда бессовестно опаздываете.

— Что поделаешь! Я должен видеть Сибилу каждый вечер, хотя бы в одном акте. Я уже не могу жить без нее. И когда я подумаю о чудесной душе, заключенной в этом хрупком теле, словно выточенном из слоновой кости, меня охватывает благоговейный трепет.

— А сегодня, Дориан, вы не могли бы пообедать со мной?

Дориан покачал головой.

— Сегодня она — Имоджена. Завтра вечером будет Джульеттой.

— А когда же она бывает Сибилой Вэйн?

"Never."

"I congratulate you."

"How horrid you are! She is all the great heroines of the world in one. She is more than an individual. You laugh, but I tell you she has genius. I love her, and I must make her love me. You, who know all the secrets of life, tell me how to charm Sibyl Vane to love me! I want to make Romeo jealous. I want the dead lovers of the world to hear our laughter and grow sad. I want a breath of our passion to stir their dust into consciousness, to wake their ashes into pain. My God, Harry, how I worship her!"

He was walking up and down the room as he spoke. Hectic spots of red burned on his cheeks. He was terribly excited.

Lord Henry watched him with a subtle sense of pleasure. How different he was now from the shy frightened boy he had met in Basil Hallward's studio! His nature had developed like a flower, had borne blossoms of scarlet flame. Out of its secret hiding-place had crept his soul, and desire had come to meet it on the way.

"And what do you propose to do?" said Lord Henry at last.

"I want you and Basil to come with me some night and see her act. I have not the slightest fear of the result. You are certain to acknowledge her genius. Then we must get her out of the Jew's hands. She is bound to him for three years — at least for two years

— Никогда.

— Ну, тогда вас можно поздравить!

— Ах, Гарри, как вы несносны! Поймите, в ней живут все великие героини мира! Она более чем одно существо. Смеетесь? А я вам говорю: она — гений. Я люблю ее: я сделаю все, чтобы и она полюбила меня. Вот вы постигли все тайны жизни — так научите меня, как приворожить Сибилу Вэйн! Я хочу быть счастливым соперником Ромео, заставить его ревновать. Хочу, чтобы все жившие когда-то на земле влюбленные услышали в своих могилах наш смех и опечалились, чтобы дыхание нашей страсти потревожило их прах, пробудило его и заставило страдать. Боже мой, Гарри, если бы вы знали, как я ее обожаю!

Так говорил Дориан, в волнении шагая из угла в угол. На щеках его пылал лихорадочный румянец. Он был сильно возбужден.

Лорд Генри наблюдал за ним с тайным удовольствием. Как непохож был Дориан теперь на того застенчивого и робкого мальчика, которого он встретил в мастерской Бэзила Холлуорда! Все его существо раскрылось, как цветок, расцвело пламенно-алым цветом. Душа вышла из своего тайного убежища, и Желание поспешило ей навстречу.

— Что же вы думаете делать? — спросил наконец лорд Генри.

— Я хочу, чтобы вы и Бэзил как-нибудь поехали со мной в театр и увидели ее на сцене. Ничуть не сомневаюсь, что и вы оцените ее талант. Потом надо будет вырвать ее из рук этого еврея. Она связана контрактом на три года, — впрочем, теперь

and eight months — from the present time. I shall have to pay him something, of course. When all that is settled, I shall take a West End theatre and bring her out properly. She will make the world as mad as she has made me."

"That would be impossible, my dear boy."

"Yes, she will. She has not merely art, consummate art-instinct, in her, but she has personality also; and you have often told me that it is personalities, not principles, that move the age."

"Well, what night shall we go?"

"Let me see. To-day is Tuesday. Let us fix to-morrow. She plays Juliet to-morrow."

"All right. The Bristol at eight o'clock; and I will get Basil."

"Not eight, Harry, please. Half-past six. We must be there before the curtain rises. You must see her in the first act, where she meets Romeo."

"Half-past six! What an hour! It will be like having a meat-tea, or reading an English novel. It must be seven. No gentleman dines before seven. Shall you see Basil between this and then? Or shall I write to him?"

"Dear Basil! I have not laid eyes on him for a week. It is rather horrid of me, as he has sent me my portrait in the most wonderful frame, specially designed by himself, and, though I am a little jealous of the picture for being a whole month younger than I am, I must admit that I delight in it. Perhaps you had better write to him. I don't want to see him alone. He says things that annoy me. He gives me good advice."

осталось уже только два года и восемь месяцев. Конечно, я заплачу ему. Когда все будет улажено, я сниму какой-нибудь театр в Уэст-Энде и покажу ее людям во всем блеске. Она сведет с ума весь свет, точно так же как свела меня.

— Ну, это вряд ли, милый мой!

— Вот увидите! В ней чувствуется не только замечательное артистическое чутье, но и яркая индивидуальность! И ведь вы не раз твердили мне, что в наш век миром правят личности, а не идеи.

— Хорошо, когда же мы отправимся в театр?

— Сейчас соображу... Сегодня вторник. Давайте завтра! Завтра она играет Джульетту.

— Отлично. Встретимся в восемь, в «Бристоле». Я привезу Бэзила.

— Только не в восемь, Гарри, а в половине седьмого. Мы должны попасть в театр до поднятия занавеса. Я хочу, чтобы вы ее увидели в той сцене, когда она в первый раз встречается с Ромео.

— В половине седьмого! В такую рань! Да это все равно что унизиться до чтения английского романа. Нет, давайте в семь. Ни один порядочный человек не обедает раньше семи. Может, вы перед этим съездите к Бэзилу? Или просто написать ему?

— Милый Бэзил! Вот уже целую неделю я не показывался ему на глаза. Это просто бессовестно — ведь он прислал мне мой портрет в великолепной раме, заказанной по его рисунку... Правда, я немножко завидую этому портрету, который на целый месяц моложе меня, но, признаюсь, я от него в восторге. Пожалуй, лучше будет, если вы напишете Бэзилу. Я не хотел бы с ним встретиться

Lord Henry smiled.

"People are very fond of giving away what they need most themselves. It is what I call the depth of generosity."

"Oh, Basil is the best of fellows, but he seems to me to be just a bit of a Philistine. Since I have known you, Harry, I have discovered that."

"Basil, my dear boy, puts everything that is charming in him into his work. The consequence is that he has nothing left for life but his prejudices, his principles, and his common sense. The only artists I have ever known who are personally delightful are bad artists. Good artists exist simply in what they make, and consequently are perfectly uninteresting in what they are. A great poet, a really great poet, is the most unpoetical of all creatures. But inferior poets are absolutely fascinating. The worse their rhymes are, the more picturesque they look. The mere fact of having published a book of second-rate sonnets makes a man quite irresistible. He lives the poetry that he cannot write. The others write the poetry that they dare not realize."

"I wonder is that really so, Harry?" said Dorian Gray, putting some perfume on his handkerchief out of a large, gold-topped bottle that stood on the table. "It must be, if you say it. And now I am off. Imogen is waiting for me. Don't forget about to-morrow. Good-bye."

с глазу на глаз — все, что он говорит, нагоняет на меня скуку. Он постоянно дает мне добрые советы.

Лорд Генри улыбнулся.

— Некоторые люди очень охотно отдают то, что им самим крайне необходимо. Вот что я называю верхом великодушия!

— Бэзил — добрейшая душа, но, по-моему, он немного филистер. Я это понял, когда узнал вас, Гарри.

— Видите ли, мой друг, Бэзил все, что в нем есть лучшего, вкладывает в свою работу. Таким образом, для жизни ему остаются только предрассудки, моральные правила и здравый смысл. Из всех художников, которых я знавал, только бездарные были обаятельными людьми. Талантливые живут своим творчеством и поэтому сами по себе совсем неинтересны. Великий поэт — подлинно великий — всегда оказывается самым прозаическим человеком. А второстепенные — обворожительны. Чем слабее их стихи, тем эффектнее наружность и манеры. Если человек выпустил сборник плохих сонетов, можно заранее сказать, что он совершенно неотразим. Он вносит в свою жизнь ту поэзию, которую не способен внести в свои стихи. А поэты другого рода изливают на бумаге поэзию, которую не имеют смелости внести в жизнь.

— Не знаю, верно ли это, Гарри, — промолвил Дориан Грей, смачивая свой носовой платок духами из стоявшего на столе флакона с золотой пробкой. — Должно быть, верно, раз вы так говорите... Ну, я ухожу, меня ждет Имоджена. Не забудьте же о завтрашней встрече. До свиданья.

As he left the room, Lord Henry's heavy eyelids drooped, and he began to think. Certainly few people had ever interested him so much as Dorian Gray, and yet the lad's mad adoration of some one else caused him not the slightest pang of annoyance or jealousy. He was pleased by it. It made him a more interesting study. He had been always enthralled by the methods of natural science, but the ordinary subject-matter of that science had seemed to him trivial and of no import. And so he had begun by vivisecting himself, as he had ended by vivisecting others. Human life — that appeared to him the one thing worth investigating. Compared to it there was nothing else of any value. It was true that as one watched life in its curious crucible of pain and pleasure, one could not wear over one's face a mask of glass, nor keep the sulphurous fumes from troubling the brain and making the imagination turbid with monstrous fancies and misshapen dreams. There were poisons so subtle that to know their properties one had to sicken of them. There were maladies so strange that one had to pass through them if one sought to understand their nature. And, yet, what a great reward one received! How wonderful the whole world became to one! To note the curious hard logic of passion, and the emotional coloured life of the intellect — to observe where they met, and where they separated, at what point they were in unison, and at what point they were at discord — there was a delight in that! What matter what the cost was? One could never pay too high a price for any sensation.

Оставшись один, лорд Генри задумался, опустив тяжелые веки. Несомненно, мало кто интересовал его так, как Дориан Грей, однако то, что юноша страстно любил кого-то другого, не вызывало в душе лорда Генри ни малейшей досады или ревности. Напротив, он был даже рад этому: теперь Дориан становится еще более любопытным объектом для изучения. Лорд Генри всегда преклонялся перед научными методами естествоиспытателей, но область их исследований находил скучной и незначительной. Свои собственные исследования он начал с вивисекции над самим собой, затем стал производить вивисекцию над другими. Жизнь человеческая — вот что казалось ему единственно достойным изучения. В сравнении с нею все остальное ничего не стоило. И, разумеется, наблюдатель, изучающий кипение жизни в ее своеобразном горниле радостей и страданий, не может при этом защитить лицо стеклянной маской и уберечься от удушливых паров, дурманящих мозг и воображение чудовищными образами, жуткими кошмарами. В этом горниле возникают яды столь тонкие, что изучить их свойства можно лишь тогда, когда сам отравишься ими, и гнездятся болезни столь странные, что понять их природу можно, лишь переболев ими. А все-таки какая великая награда ждет отважного исследователя! Каким необычайным предстанет перед ним мир! Постигнуть удивительно жестокую логику страсти и расцвеченную эмоциями жизнь интеллекта, узнать, когда та и другая сходятся и когда расходятся, в чем они едины и когда наступает раз-

He was conscious — and the thought brought a gleam of pleasure into his brown agate eyes — that it was through certain words of his, musical words said with musical utterance, that Dorian Gray's soul had turned to this white girl and bowed in worship before her. To a large extent the lad was his own creation. He had made him premature. That was something. Ordinary people waited till life disclosed to them its secrets, but to the few, to the elect, the mysteries of life were revealed before the veil was drawn away. Sometimes this was the effect of art, and chiefly of the art of literature, which dealt immediately with the passions and the intellect. But now and then a complex personality took the place and assumed the office of art, was indeed, in its way, a real work of art, life having its elaborate masterpieces, just as poetry has, or sculpture, or painting.

Yes, the lad was premature. He was gathering his harvest while it was yet spring. The pulse and passion of youth were in him, but he was becoming self-conscious. It was delightful to watch him. With his beautiful face, and his beautiful soul, he was a thing to wonder at. It was no matter how it all ended, or was destined to end. He was like one of those gracious figures in a pageant or a play, whose joys seem to be remote from one, but whose sorrows stir one's sense of beauty, and whose wounds are like red roses.

лад, — что за наслаждение! Не все ли равно, какой ценой оно покупается? За каждое новое неизведанное ощущение не жаль заплатить чем угодно.

Лорд Генри понимал (и при этой мысли его темные глаза весело заблестели), что именно его речи, музыка этих речей, произнесенных его певучим голосом, обратили душу Дориана к прелестной девушке и заставили его преклониться перед ней. Да, мальчик был в значительной мере его созданием и благодаря ему так рано пробудился к жизни. А это разве не достижение? Обыкновенные люди ждут, чтобы жизнь сама открыла им свои тайны, а немногим избранникам тайны жизни открываются раньше, чем поднимается завеса. Иногда этому способствует искусство (и главным образом литература), воздействуя непосредственно на ум и чувства. Но бывает, что роль искусства берет на себя в этом случае какой-нибудь человек сложной души, который и сам представляет собой творение искусства, — ибо Жизнь, подобно поэзии, или скульптуре, или живописи, также создает свои шедевры.

Да, Дориан рано созрел. Весна его еще не прошла, а он уже собирает урожай. В нем весь пыл и жизнерадостность юности, но при этом он уже начинает разбираться в самом себе. Наблюдать его — истинное удовольствие! Этот мальчик с прекрасным лицом и прекрасной душой вызывает к себе живой интерес. Не все ли равно, чем все кончится, какая судьба ему уготована? Он подобен тем славным героям пьес или мистерий, чьи радости нам чужды, но чьи страдания будят в нас любовь к прекрасному. Их раны — красные розы.

Soul and body, body and soul — how mysterious they were! There was animalism in the soul, and the body had its moments of spirituality. The senses could refine, and the intellect could degrade. Who could say where the fleshly impulse ceased, or the psychical impulse began? How shallow were the arbitrary definitions of ordinary psychologists! And yet how difficult to decide between the claims of the various schools! Was the soul a shadow seated in the house of sin? Or was the body really in the soul, as Giordano Bruno thought? The separation of spirit from matter was a mystery, and the union of spirit with matter was a mystery also.

He began to wonder whether we could ever make psychology so absolute a science that each little spring of life would be revealed to us. As it was, we always misunderstood ourselves and rarely understood others. Experience was of no ethical value. It was merely the name men gave to their mistakes. Moralists had, as a rule, regarded it as a mode of warning, had claimed for it a certain ethical efficacy in the formation of character, had praised it as something that taught us what to follow and showed us what to avoid. But there was no motive power in experience. It was as little of an active cause as conscience itself. All that it really demonstrated was that our future would be the same as our past, and that the sin we had done once, and with loathing, we would do many times, and with joy.

Душа и тело, тело и душа — какая это загадка. В душе таятся животные инстинкты, а телу дано испытать минуты одухотворяющие. Чувственные порывы способны стать утонченными, а интеллект — отупеть. Кто может сказать, когда умолкает плоть и начинает говорить душа? Как поверхностны и произвольны авторитетные утверждения психологов! И при всем том — как трудно решить, которая из школ ближе к истине! Действительно ли душа человека — лишь тень, заключенная в греховную оболочку? Или, как полагал Джордано Бруно, тело заключено в духе? Разъединение духа и материи — такая же непостижимая загадка, как их слияние.

Лорд Генри задавал себе вопрос, сможет ли когда-нибудь психология благодаря нашим усилиям стать абсолютно точной наукой, раскрывающей малейшие побуждения, каждую сокровенную черту нашей внутренней жизни? Сейчас мы еще не понимаем самих себя и редко понимаем других. Опыт не имеет никакого морального значения; опытом люди называют свои ошибки. Моралисты, как правило, всегда видели в опыте средство предостережения и считали, что он влияет на формирование характера. Они славили опыт, ибо он учит нас, чему надо следовать и чего избегать. Но опыт не обладает движущей силой. В нем так же мало действенного, как и в человеческом сознании. По существу, он только свидетельствует, что наше грядущее обычно бывает подобно нашему прошлому и что грех, совершенный однажды с содроганием, мы повторяем в жизни много раз — но уже с удовольствием.

It was clear to him that the experimental method was the only method by which one could arrive at any scientific analysis of the passions; and certainly Dorian Gray was a subject made to his hand, and seemed to promise rich and fruitful results. His sudden mad love for Sibyl Vane was a psychological phenomenon of no small interest. There was no doubt that curiosity had much to do with it, curiosity and the desire for new experiences, yet it was not a simple, but rather a very complex passion. What there was in it of the purely sensuous instinct of boyhood had been transformed by the workings of the imagination, changed into something that seemed to the lad himself to be remote from sense, and was for that very reason all the more dangerous. It was the passions about whose origin we deceived ourselves that tyrannized most strongly over us. Our weakest motives were those of whose nature we were conscious. It often happened that when we thought we were experimenting on others we were really experimenting on ourselves.

While Lord Henry sat dreaming on these things, a knock came to the door, and his valet entered and reminded him it was time to dress for dinner. He got up and looked out into the street. The sunset had smitten into scarlet gold the upper windows of the houses opposite. The panes glowed like plates of heated metal. The sky above was like a faded rose. He thought of his friend's young fiery-coloured life and wondered how it was all going to end.

Лорду Генри было ясно, что только экспериментальным путем можно прийти к научному анализу страстей. А Дориан Грей — под рукой, он, несомненно, подходящий объект, и изучение его обещает дать богатейшие результаты. Его мгновенно вспыхнувшая безумная любовь к Сибиле Вэйн — очень интересное психологическое явление. Конечно, немалую роль тут сыграло любопытство — да, любопытство и жажда новых ощущений. Однако эта любовь — чувство не примитивное, а весьма сложное. То, что в ней порождено чисто чувственными инстинктами юности, самому Дориану представляется чем-то возвышенным, далеким от чувственности, — и по этой причине оно еще опаснее. Именно те страсти, природу которых мы неверно понимаем, сильнее всего властвуют над нами. А слабее всего бывают чувства, происхождение которых нам понятно. И часто человек воображает, будто он производит опыт над другими, тогда как в действительности производит опыт над самим собой.

Так размышлял лорд Генри, когда раздался стук в дверь. Вошел камердинер и напомнил ему, что пора переодеваться к обеду. Лорд Генри встал и выглянул на улицу. Закатное солнце обливало пурпуром и золотом верхние окна в доме напротив, и стекла сверкали, как листы раскаленного металла. Небо над крышами было блекло-розовое. А лорд Генри думал о пламенной юности своего нового друга и пытался угадать, какая судьба ждет Дориана.

When he arrived home, about half-past twelve o'clock, he saw a telegram lying on the hall table. He opened it and found it was from Dorian Gray. It was to tell him that he was engaged to be married to Sibyl Vane.

Chapter V

"Mother, Mother, I am so happy!" whispered the girl, burying her face in the lap of the faded, tired-looking woman who, with back turned to the shrill intrusive light, was sitting in the one arm-chair that their dingy sitting-room contained. "I am so happy!" she repeated, "and you must be happy, too!"

Mrs. Vane winced and put her thin, bismuth-whitened hands on her daughter's head.

"Happy!" she echoed, "I am only happy, Sibyl, when I see you act. You must not think of anything but your acting. Mr. Isaacs has been very good to us, and we owe him money."

The girl looked up and pouted.

"Money, Mother?" she cried, "what does money matter? Love is more than money."

"Mr. Isaacs has advanced us fifty pounds to pay off our debts and to get a proper outfit for James. You must not forget that, Sibyl. Fifty pounds is a very large sum. Mr. Isaacs has been most considerate."

Вернувшись домой около половины первого ночи, он увидел на столе в прихожей телеграмму. Дориан Грей извещал его о своей помолвке с Сибилой Вэйн.

Глава V

— Мама, мама, я так счастлива! — шептала девушка, прижимаясь щекой к коленям женщины с усталым, поблекшим лицом, которая сидела спиной к свету, в единственном кресле убогой и грязноватой гостиной. — Я так счастлива, — повторила Сибила. — И ты тоже должна радоваться!

Миссис Вэйн судорожно обняла набеленными худыми руками голову дочери.

— Радоваться? — отозвалась она. — Я радуюсь, Сибила, только тогда, когда вижу тебя на сцене. Ты не должна думать ни о чем, кроме театра. Мистер Айзекс сделал нам много добра. И мы еще до сих пор не вернули ему его деньги...

Девушка подняла голову и сделала недовольную гримаску.

— Деньги? — воскликнула она. — Ах, мама, какие пустяки! Любовь важнее денег.

— Мистер Айзекс дал нам вперед пятьдесят фунтов, чтобы мы могли уплатить долги и как следует снарядить в дорогу Джеймса. Не забывай этого, Сибила. Пятьдесят фунтов — большие деньги. Мистер Айзекс к нам очень внимателен...

"He is not a gentleman, Mother, and I hate the way he talks to me," said the girl, rising to her feet and going over to the window.

"I don't know how we could manage without him," answered the elder woman querulously.

Sibyl Vane tossed her head and laughed.

"We don't want him any more, Mother. Prince Charming rules life for us now."

Then she paused. A rose shook in her blood and shadowed her cheeks. Quick breath parted the petals of her lips. They trembled. Some southern wind of passion swept over her and stirred the dainty folds of her dress.

"I love him," she said simply.

"Foolish child! foolish child!" was the parrot-phrase flung in answer. The waving of crooked, false-jewelled fingers gave grotesqueness to the words.

The girl laughed again. The joy of a caged bird was in her voice. Her eyes caught the melody and echoed it in radiance, then closed for a moment, as though to hide their secret. When they opened, the mist of a dream had passed across them.

Thin-lipped wisdom spoke at her from the worn chair, hinted at prudence, quoted from that book of cowardice whose author apes the name of common sense. She did not listen. She was free in her prison of passion. Her prince, Prince Charming, was with her. She had called on memory to remake him. She had sent her soul to search for him, and it had brought

— Но он не джентльмен, мама! И мне противна его манера разговаривать со мной, — сказала девушка, вставая и подходя к окну.

— Не знаю, что бы мы стали делать, если бы не он, — ворчливо возразила мать.

Сибила откинула голову и рассмеялась.

— Он нам больше не нужен, мама. Теперь нашей жизнью будет распоряжаться Прекрасный Принц.

Она вдруг замолчала. Кровь прилила к ее лицу, розовой тенью покрыла щеки. От учащенного дыхания раскрылись лепестки губ. Они трепетали. Знойный ветер страсти налетел и, казалось, даже шевельнул мягкие складки платья.

— Я люблю его, — сказала Сибила просто.

— Глупышка! Ох, глупышка! — как попугай твердила мать в ответ. И движения ее скрюченных пальцев, унизанных дешевыми перстнями, придавали этим словам что-то жутко-нелепое.

Девушка снова рассмеялась. Радость плененной птицы звенела в ее смехе. Той же радостью сияли глаза, и Сибила на мгновение зажмурила их, словно желая скрыть свою тайну. Когда же она их снова открыла, они были затуманены мечтой.

Узкогубая мудрость взывала к ней из обтрепанного кресла, проповедуя благоразумие и осторожность, приводя сентенции из книги трусости, выдающей себя за здравый смысл. Сибила не слушала. Добровольная пленница Любви, она в эти минуты была не одна. Ее принц, Прекрасный Принц, был с нею. Она призвала Память, и Память воссоздала

Оскар Уайльд

him back. His kiss burned again upon her mouth. Her eyelids were warm with his breath.

Then wisdom altered its method and spoke of espial and discovery. This young man might be rich. If so, marriage should be thought of. Against the shell of her ear broke the waves of worldly cunning. The arrows of craft shot by her. She saw the thin lips moving, and smiled.

Suddenly she felt the need to speak. The wordy silence troubled her.

"Mother, Mother," she cried, "why does he love me so much? I know why I love him. I love him because he is like what love himself should be. But what does he see in me? I am not worthy of him. And yet — why, I cannot tell — though I feel so much beneath him, I don't feel humble. I feel proud, terribly proud. Mother, did you love my father as I love Prince Charming?"

The elder woman grew pale beneath the coarse powder that daubed her cheeks, and her dry lips twitched with a spasm of pain. Sybil rushed to her, flung her arms round her neck, and kissed her.

"Forgive me, Mother. I know it pains you to talk about our father. But it only pains you because you loved him so much. Don't look so sad. I am as happy to-day as you were twenty years ago. Ah! let me be happy for ever!"

"My child, you are far too young to think of falling in love. Besides, what do you know of this young man? You don't even know his name. The whole thing

его образ. Она выслала душу свою на поиски, и та привела его. Его поцелуй еще пылал на ее губах, веки еще согревало его дыхание.

Мудрость между тем переменила тактику и заговорила о необходимости проверить, навести справки... Этот молодой человек, должно быть, богат. Если так, надо подумать о браке... Но волны житейской хитрости разбивались об уши Сибилы, стрелы коварства летели мимо. Она видела только, как шевелятся узкие губы, и улыбалась.

Вдруг она почувствовала потребность заговорить. Насыщенное словами молчание тревожило ее.

— Мама, мама, — воскликнула она. — За что он так любит меня? Я знаю, за что я полюбила его: он прекрасен, как сама Любовь. Но что он нашел во мне? Ведь я его не стою... А все-таки, — не знаю отчего, — хотя я совсем его недостойна, я ничуть не стыжусь этого. Я горда, ох, как горда своей любовью! Мама, ты моего отца тоже любила так, как я люблю Прекрасного Принца?

Лицо старой женщины побледнело под толстым слоем дешевой пудры, сухие губы искривила судорожная гримаса боли. Сибила подбежала к матери, обняла ее и поцеловала.

— Прости, мамочка! Я знаю, тебе больно вспоминать об отце. Это потому, что ты горячо его любила. Ну, не будь же так печальна! Сегодня я счастлива, как ты была двадцать лет назад. Ах, не мешай мне стать счастливой на всю жизнь!

— Дитя мое, ты слишком молода, чтобы влюбляться. И притом — что тебе известно об этом молодом человеке? Ты даже имени его не знаешь. Все это

is most inconvenient, and really, when James is going away to Australia, and I have so much to think of, I must say that you should have shown more consideration. However, as I said before, if he is rich ..."

"Ah! Mother, Mother, let me be happy!"

Mrs. Vane glanced at her, and with one of those false theatrical gestures that so often become a mode of second nature to a stage-player, clasped her in her arms. At this moment, the door opened and a young lad with rough brown hair came into the room. He was thick-set of figure, and his hands and feet were large and somewhat clumsy in movement. He was not so finely bred as his sister. One would hardly have guessed the close relationship that existed between them. Mrs. Vane fixed her eyes on him and intensified her smile. She mentally elevated her son to the dignity of an audience. She felt sure that the tableau was interesting.

"You might keep some of your kisses for me, Sibyl, I think," said the lad with a good-natured grumble.

"Ah! but you don't like being kissed, Jim," she cried. "You are a dreadful old bear." And she ran across the room and hugged him.

James Vane looked into his sister's face with tenderness.

"I want you to come out with me for a walk, Sibyl. I don't suppose I shall ever see this horrid London again. I am sure I don't want to."

в высшей степени неприлично. Право, в такое время, когда Джеймс уезжает от нас в Австралию и у меня столько забот, тебе следовало бы проявить больше чуткости... Впрочем, если окажется, что он богат...

— Ах, мама, мама, не мешай моему счастью!

Миссис Вэйн взглянула на дочь — и заключила ее в объятия. Это был один из тех театральных жестов, которые у актеров часто становятся как бы «второй натурой». В эту минуту дверь отворилась, и в комнату вошел коренастый, несколько неуклюжий юноша с взлохмаченными темными волосами и большими руками и ногами. В нем не было и следа того тонкого изящества, которое отличало его сестру. Трудно было поверить, что они в таком близком родстве. Миссис Вэйн устремила глаза на сына, и улыбка ее стала шире. Сын в эту минуту заменял ей публику, и она чувствовала, что они с дочерью представляют интересное tableau[1].

— Ты могла бы оставить и для меня несколько поцелуев, Сибила, — сказал юноша с шутливым упреком.

— Да ты же не любишь целоваться, Джим, — отозвалась Сибила. — Ты — угрюмый, старый медведь! — Она подскочила к брату и обняла его.

Джеймс Вэйн нежно заглянул ей в глаза.

— Пойдем погуляем напоследок, Сибила. Наверное, я никогда больше не вернусь в этот противный Лондон. И вовсе не жалею об этом.

---

[1] Картина; здесь: зрелище *(фр.)*.

"My son, don't say such dreadful things," murmured Mrs. Vane, taking up a tawdry theatrical dress, with a sigh, and beginning to patch it. She felt a little disappointed that he had not joined the group. It would have increased the theatrical picturesqueness of the situation.

"Why not, Mother? I mean it."

"You pain me, my son. I trust you will return from Australia in a position of affluence. I believe there is no society of any kind in the Colonies — nothing that I would call society — so when you have made your fortune, you must come back and assert yourself in London."

"Society!" muttered the lad. "I don't want to know anything about that. I should like to make some money to take you and Sibyl off the stage. I hate it."

"Oh, Jim!" said Sibyl, laughing, "how unkind of you! But are you really going for a walk with me? That will be nice! I was afraid you were going to say good-bye to some of your friends — to Tom Hardy, who gave you that hideous pipe, or Ned Langton, who makes fun of you for smoking it. It is very sweet of you to let me have your last afternoon. Where shall we go? Let us go to the park."

"I am too shabby," he answered, frowning. "Only swell people go to the park."

— Сын мой, не говори таких ужасных вещей! — проборматала миссис Вэйн со вздохом и, достав какой-то мишурный театральный наряд, принялась чинить его. Она была несколько разочарована тем, что Джеймс не принял участия в трогательной сцене, — ведь эта сцена тогда была бы еще эффектнее.

— А почему не говорить, раз это правда, мама?

— Ты очень огорчаешь меня, Джеймс. Я надеюсь, что ты вернешься из Австралии состоятельным человеком. В колониях не найдешь хорошего общества. Да, ничего похожего на приличное общество там и в помине нет... Так что, когда наживешь состояние, возвращайся на родину и устраивайся в Лондоне.

— «Хорошее общество», подумаешь! — буркнул Джеймс. — Очень оно мне нужно! Мне бы только заработать денег, чтобы ты и Сибила могли уйти из театра. Ненавижу я его!

— Ах, Джеймс, какой же ты ворчун! — со смехом сказала Сибила. — Так ты вправду хочешь погулять со мной? Чудесно! А я боялась, что ты уйдешь прощаться со своими товарищами, с Томом Харди, который подарил тебе эту безобразную трубку, или Недом Лэнгтоном, который насмехается над тобой, когда ты куришь. Очень мило, что ты решил провести последний день со мной. Куда же мы пойдем? Давай сходим в парк!

— Нет, я слишком плохо одет, — возразил Джеймс, нахмурившись. — В парке гуляет только шикарная публика.

"Nonsense, Jim," she whispered, stroking the sleeve of his coat.

He hesitated for a moment. "Very well," he said at last, "but don't be too long dressing."

She danced out of the door. One could hear her singing as she ran upstairs. Her little feet pattered overhead.

He walked up and down the room two or three times. Then he turned to the still figure in the chair.

"Mother, are my things ready?" he asked.

"Quite ready, James," she answered, keeping her eyes on her work. For some months past she had felt ill at ease when she was alone with this rough stern son of hers. Her shallow secret nature was troubled when their eyes met. She used to wonder if he suspected anything.

The silence, for he made no other observation, became intolerable to her. She began to complain. Women defend themselves by attacking, just as they attack by sudden and strange surrenders.

"I hope you will be contented, James, with your sea-faring life," she said. "You must remember that it is your own choice. You might have entered a solicitor's office. Solicitors are a very respectable class, and in the country often dine with the best families."

"I hate offices, and I hate clerks," he replied. "But you are quite right. I have chosen my own life. All

— Глупости, Джим! — шепнула Сибила, поглаживая рукав его потрепанного пальто.

— Ну, ладно, — сказал Джеймс после минутного колебания. — Только ты одевайся поскорее.

Сибила выпорхнула из комнаты, и слышно было, как она поет, взбегая по лестнице. Потом ее ножки затопотали где-то наверху.

Джеймс несколько раз прошелся из угла в угол. Затем повернулся к неподвижной фигуре в кресле и спросил:

— Мама, у тебя все готово?

— Все готово, Джеймс, — ответила она, не поднимая глаз от шитья. Последние месяцы миссис Вэйн бывало как-то не по себе, когда она оставалась наедине со своим суровым и грубоватым сыном. Ограниченная и скрытная женщина приходила в смятение, когда их глаза встречались. Часто задавала она себе вопрос, не подозревает ли сын что-нибудь.

Джеймс не говорил больше ни слова, и это молчание стало ей невтерпеж. Тогда она пустила в ход упреки и жалобы. Женщины, защищаясь, всегда переходят в наступление. А их наступление часто кончается внезапной и необъяснимой сдачей.

— Дай бог, чтобы тебе понравилась жизнь моряка, Джеймс, — начала миссис Вэйн. — Не забывай, что ты сам этого захотел. А ведь мог бы поступить в контору какого-нибудь адвоката. Адвокаты — весьма почтенное сословие, в провинции их часто приглашают в самые лучшие дома.

— Не терплю контор и чиновников, — отрезал Джеймс. — Что я сам сделал выбор — это верно.

I say is, watch over Sibyl. Don't let her come to any harm. Mother, you must watch over her."

"James, you really talk very strangely. Of course I watch over Sibyl."

"I hear a gentleman comes every night to the theatre and goes behind to talk to her. Is that right? What about that?"

"You are speaking about things you don't understand, James. In the profession we are accustomed to receive a great deal of most gratifying attention. I myself used to receive many bouquets at one time. That was when acting was really understood. As for Sibyl, I do not know at present whether her attachment is serious or not. But there is no doubt that the young man in question is a perfect gentleman. He is always most polite to me. Besides, he has the appearance of being rich, and the flowers he sends are lovely."

"You don't know his name, though," said the lad harshly.

"No," answered his mother with a placid expression in her face. "He has not yet revealed his real name. I think it is quite romantic of him. He is probably a member of the aristocracy."

James Vane bit his lip.

"Watch over Sibyl, Mother," he cried, "watch over her."

"My son, you distress me very much. Sibyl is always under my special care. Of course, if this gentle-

Свою жизнь я проживу так, как мне нравится. А тебе, мама, на прощанье скажу одно: береги Сибилу. Смотри, чтобы с ней не случилось беды! Ты должна охранять ее!

— Не понимаю, зачем ты это говоришь, Джеймс. Разумеется, я Сибилу оберегаю.

— Я слышал, что какой-то господин каждый вечер бывает в театре и ходит за кулисы к Сибиле. Это правда? Что ты на это скажешь?

— Ах, Джеймс, в этих вещах ты ничего не смыслишь. Мы, актеры, привыкли, чтобы нам оказывали самое любезное внимание. Меня тоже когда-то засыпали букетами. В те времена люди умели ценить наше искусство. Ну а что касается Сибилы... Я еще не знаю, прочно ли ее чувство, серьезно ли оно. Но этот молодой человек, без сомнения, настоящий джентльмен. Он всегда так учтив со мной. И по всему заметно, что богат, — он посылает Сибиле чудесные цветы.

— Но ты даже имени его не знаешь! — сказал юноша резко.

— Нет, не знаю, — с тем же безмятежным спокойствием ответила мать. — Он не открыл еще нам своего имени. Это очень романтично. Наверное, он из самого аристократического круга.

Джеймс Вэйн прикусил губу.

— Береги Сибилу, мама! — сказал он опять настойчиво. — Смотри за ней хорошенько!

— Сын мой, ты меня очень обижаешь. Разве я мало забочусь о Сибиле? Конечно, если этот

man is wealthy, there is no reason why she should not contract an alliance with him. I trust he is one of the aristocracy. He has all the appearance of it, I must say. It might be a most brilliant marriage for Sibyl. They would make a charming couple. His good looks are really quite remarkable; everybody notices them."

The lad muttered something to himself and drummed on the window-pane with his coarse fingers. He had just turned round to say something when the door opened and Sibyl ran in.

"How serious you both are!" she cried. "What is the matter?"

"Nothing," he answered. "I suppose one must be serious sometimes. Good-bye, Mother; I will have my dinner at five o'clock. Everything is packed, except my shirts, so you need not trouble."

"Good-bye, my son," she answered with a bow of strained stateliness.

She was extremely annoyed at the tone he had adopted with her, and there was something in his look that had made her feel afraid.

"Kiss me, Mother," said the girl. Her flowerlike lips touched the withered cheek and warmed its frost.

"My child! my child!" cried Mrs. Vane, looking up to the ceiling in search of an imaginary gallery.

"Come, Sibyl," said her brother impatiently. He hated his mother's affectations.

джентльмен богат, почему ей не выйти за него? Я уверена, что он знатного рода. Это по всему видно. Сибила может сделать блестящую партию. И они будут прелестной парой, — он замечательно красив, его красота всем бросается в глаза.

Джеймс проворчал что-то себе под нос, барабаня пальцами по стеклу. Он обернулся к матери и хотел что-то еще сказать, но в эту минуту дверь отворилась и вбежала Сибила.

— Что это у вас обоих такой серьезный вид? — воскликнула она. — В чем дело?

— Ни в чем, — сказал Джеймс. — Не все же смеяться, иной раз надо и серьезным быть. Ну, прощай, мама. Я приду обедать к пяти. Все уложено, кроме рубашек, так что ты не беспокойся.

— До свидания, сын мой, — отозвалась миссис Вэйн и величественно, но с натянутым видом кивнула Джеймсу.

Ее сильно раздосадовал тон, каким он говорил с ней, а выражение его глаз пугало ее.

— Поцелуй меня, мама, — сказала Сибила. Ее губы, нежные, как цветочные лепестки, коснулись увядшей щеки и согрели ее.

— О дитя мое, дитя мое! — воскликнула миссис Вэйн, поднимая глаза к потолку в поисках воображаемой галерки.

— Ну, пойдем, Сибила! — нетерпеливо позвал Джеймс. Он не выносил аффектации, к которой так склонна была его мать.

They went out into the flickering, wind-blown sunlight and strolled down the dreary Euston Road. The passersby glanced in wonder at the sullen heavy youth who, in coarse, ill-fitting clothes, was in the company of such a graceful, refined-looking girl. He was like a common gardener walking with a rose.

Jim frowned from time to time when he caught the inquisitive glance of some stranger. He had that dislike of being stared at, which comes on geniuses late in life and never leaves the commonplace. Sibyl, however, was quite unconscious of the effect she was producing. Her love was trembling in laughter on her lips.

She was thinking of Prince Charming, and, that she might think of him all the more, she did not talk of him, but prattled on about the ship in which Jim was going to sail, about the gold he was certain to find, about the wonderful heiress whose life he was to save from the wicked, red-shirted bushrangers. For he was not to remain a sailor, or a supercargo, or whatever he was going to be. Oh, no! A sailor's existence was dreadful. Fancy being cooped up in a horrid ship, with the hoarse, hump-backed waves trying to get in, and a black wind blowing the masts down and tearing the sails into long screaming ribands!

He was to leave the vessel at Melbourne, bid a polite good-bye to the captain, and go off at once to the

Брат и сестра вышли на улицу, где солнечный свет спорил с ветром, нагонявшим тучки, и пошли по унылой Юстон-роуд. Прохожие удивленно посматривали на угрюмого и нескладного паренька в дешевом, плохо сшитом костюме, шедшего с такой изящной и грациозной девушкой. Он напоминал деревенщину-садовника с прелестной розой.

По временам Джим хмурился, перехватывая чей-нибудь любопытный взгляд. Он терпеть не мог, когда на него глазели, — чувство, знакомое гениям только на закате жизни, но никогда не оставляющее людей заурядных. Сибила же совершенно не замечала, что ею любуются. В ее смехе звенела радость любви.

Она думала о Прекрасном Принце, но, чтобы ничто не мешало ей упиваться этими мыслями, не говорила о нем, а болтала о корабле, на котором будет плавать Джеймс, о золоте, которое он непременно найдет в Австралии, о воображаемой красивой и богатой девушке, которую он спасет, освободив из рук разбойников в красных рубахах. Сибила и мысли не допускала, что Джеймс на всю жизнь останется простым матросом, или третьим помощником капитана, или кем-либо в таком роде. Нет, нет! Жизнь моряка ужасна! Сидеть, как птица в клетке, на каком-нибудь противном корабле, когда его то и дело атакуют с хриплым ревом горбатые волны, а злой ветер гнет мачты и рвет паруса на длинные свистящие ленты!

Как только корабль прибудет в Мельбурн, Джеймсу следует вежливо сказать капитану «про-

gold-fields. Before a week was over he was to come across a large nugget of pure gold, the largest nugget that had ever been discovered, and bring it down to the coast in a waggon guarded by six mounted policemen. The bushrangers were to attack them three times, and be defeated with immense slaughter.

Or, no. He was not to go to the gold-fields at all. They were horrid places, where men got intoxicated, and shot each other in bar-rooms, and used bad language. He was to be a nice sheep-farmer, and one evening, as he was riding home, he was to see the beautiful heiress being carried off by a robber on a black horse, and give chase, and rescue her. Of course, she would fall in love with him, and he with her, and they would get married, and come home, and live in an immense house in London. Yes, there were delightful things in store for him. But he must be very good, and not lose his temper, or spend his money foolishly.

She was only a year older than he was, but she knew so much more of life. He must be sure, also, to write to her by every mail, and to say his prayers each night before he went to sleep. God was very good, and would watch over him. She would pray for him, too, and in a few years he would come back quite rich and happy.

The lad listened sulkily to her and made no answer. He was heart-sick at leaving home.

Yet it was not this alone that made him gloomy and morose. Inexperienced though he was, he had still

сти» и высадиться на берег и сразу же отправиться на золотые прииски. Недели не пройдет, как он найдет большущий самородок чистого золота, какого еще никто никогда не находил, и перевезет его на побережье в фургоне под охраной шести конных полицейских. Скрывающиеся в зарослях бандиты трижды нападут на них, произойдет кровопролитная схватка, и бандиты будут отброшены...

Или нет, не надо никаких золотых приисков, там ужас что творится, люди отравляют друг друга, в барах стрельба, ругань. Лучше Джеймсу стать мирным фермером, разводить овец. И в один прекрасный вечер, когда он верхом будет возвращаться домой, он увидит, как разбойник на черном коне увозит прекрасную знатную девушку, пустится за ним в погоню и спасет красавицу. Ну а потом она, конечно, влюбится в него, а он — в нее, и они поженятся, вернутся в Лондон и будут жить здесь, в большущем доме. Да, да, Джеймса ждут впереди чудесные приключения. Только он должен быть хорошим, не кипятиться и не транжирить денег.

— Ты слушайся меня, Джеймс. Хотя я старше тебя только на год, я гораздо лучше знаю жизнь... Да смотри же, пиши мне с каждой почтой! И молись перед сном каждый вечер, а я тоже буду молиться за тебя. И через несколько лет ты вернешься богатым и счастливым.

Джеймс слушал сестру угрюмо и молча. С тяжелым сердцем уезжал он из дому.

Да и не только предстоящая разлука удручала его и заставляла сердито хмуриться. При всей сво-

a strong sense of the danger of Sibyl's position. This young dandy who was making love to her could mean her no good. He was a gentleman, and he hated him for that, hated him through some curious race-instinct for which he could not account, and which for that reason was all the more dominant within him. He was conscious also of the shallowness and vanity of his mother's nature, and in that saw infinite peril for Sibyl and Sibyl's happiness. Children begin by loving their parents; as they grow older they judge them; sometimes they forgive them.

His mother! He had something on his mind to ask of her, something that he had brooded on for many months of silence. A chance phrase that he had heard at the theatre, a whispered sneer that had reached his ears one night as he waited at the stage-door, had set loose a train of horrible thoughts. He remembered it as if it had been the lash of a hunting-crop across his face. His brows knit together into a wedge-like furrow, and with a twitch of pain he bit his underlip.

"You are not listening to a word I am saying, Jim," cried Sibyl, "and I am making the most delightful plans for your future. Do say something."

"What do you want me to say?"

"Oh! that you will be a good boy and not forget us," she answered, smiling at him.

He shrugged his shoulders.

"You are more likely to forget me than I am to forget you, Sibyl."

ей неопытности юноша остро чувствовал, что Сибиле угрожает опасность. От этого светского щеголя, который вздумал за ней ухаживать, добра не жди! Он был аристократ — и Джеймс ненавидел его, ненавидел безотчетно, в силу какого-то классового инстинкта, ему самому непонятного и потому еще более властного. Притом Джеймс, зная легкомыслие и пустое тщеславие матери, чуял в этом грозную опасность для Сибилы и ее счастья. В детстве мы любим родителей. Став взрослыми, судим их. И бывает, что мы их прощаем.

Мать! Джеймсу давно хотелось задать ей один вопрос — вопрос, который мучил его вот уже много месяцев. Фраза, случайно услышанная в театре, глумливое шушуканье, донесшееся до него раз вечером, когда он ждал мать у входа за кулисы, подняли в голове Джеймса целую бурю мучительных догадок. Воспоминание об этом и сейчас ожгло его, как удар хлыста по лицу. Он сдвинул брови так, что между ними прорезалась глубокая морщина, и с гримасой боли судорожно прикусил нижнюю губу.

— Да ты совсем меня не слушаешь, Джим! — воскликнула вдруг Сибила. — А я-то стараюсь, строю для тебя такие чудесные планы на будущее! Ну, скажи же что-нибудь!

— Что мне сказать?

— Хотя бы, что ты будешь пай-мальчиком и не забудешь нас, — сказала Сибила с улыбкой.

Джеймс пожал плечами.

— Скорее ты забудешь меня, чем я тебя, Сибила.

She flushed.

"What do you mean, Jim?" she asked.

"You have a new friend, I hear. Who is he? Why have you not told me about him? He means you no good."

"Stop, Jim!" she exclaimed. "You must not say anything against him. I love him."

"Why, you don't even know his name," answered the lad. "Who is he? I have a right to know."

"He is called Prince Charming. Don't you like the name. Oh! you silly boy! you should never forget it. If you only saw him, you would think him the most wonderful person in the world. Some day you will meet him — when you come back from Australia. You will like him so much. Everybody likes him, and I ... love him. I wish you could come to the theatre to-night. He is going to be there, and I am to play Juliet. Oh! how I shall play it! Fancy, Jim, to be in love and play Juliet! To have him sitting there! To play for his delight! I am afraid I may frighten the company, frighten or enthrall them. To be in love is to surpass one's self. Poor dreadful Mr. Isaacs will be shouting "genius" to his loafers at the bar. He has preached me as a dogma; to-night he will announce me as a revelation. I feel it. And it is all his, his only, Prince Charming, my wonderful lover, my god of graces. But I am poor beside him. Poor? What does that matter? When poverty creeps in at the door, love flies in through the window. Our proverbs want rewriting. They were made in winter, and it is summer now; spring-time for me, I think, a very dance of blossoms in blue skies."

Сибила покраснела.

— Почему ты так думаешь, Джим?

— Да вот, говорят, у тебя появился новый знакомый. Кто он? Почему ты мне ничего о нем не рассказала? Это знакомство к добру не приведет.

— Перестань, Джим! Не смей дурно говорить о нем! Я его люблю.

— Господи, да тебе даже имя его неизвестно! — возразил Джеймс. — Кто он такой? Я, кажется, имею право это знать.

— Его зовут Прекрасный Принц. Разве тебе не нравится это имя? Ты его запомни, глупый мальчик. Если бы ты увидел моего Принца, ты понял бы, что лучше его нет никого на свете. Вот вернешься из Австралии, и тогда я вас познакомлю. Он тебе очень понравится, Джим. Он всем нравится, а я... я люблю его. Как жаль, что ты сегодня вечером не сможешь быть в театре. Он обещал приехать. И я сегодня играю Джульетту. О, как я ее сыграю! Ты только представь себе, Джим, — играть Джульетту, когда сама влюблена и когда он сидит перед тобой. Играть для него! Я даже боюсь, что испугаю всех зрителей. Испугаю или приведу в восторг! Любовь возносит человека над самим собой... Этот бедный урод, мистер Айзекс, опять будет кричать в баре своим собутыльникам, что я гений. Он верит в меня, а сегодня будет на меня молиться. И это сделал мой Прекрасный Принц, моя чудесная любовь, бог красоты! Я так жалка по сравнению с ним... Ну, так что же? Пословица говорит: нищета вползает через дверь, а любовь влетает в окно. Наши пословицы следовало бы переделать. Их придумывали зимой,

"He is a gentleman," said the lad sullenly.

"A prince!" she cried musically. "What more do you want?"

"He wants to enslave you."

"I shudder at the thought of being free."

"I want you to beware of him."

"To see him is to worship him; to know him is to trust him."

"Sibyl, you are mad about him."

She laughed and took his arm.

"You dear old Jim, you talk as if you were a hundred. Some day you will be in love yourself. Then you will know what it is. Don't look so sulky. Surely you should be glad to think that, though you are going away, you leave me happier than I have ever been before. Life has been hard for us both, terribly hard and difficult. But it will be different now. You are going to a new world, and I have found one. Here are two chairs; let us sit down and see the smart people go by."

They took their seats amidst a crowd of watchers. The tulip-beds across the road flamed like throbbing rings of fire. A white dust — tremulous cloud of orris-root it seemed — hung in the panting air. The brightly coloured parasols danced and dipped like monstrous butterflies.

She made her brother talk of himself, his hopes, his prospects. He spoke slowly and with effort. They

а теперь лето... Нет, для меня теперь весна, настоящий праздник цветов под голубым небом.

— Он — знатный человек, — сказал Джеймс мрачно.

— Он — Принц! — пропела Сибила. — Чего тебе еще?

— Он хочет сделать тебя своей рабой.

— А я дрожу при мысли о свободе.

— Остерегайся его, Сибила.

— Кто его увидел, боготворит его, а кто узнал — верит ему.

— Сибила, да он тебя совсем с ума свел!

Сибила рассмеялась и взяла брата под руку.

— Джим, милый мой, ты рассуждаешь, как столетний старик. Когда-нибудь сам влюбишься, тогда поймешь, что это такое. Ну, не дуйся же! Ты бы радоваться должен, что, уезжая, оставляешь меня такой счастливой. Нам с тобой тяжело жилось, ужасно тяжело и трудно. А теперь все пойдет по-другому. Ты едешь, чтобы увидеть новый мир, а мне он открылся здесь, в Лондоне... Вот два свободных места, давай сядем и будем смотреть на нарядную публику.

Они уселись среди толпы отдыхающих, которые глазели на прохожих. На клумбах у дорожки тюльпаны пылали дрожащими языками пламени. В воздухе висела белая пыль, словно зыбкое облако ароматной пудры. Огромными пестрыми бабочками порхали и качались над головами зонтики ярких цветов.

Сибила настойчиво расспрашивала брата, желая, чтобы он поделился с нею своими планами

passed words to each other as players at a game pass counters. Sibyl felt oppressed. She could not communicate her joy. A faint smile curving that sullen mouth was all the echo she could win. After some time she became silent.

Suddenly she caught a glimpse of golden hair and laughing lips, and in an open carriage with two ladies Dorian Gray drove past.

She started to her feet.

"There he is!" she cried.

"Who?" said Jim Vane.

"Prince Charming," she answered, looking after the victoria.

He jumped up and seized her roughly by the arm.

"Show him to me. Which is he? Point him out. I must see him!" he exclaimed; but at that moment the Duke of Berwick's four-in-hand came between, and when it had left the space clear, the carriage had swept out of the park.

"He is gone," murmured Sibyl sadly. "I wish you had seen him."

"I wish I had, for as sure as there is a God in heaven, if he ever does you any wrong, I shall kill him."

She looked at him in horror. He repeated his words. They cut the air like a dagger. The people round began to gape. A lady standing close to her tittered.

"Come away, Jim; come away," she whispered. He followed her doggedly as she passed through the crowd. He felt glad at what he had said.

и надеждами. Джеймс отвечал медленно и неохотно. Они обменивались словами, как игроки обмениваются фишками. Сибилу угнетало то, что она не может заразить Джеймса своей радостью. Единственным откликом, который ей удалось вызвать, была легкая улыбка на его хмуром лице.

Вдруг перед ней промелькнули золотистые волосы, знакомые улыбающиеся губы: мимо в открытом экипаже проехал с двумя дамами Дориан Грей.

Сибила вскочила.

— Он!

— Кто? — спросил Джим.

— Прекрасный Принц! — ответила она, провожая глазами коляску.

Тут и Джим вскочил и крепко схватил ее за руку.

— Где? Который? Да покажи же! Я должен его увидеть!

Но в эту минуту запряженный четверкой экипаж герцога Бервикского заслонил все впереди, а когда он проехал, коляска Дориана была уже далеко.

— Уехал! — огорченно прошептала Сибила. — Как жаль, что ты его не видел!

— Да, жаль. Потому что, если он тебя обидит, клянусь богом, я отыщу и убью его.

Сибила в ужасе посмотрела на брата. А он еще раз повторил свои слова. Они просвистели в воздухе, как кинжал, и люди стали оглядываться на Джеймса. Стоявшая рядом дама захихикала.

— Пойдем отсюда, Джим, пойдем! — шепнула Сибила. Она стала пробираться через толпу, и Джим, повеселевший после того, как облегчил душу, пошел за нею.

When they reached the Achilles Statue, she turned round. There was pity in her eyes that became laughter on her lips. She shook her head at him.

"You are foolish, Jim, utterly foolish; a bad-tempered boy, that is all. How can you say such horrible things? You don't know what you are talking about. You are simply jealous and unkind. Ah! I wish you would fall in love. Love makes people good, and what you said was wicked."

"I am sixteen," he answered, "and I know what I am about. Mother is no help to you. She doesn't understand how to look after you. I wish now that I was not going to Australia at all. I have a great mind to chuck the whole thing up. I would, if my articles hadn't been signed."

"Oh, don't be so serious, Jim. You are like one of the heroes of those silly melodramas Mother used to be so fond of acting in. I am not going to quarrel with you. I have seen him, and oh! to see him is perfect happiness. We won't quarrel. I know you would never harm any one I love, would you?"

"Not as long as you love him, I suppose," was the sullen answer.

"I shall love him for ever!" she cried.

"And he?"

"For ever, too!"

"He had better."

She shrank from him. Then she laughed and put her hand on his arm. He was merely a boy.

Когда они дошли до статуи Ахилла, девушка обернулась. Она с сожалением посмотрела на брата и покачала головой, а на губах ее трепетал смех.

— Ты дурачок, Джим, настоящий дурачок и злой мальчишка — вот и все. Ну, можно ли говорить такие ужасные вещи! Ты сам не понимаешь, что говоришь. Ты попросту ревнуешь и потому несправедлив к нему. Ах, как бы я хотела, чтобы и ты полюбил кого-нибудь! Любовь делает человека добрее, а ты сказал злые слова!

— Мне уже шестнадцать лет, — возразил Джим. — И я знаю, что говорю. Мать тебе не опора. Она не сумеет уберечь тебя. Экая досада, что я уезжаю! Не подпиши я контракта, я послал бы к черту Австралию и остался бы с тобой.

— Полно, Джим! Ты точь-в-точь как герои тех дурацких мелодрам, в которых мама любила играть. Но я не хочу с тобой спорить. Ведь я только что видела его, а видеть его — это такое счастье! Не будем ссориться! Я уверена, что ты никогда не причинишь зла человеку, которого я люблю, — правда, Джим?

— Пока ты его любишь, пожалуй, — был угрюмый ответ.

— Я буду любить его вечно, — воскликнула Сибила.

— А он тебя?

— И он тоже.

— Ну, то-то. Пусть только попробует изменить!

Сибила невольно отшатнулась от брата. Но затем рассмеялась и положила ему руку на плечо. Ведь он в ее глазах был еще мальчик.

At the Marble Arch they hailed an omnibus, which left them close to their shabby home in the Euston Road. It was after five o'clock, and Sibyl had to lie down for a couple of hours before acting. Jim insisted that she should do so. He said that he would sooner part with her when their mother was not present. She would be sure to make a scene, and he detested scenes of every kind.

In Sybil's own room they parted. There was jealousy in the lad's heart, and a fierce murderous hatred of the stranger who, as it seemed to him, had come between them. Yet, when her arms were flung round his neck, and her fingers strayed through his hair, he softened and kissed her with real affection. There were tears in his eyes as he went downstairs.

His mother was waiting for him below. She grumbled at his unpunctuality, as he entered. He made no answer, but sat down to his meagre meal. The flies buzzed round the table and crawled over the stained cloth. Through the rumble of omnibuses, and the clatter of street-cabs, he could hear the droning voice devouring each minute that was left to him.

After some time, he thrust away his plate and put his head in his hands. He felt that he had a right to know. It should have been told to him before, if it was as he suspected. Leaden with fear, his mother watched him. Words dropped mechanically from her lips. A tattered lace handkerchief twitched in her fingers. When the clock struck six, he got up and went

У Мраморной арки они сели в омнибус, и он довез их до грязного, запущенного дома на Юстонроуд, где они жили. Был уже шестой час, а Сибиле полагалось перед спектаклем полежать час-другой. Джим настоял, чтобы она легла, объяснив, что он предпочитает проститься с нею в ее комнате, пока мать внизу. Мать непременно разыграла бы при прощании трагическую сцену, а он терпеть не может сцен.

И они простились в комнате Сибилы. В сердце юноши кипела ревность и бешеная ненависть к чужаку, который, как ему казалось, встал между ним и сестрой. Однако, когда Сибила обвила руками его шею и провела пальчиками по его волосам, Джим размяк и поцеловал ее с искренней нежностью. Когда он потом шел вниз по лестнице, глаза его были полны слез.

Внизу дожидалась мать. Она побранила его за опоздание. Джеймс ничего не ответил и принялся за скудный обед. Мухи жужжали над столом, ползали по грязной скатерти. Под грохот омнибусов и кебов Джеймс слушал монотонный голос, отравлявший ему последние оставшиеся минуты.

Скоро он отодвинул в сторону тарелку и подпер голову руками. Он твердил себе, что имеет право знать. Если правда то, что он подозревает, — мать давно должна была сказать ему об этом. Цепенея от страха, миссис Вэйн тайком наблюдала за ним. Слова механически слетали с ее губ, пальцы комкали грязный кружевной платочек. Когда часы про-

to the door. Then he turned back and looked at her.
Their eyes met. In hers he saw a wild appeal for mercy. It enraged him.

"Mother, I have something to ask you," he said.

Her eyes wandered vaguely about the room. She
made no answer.

"Tell me the truth. I have a right to know. Were
you married to my father?"

She heaved a deep sigh. It was a sigh of relief. The
terrible moment, the moment that night and day, for
weeks and months, she had dreaded, had come at last,
and yet she felt no terror. Indeed, in some measure it
was a disappointment to her. The vulgar directness
of the question called for a direct answer. The situation had not been gradually led up to. It was crude.
It reminded her of a bad rehearsal.

"No," she answered, wondering at the harsh simplicity of life.

"My father was a scoundrel then!" cried the lad,
clenching his fists.

She shook her head.

"I knew he was not free. We loved each other very
much. If he had lived, he would have made provision
for us. Don't speak against him, my son. He was your
father, and a gentleman. Indeed, he was highly connected."

An oath broke from his lips.

"I don't care for myself," he exclaimed, "but don't
let Sibyl... It is a gentleman, isn't it, who is in love

208

били шесть, Джим встал и направился к двери. Но по дороге остановился и оглянулся на мать. Взгляды их встретились, и в глазах ее он прочел горячую мольбу о пощаде. Это только подлило масла в огонь.

— Мама, я хочу задать тебе один вопрос, — начал он.

Мать молчала, ее глаза забегали по сторонам.

— Скажи мне правду, я имею право знать: ты была замужем за моим отцом?

У миссис Вэйн вырвался глубокий вздох. То был вздох облегчения. Страшная минута, которой она с такой тревогой ждала днем и ночью в течение многих месяцев, наконец наступила, — и вдруг ее страх исчез. Она даже была этим несколько разочарована. Грубая прямота вопроса требовала столь же прямого ответа. Решительная сцена без постепенной подготовки! Это было нескладно, напоминало плохую репетицию.

— Нет, — отвечала она, удивляясь про себя тому, что в жизни все так грубо и просто.

— Значит, он был подлец? — крикнул юноша, сжимая кулаки.

Мать покачала головой:

— Нет. Я знала, что он не свободен. Но мы крепко любили друг друга. Если бы он не умер, он бы нас обеспечил. Не осуждай его, сынок. Он был твой отец и джентльмен. Да, да, он был знатного рода.

У Джеймса вырвалось проклятие.

— Мне-то все равно, — воскликнул он. — Но ты смотри, чтобы с Сибилой не случилось того же! Ведь

with her, or says he is? Highly connected, too, I suppose."

For a moment a hideous sense of humiliation came over the woman. Her head drooped. She wiped her eyes with shaking hands.

"Sibyl has a mother," she murmured; "I had none."

The lad was touched. He went towards her, and stooping down, he kissed her.

"I am sorry if I have pained you by asking about my father," he said, "but I could not help it. I must go now. Good-bye. Don't forget that you will have only one child now to look after, and believe me that if this man wrongs my sister, I will find out who he is, track him down, and kill him like a dog. I swear it."

The exaggerated folly of the threat, the passionate gesture that accompanied it, the mad melodramatic words, made life seem more vivid to her. She was familiar with the atmosphere. She breathed more freely, and for the first time for many months she really admired her son. She would have liked to have continued the scene on the same emotional scale, but he cut her short. Trunks had to be carried down and mufflers looked for. The lodging-house drudge bustled in and out. There was the bargaining with the cabman. The moment was lost in vulgar details. It was with a renewed feeling of disappointment that she waved the tattered lace handkerchief from the window, as her son drove away. She was conscious that a great opportunity had been wasted. She consoled herself

тот, кто в нее влюблен или притворяется влюбленным, тоже, наверное, «джентльмен знатного рода»?

На одно мгновение миссис Вэйн испытала унизительное чувство стыда. Голова ее поникла, она отерла глаза трясущимися руками.

— У Сибилы есть мать, — прошептала она. — А у меня ее не было.

Джеймс был тронут. Он подошел к матери и, наклонясь, поцеловал ее.

— Прости, мама, если я этими расспросами об отце сделал тебе больно, — сказал он. — Но я не мог удержаться. Ну, мне пора. Прощай! И помни: теперь тебе надо заботиться об одной только Сибиле. Можешь мне поверить, если этот человек обидит мою сестру, я узнаю, кто он, разыщу его и убью как собаку. Клянусь!

Преувеличенная страстность угрозы и энергичные жесты, которыми сопровождалась эта мелодраматическая тирада, пришлись миссис Вэйн по душе, они словно окрашивали жизнь в более яркие краски. Сейчас она почувствовала себя в своей стихии и вздохнула свободнее. Впервые за долгое время она восхищалась сыном. Ей хотелось продлить эту волнующую сцену, но Джим круто оборвал разговор. Нужно было снести вниз чемоданы, разыскать запропастившийся куда-то теплый шарф. Слуга меблированных комнат, где они жили, суетился, то вбегая, то убегая. Потом пришлось торговаться с извозчиком... Момент был упущен, испорчен вульгарными мелочами. И миссис Вэйн с удвоенным чувством разочарования махала из окна

211

by telling Sibyl how desolate she felt her life would be, now that she had only one child to look after. She remembered the phrase. It had pleased her. Of the threat she said nothing. It was vividly and dramatically expressed. She felt that they would all laugh at it some day.

Chapter VI

"I suppose you have heard the news, Basil?" said Lord Henry that evening as Hallward was shown into a little private room at the Bristol where dinner had been laid for three.

"No, Harry," answered the artist, giving his hat and coat to the bowing waiter. "What is it? Nothing about politics, I hope! They don't interest me. There is hardly a single person in the House of Commons worth painting, though many of them would be the better for a little whitewashing."

"Dorian Gray is engaged to be married," said Lord Henry, watching him as he spoke.

Hallward started and then frowned.

"Dorian engaged to be married!" he cried. "Impossible!"

грязным кружевным платочком вслед уезжавшему сыну. Какая прекрасная возможность упущена! Впрочем, она немного утешилась, объявив Сибиле, что теперь, когда на ее попечении осталась одна лишь дочь, в жизни ее образуется большая пустота. Эта фраза ей понравилась, и она решила запомнить ее. Об угрозе Джеймса она умолчала. Правда, высказана эта угроза очень эффектно и драматично, но лучше было о ней не поминать. Миссис Вэйн надеялась, что когда-нибудь они все дружно посмеются над нею.

Глава VI

— Ты, верно, уже слышал новость, Бэзил? — такими словами лорд Генри встретил в этот вечер Холлуорда, вошедшего в указанный ему лакеем отдельный кабинет ресторана «Бристоль», где был сервирован обед на троих.

— Нет, Гарри. А что за новость? — спросил художник, отдавая пальто и шляпу почтительно ожидавшему лакею. — Надеюсь, не политическая? Политикой я не интересуюсь. В палате общин едва ли найдется хоть один человек, на которого художнику стоило бы расходовать краски. Правда, многие из них очень нуждаются в побелке.

— Дориан Грей собирается жениться, — сказал лорд Генри, внимательно глядя на Холлуорда.

Холлуорд вздрогнул и нахмурился.

— Дориан! Женится! — воскликнул он. — Не может быть!

"It is perfectly true."

"To whom?"

"To some little actress or other."

"I can't believe it. Dorian is far too sensible."

"Dorian is far too wise not to do foolish things now and then, my dear Basil."

"Marriage is hardly a thing that one can do now and then, Harry."

"Except in America," rejoined Lord Henry languidly. "But I didn't say he was married. I said he was engaged to be married. There is a great difference. I have a distinct remembrance of being married, but I have no recollection at all of being engaged. I am inclined to think that I never was engaged."

"But think of Dorian's birth, and position, and wealth. It would be absurd for him to marry so much beneath him."

"If you want to make him marry this girl, tell him that, Basil. He is sure to do it, then. Whenever a man does a thoroughly stupid thing, it is always from the noblest motives."

"I hope the girl is good, Harry. I don't want to see Dorian tied to some vile creature, who might degrade his nature and ruin his intellect."

"Oh, she is better than good — she is beautiful," murmured Lord Henry, sipping a glass of vermouth

— Однако это сущая правда.

— На ком же?

— На какой-то актриске.

— Что-то мне не верится. Дориан не так безрассуден.

— Дориан настолько умен, мой милый Бэзил, что не может время от времени не делать глупостей.

— Но брак не из тех «глупостей», которые делают «время от времени», Гарри!

— Так думают в Англии, но не в Америке, — лениво возразил лорд Генри. — Впрочем, я не говорил, что Дориан женится. Я сказал только, что он собирается жениться. Это далеко не одно и то же. Я, например, явно помню, что женился, но совершенно не припоминаю, чтобы я собирался это сделать. И склонен думать, что такого намерения у меня никогда не было.

— Да ты подумай, Гарри, из какой семьи Дориан, как он богат, какое положение занимает в обществе! Такой неравный брак просто-напросто безумие!

— Если хочешь, чтобы он женился на этой девушке, скажи ему то, что ты сейчас сказал мне, Бэзил! Тогда он наверняка женится на ней. Самые нелепые поступки человек совершает всегда из благороднейших побуждений.

— Хоть бы это оказалась хорошая девушка! Очень печально, если Дориан навсегда будет связан с какой-нибудь дрянью и этот брак заставит его умственно и нравственно опуститься.

— Хорошая ли она девушка? Она — красавица, а это гораздо важнее, — бросил лорд Генри, потяги-

and orange-bitters. "Dorian says she is beautiful, and he is not often wrong about things of that kind. Your portrait of him has quickened his appreciation of the personal appearance of other people. It has had that excellent effect, amongst others. We are to see her to-night, if that boy doesn't forget his appointment."

"Are you serious?"

"Quite serious, Basil. I should be miserable if I thought I should ever be more serious than I am at the present moment."

"But do you approve of it, Harry?" asked the painter, walking up and down the room and biting his lip. "You can't approve of it, possibly. It is some silly infatuation."

"I never approve, or disapprove, of anything now. It is an absurd attitude to take towards life. We are not sent into the world to air our moral prejudices. I never take any notice of what common people say, and I never interfere with what charming people do. If a personality fascinates me, whatever mode of expression that personality selects is absolutely delightful to me. Dorian Gray falls in love with a beautiful girl who acts Juliet, and proposes to marry her. Why not? If he wedded Messalina, he would be none the less interesting. You know I am not a champion of marriage. The real drawback to marriage is that it makes one unselfish. And unselfish people are colourless. They lack individuality. Still, there are certain temperaments that marriage makes more complex.

вая из стакана вермут с померанцевой. — Дориан утверждает, что она красавица, а в этих вещах он редко ошибается. Портрет, который ты написал, научил его ценить красоту других людей. Да, да, и в этом отношении портрет весьма благотворно повлиял на него... Сегодня вечером мы с тобой увидим его избранницу, если только мальчик не забыл про наш уговор.

— Ты все это серьезно говоришь, Гарри?

— Совершенно серьезно, Бэзил. Не дай бог, чтобы мне пришлось говорить когда-нибудь еще серьезнее, чем сейчас.

— Но неужели ты одобряешь это, Гарри, — продолжал художник, шагая по комнате и кусая губы. — Не может быть! Это просто какое-то глупое увлечение.

— А я никогда ничего не одобряю и не порицаю, — это нелепейший подход к жизни. Мы посланы в сей мир не для того, чтобы проповедовать свои моральные предрассудки. Я не придаю никакого значения тому, что говорят пошляки, и никогда не вмешиваюсь в жизнь людей мне приятных. Если человек мне нравится, то все, в чем он себя проявляет, я нахожу прекрасным. Дориан Грей влюбился в красивую девушку, которая играет Джульетту, и хочет жениться на ней. Почему бы и нет? Женись он хотя бы на Мессалине — от этого он не станет менее интересен. Ты знаешь, я не сторонник брака. Главный вред брака в том, что он вытравливает из человека эгоизм. А люди неэгоистичные бесцветны, они утрачивают свою индивидуальность. Прав-

They retain their egotism, and add to it many other egos. They are forced to have more than one life. They become more highly organized, and to be highly organized is, I should fancy, the object of man's existence. Besides, every experience is of value, and whatever one may say against marriage, it is certainly an experience. I hope that Dorian Gray will make this girl his wife, passionately adore her for six months, and then suddenly become fascinated by some one else. He would be a wonderful study."

"You don't mean a single word of all that, Harry; you know you don't. If Dorian Gray's life were spoiled, no one would be sorrier than yourself. You are much better than you pretend to be."

Lord Henry laughed.

"The reason we all like to think so well of others is that we are all afraid for ourselves. The basis of optimism is sheer terror. We think that we are generous because we credit our neighbour with the possession of those virtues that are likely to be a benefit to us. We praise the banker that we may overdraw our account, and find good qualities in the highwayman in the hope that he may spare our pockets. I mean everything that I have said. I have the greatest contempt for optimism. As for a spoiled life, no life is spoiled but one whose growth is arrested. If you want to mar a nature, you have merely to reform it. As for marriage, of course that would be silly, but there are other and more interesting bonds between men and

да, есть люди, которых супружеская жизнь делает сложнее. Сохраняя свое «я», они дополняют его множеством чужих «я». Такой человек вынужден жить более чем одной жизнью и становится личностью высокоорганизованной, а это, я полагаю, и есть цель нашего существования. Кроме того, всякое переживание ценно, и что бы ни говорили против брака, — это ведь, безусловно, какое-то новое переживание, новый опыт. Надеюсь, что Дориан женится на этой девушке, будет с полгода страстно обожать ее, а потом внезапно влюбится в другую. Тогда будет очень интересно понаблюдать его.

— Ты все это говоришь не всерьез, Гарри. Ведь, если жизнь Дориана будет разбита, ты больше всех будешь этим огорчен. Право, ты гораздо лучше, чем хочешь казаться.

Лорд Генри расхохотался.

— Все мы готовы верить в других по той простой причине, что боимся за себя. В основе оптимизма лежит чистейший страх. Мы приписываем нашим ближним те добродетели, из которых можем извлечь выгоду для себя, и воображаем, что делаем это из великодушия. Хвалим банкира, потому что хочется верить, что он увеличит нам кредит в своем банке, и находим хорошие черты даже у разбойника с большой дороги в надежде, что он пощадит наши карманы. Поверь, Бэзил, все, что я говорю, я говорю вполне серьезно. Больше всего на свете я презираю оптимизм... Ты боишься, что жизнь Дориана будет разбита, а по-моему, разбитой можно считать лишь ту жизнь, которая остановилась

women. I will certainly encourage them. They have the charm of being fashionable. But here is Dorian himself. He will tell you more than I can."

"My dear Harry, my dear Basil, you must both congratulate me!" said the lad, throwing off his evening cape with its satin-lined wings and shaking each of his friends by the hand in turn. "I have never been so happy. Of course, it is sudden — all really delightful things are. And yet it seems to me to be the one thing I have been looking for all my life."

He was flushed with excitement and pleasure, and looked extraordinarily handsome.

"I hope you will always be very happy, Dorian," said Hallward, "but I don't quite forgive you for not having let me know of your engagement. You let Harry know."

"And I don't forgive you for being late for dinner," broke in Lord Henry, putting his hand on the lad's shoulder and smiling as he spoke. "Come, let us sit down and try what the new chef here is like, and then you will tell us how it all came about."

"There is really not much to tell," cried Dorian as they took their seats at the small round table. "What happened was simply this. After I left you yesterday evening, Harry, I dressed, had some dinner at that little Italian restaurant in Rupert Street you introduced me to, and went down at eight o'clock to the

в своем развитии. Исправлять и переделывать человеческую натуру — значит только портить ее. Ну а что касается женитьбы Дориана... Конечно, это глупость. Но есть иные, более интересные формы близости между мужчиной и женщиной. И я неизменно поощряю их... А вот и сам Дориан! От него ты узнаешь больше, чем от меня.

— Гарри, Бэзил, дорогие мои, можете меня поздравить! — сказал Дориан, сбросив подбитый шелком плащ и пожимая руки друзьям. — Никогда еще я не был так счастлив. Разумеется, все это довольно неожиданно, как неожиданны все чудеса в жизни. Но, мне кажется, я всегда искал и ждал именно этого.

Он порозовел от волнения и радости и был в эту минуту удивительно красив.

— Желаю вам большого счастья на всю жизнь, Дориан, — сказал Холлуорд. — А почему же вы не сообщили мне о своей помолвке? Это непростительно. Ведь Гарри вы известили.

— А еще непростительнее то, что вы опоздали к обеду, — вмешался лорд Генри, с улыбкой положив руку на плечо Дориана. — Ну, давайте сядем за стол и посмотрим, каков новый здешний шеф-повар. И потом вы нам расскажете все по порядку.

— Да тут и рассказывать почти нечего, — отозвался Дориан, когда они уселись за небольшой круглый стол. — Вот как все вышло: вчера вечером, уйдя от вас, Гарри, я переоделся, пообедал в том итальянском ресторанчике на Руперт-стрит, куда вы меня водили, а в восемь часов отправился

theatre. Sibyl was playing Rosalind. Of course, the scenery was dreadful and the Orlando absurd. But Sibyl! You should have seen her! When she came on in her boy's clothes, she was perfectly wonderful. She wore a moss-coloured velvet jerkin with cinnamon sleeves, slim, brown, cross-gartered hose, a dainty little green cap with a hawk's feather caught in a jewel, and a hooded cloak lined with dull red. She had never seemed to me more exquisite. She had all the delicate grace of that Tanagra figurine that you have in your studio, Basil. Her hair clustered round her face like dark leaves round a pale rose. As for her acting — well, you shall see her to-night. She is simply a born artist. I sat in the dingy box absolutely enthralled. I forgot that I was in London and in the nineteenth century. I was away with my love in a forest that no man had ever seen. After the performance was over, I went behind and spoke to her. As we were sitting together, suddenly there came into her eyes a look that I had never seen there before. My lips moved towards hers. We kissed each other. I can't describe to you what I felt at that moment. It seemed to me that all my life had been narrowed to one perfect point of rose-coloured joy. She trembled all over and shook like a white narcissus. Then she flung herself on her knees and kissed my hands. I feel that I should not tell you all this, but I can't help it. Of course, our engagement is a dead secret. She has not even told her own mother. I don't know what my guardians will say. Lord Radley is sure to be furious. I don't care. I shall be of age in less than a year, and then I can do

в театр. Сибила играла Розалинду. Декорации были, конечно, ужасные, Орландо просто смешон. Но Сибила! Ах, если бы вы ее видели! В костюме мальчика она просто загляденье. На ней была зеленая бархатная куртка с рукавами цвета корицы, коричневые короткие штаны, плотно обтягивавшие ноги, изящная зеленая шапочка с соколиным пером, прикрепленным блестящей пряжкой, и плащ с капюшоном на темно-красной подкладке. Никогда еще она не казалась мне такой прелестной! Своей хрупкой грацией она напоминала танагрскую статуэтку, которую я видел у вас в студии, Бэзил. Волосы обрамляли ее личико, как темные листья — бледную розу. А ее игра... ну, да вы сами сегодня увидите. Она просто рождена для сцены. Я сидел в убогой ложе совершенно очарованный. Забыл, что я в Лондоне, что у нас теперь девятнадцатый век. Я был с моей возлюбленной далеко, в дремучем лесу, где не ступала нога человека... После спектакля я пошел за кулисы и говорил с нею. Мы сидели рядом, и вдруг в ее глазах я увидел выражение, какого никогда не замечал раньше. Губы мои нашли ее губы. Мы поцеловались... Не могу вам передать, что я чувствовал в этот миг. Казалось, вся моя жизнь сосредоточилась в этой чудесной минуте. Сибила вся трепетала, как белый нарцисс на стебле... И вдруг опустилась на колени и стала целовать мои руки. Знаю, мне не следовало бы рассказывать вам все это, но я не могу удержаться... Помолвка наша, разумеется, — строжайший секрет, Сибила даже матери ничего не сказала. Не знаю, что запоют мои

what I like. I have been right, Basil, haven't I, to take my love out of poetry and to find my wife in Shakespeare's plays? Lips that Shakespeare taught to speak have whispered their secret in my ear. I have had the arms of Rosalind around me, and kissed Juliet on the mouth."

"Yes, Dorian, I suppose you were right," said Hallward slowly.

"Have you seen her to-day?" asked Lord Henry.

Dorian Gray shook his head.

"I left her in the forest of Arden; I shall find her in an orchard in Verona."

Lord Henry sipped his champagne in a meditative manner.

"At what particular point did you mention the word marriage, Dorian? And what did she say in answer? Perhaps you forgot all about it."

"My dear Harry, I did not treat it as a business transaction, and I did not make any formal proposal. I told her that I loved her, and she said she was not worthy to be my wife. Not worthy! Why, the whole world is nothing to me compared with her."

"Women are wonderfully practical," murmured Lord Henry, "much more practical than we are. In situations of that kind we often forget to say anything about marriage, and they always remind us."

Hallward laid his hand upon his arm.

опекуны. Лорд Рэдли, наверно, ужасно разгневается. Пусть сердится, мне все равно! Меньше чем через год я буду совершеннолетний и смогу делать что хочу. Ну, скажите, Бэзил, разве не прекрасно, что любить меня научила поэзия, что жену я нашел в драмах Шекспира? Губы, которые Шекспир учил говорить, прошептали мне на ухо свою тайну. Меня обнимали руки Розалинды, и я целовал Джульетту.

— Да, Дориан, мне кажется, вы правы, — с расстановкой отозвался Холлуорд.

— А сегодня вы с ней виделись? — спросил лорд Генри.

Дориан Грей покачал головой.

— Я оставил ее в Арденнских лесах — и встречу снова в одном из садов Вероны.

Лорд Генри в задумчивости отхлебнул глоток шампанского.

— А когда же именно вы заговорили с нею о браке, Дориан? И что она ответила? Или вы уже не помните?

— Дорогой мой, я не делал ей официального предложения, потому что для меня это был не деловой разговор. Я сказал, что люблю ее, а она ответила, что недостойна быть моей женой. Недостойна! Господи, да для меня весь мир — ничто в сравнении с ней!

— Женщины в высшей степени практичный народ, — пробормотал лорд Генри. — Они много практичнее нас. Мужчина в такие моменты частенько забывает поговорить о браке, а женщина всегда помнит об этом...

Холлуорд жестом остановил его.

"Don't, Harry. You have annoyed Dorian. He is not like other men. He would never bring misery upon any one. His nature is too fine for that."

Lord Henry looked across the table.

"Dorian is never annoyed with me," he answered. "I asked the question for the best reason possible, for the only reason, indeed, that excuses one for asking any question — simple curiosity. I have a theory that it is always the women who propose to us, and not we who propose to the women. Except, of course, in middle-class life. But then the middle classes are not modern."

Dorian Gray laughed, and tossed his head.

"You are quite incorrigible, Harry; but I don't mind. It is impossible to be angry with you. When you see Sibyl Vane, you will feel that the man who could wrong her would be a beast, a beast without a heart. I cannot understand how any one can wish to shame the thing he loves. I love Sibyl Vane. I want to place her on a pedestal of gold and to see the world worship the woman who is mine. What is marriage? An irrevocable vow. You mock at it for that. Ah! don't mock. It is an irrevocable vow that I want to take. Her trust makes me faithful, her belief makes me good. When I am with her, I regret all that you have taught me. I become different from what you have known me to be. I am changed, and the mere touch of Sibyl Vane's hand makes me forget you and all your wrong, fascinating, poisonous, delightful theories."

"And those are ...?" asked Lord Henry, helping himself to some salad.

— Перестань, Гарри, ты обижаешь Дориана. Он не такой, как другие, он слишком благороден, чтобы сделать женщину несчастной.

Лорд Генри посмотрел через стол на Дориана.

— Дориан на меня никогда не сердится, — возразил он. — Я задал ему этот вопрос из самого лучшего побуждения, единственного, которое оправдывает какие бы то ни было вопросы: из простого любопытства. Хотел проверить свое наблюдение, что обычно не мужчина женщине, а она ему делает предложение. Только в буржуазных кругах бывает иначе. Но буржуазия ведь отстала от века.

Дориан Грей рассмеялся и покачал головой.

— Вы неисправимы, Гарри, но сердиться на вас невозможно. Когда увидите Сибилу Вэйн, вы поймете, что обидеть ее способен только негодяй, человек без сердца. Я не понимаю, как можно позорить ту, кого любишь. Я люблю Сибилу — и хотел бы поставить ее на золотой пьедестал, видеть весь мир у ног моей любимой. Что такое брак? Нерушимый обет. Вам это смешно? Не смейтесь, Гарри! Именно такой обет хочу я дать. Доверие Сибилы обязывает меня быть честным, ее вера в меня делает меня лучше! Когда Сибила со мной, я стыжусь всего того, чему вы, Гарри, научили меня, и становлюсь совсем другим. Да, при одном прикосновении ее руки я забываю вас и ваши увлекательные, но отравляющие и неверные теории.

— Какие именно? — спросил лорд Генри, принимаясь за салат.

"Oh, your theories about life, your theories about love, your theories about pleasure. All your theories, in fact, Harry."

"Pleasure is the only thing worth having a theory about," he answered in his slow melodious voice. "But I am afraid I cannot claim my theory as my own. It belongs to Nature, not to me. Pleasure is Nature's test, her sign of approval. When we are happy, we are always good, but when we are good, we are not always happy."

"Ah! but what do you mean by good?" cried Basil Hallward.

"Yes," echoed Dorian, leaning back in his chair and looking at Lord Henry over the heavy clusters of purple-lipped irises that stood in the centre of the table, "what do you mean by good, Harry?"

"To be good is to be in harmony with one's self," he replied, touching the thin stem of his glass with his pale, fine-pointed fingers. "Discord is to be forced to be in harmony with others. One's own life — that is the important thing. As for the lives of one's neighbours, if one wishes to be a prig or a Puritan, one can flaunt one's moral views about them, but they are not one's concern. Besides, individualism has really the higher aim. Modern morality consists in accepting the standard of one's age. I consider that for any man of culture to accept the standard of his age is a form of the grossest immorality."

— Ну, о жизни, о любви, о наслаждении. Вообще все ваши теории, Гарри.

— Единственное, что стоит возвести в теорию, это наслаждение, — медленно произнес лорд Генри своим мелодичным голосом. — Но, к сожалению, теорию наслаждения я не вправе приписывать себе. Автор ее не я, а Природа. Наслаждение — тот пробный камень, которым она испытывает человека, и знак ее благословения. Когда человек счастлив, он всегда хорош. Но не всегда хорошие люди бывают счастливы.

— А кого ты называешь хорошим? — воскликнул Бэзил Холлуорд.

— Да, — подхватил и Дориан, откинувшись на спинку стула и глядя на лорда Генри поверх пышного букета пурпурных ирисов, стоявшего посреди стола. — Кто, по-вашему, хорош, Гарри?

— Быть хорошим — значит жить в согласии с самим собой, — пояснил лорд Генри, обхватив ножку бокала тонкими белыми пальцами. — А кто принужден жить в согласии с другими, тот бывает в разладе с самим собой. Своя жизнь — вот что самое главное. Филистеры или пуритане могут, если им угодно, навязывать другим свои нравственные правила, но я утверждаю, что вмешиваться в жизнь наших ближних — вовсе не наше дело. Притом у индивидуализма, несомненно, более высокие цели. Современная мораль требует от нас, чтобы мы разделяли общепринятые понятия своей эпохи. Я же полагаю, что культурному человеку покорно принимать мерило своего времени ни в коем

"But, surely, if one lives merely for one's self, Harry, one pays a terrible price for doing so?" suggested the painter.

"Yes, we are overcharged for everything nowadays. I should fancy that the real tragedy of the poor is that they can afford nothing but self-denial. Beautiful sins, like beautiful things, are the privilege of the rich."

"One has to pay in other ways but money."

"What sort of ways, Basil?"

"Oh! I should fancy in remorse, in suffering, in ... well, in the consciousness of degradation."

Lord Henry shrugged his shoulders.

"My dear fellow, mediaeval art is charming, but mediaeval emotions are out of date. One can use them in fiction, of course. But then the only things that one can use in fiction are the things that one has ceased to use in fact. Believe me, no civilized man ever regrets a pleasure, and no uncivilized man ever knows what a pleasure is."

"I know what pleasure is," cried Dorian Gray. "It is to adore some one."

"That is certainly better than being adored," he answered, toying with some fruits. "Being adored is a nuisance. Women treat us just as humanity treats its gods. They worship us, and are always bothering us to do something for them."

случае не следует, — это грубейшая форма безнравственности.

— Но согласись, Гарри, жизнь только для себя покупается слишком дорогой ценой, — заметил художник.

— Да, в нынешние времена за все приходится платить слишком дорого. Пожалуй, трагедия бедняков — в том, что только самоотречение им по средствам. Красивые грехи, как и красивые вещи, — привилегия богатых.

— За жизнь для себя расплачиваешься не деньгами, а другим.

— Чем же еще, Бэзил?

— Ну, мне кажется, угрызениями совести, страданиями... сознанием своего морального падения.

Лорд Генри пожал плечами.

— Милый мой, средневековое искусство великолепно, но средневековые чувства и представления устарели. Конечно, для литературы они годятся, — но ведь для романа вообще годится только то, что в жизни уже вышло из употребления. Поверь, культурный человек никогда не раскаивается в том, что предавался наслаждениям, а человек некультурный не знает, что такое наслаждение.

— Я теперь знаю, что такое наслаждение, — воскликнул Дориан Грей. — Это — обожать кого-нибудь.

— Конечно, лучше обожать, чем быть предметом обожания, — отозвался лорд Генри, выбирая себе фрукты. — Терпеть чье-то обожание — это скучно и тягостно. Женщины относятся к нам, мужчинам, так же, как человечество — к своим богам: они нам

"I should have said that whatever they ask for they had first given to us," murmured the lad gravely. "They create love in our natures. They have a right to demand it back."

"That is quite true, Dorian," cried Hallward.

"Nothing is ever quite true," said Lord Henry.

"This is," interrupted Dorian. "You must admit, Harry, that women give to men the very gold of their lives."

"Possibly," he sighed, "but they invariably want it back in such very small change. That is the worry. Women, as some witty Frenchman once put it, inspire us with the desire to do masterpieces and always prevent us from carrying them out."

"Harry, you are dreadful! I don't know why I like you so much."

"You will always like me, Dorian," he replied. "Will you have some coffee, you fellows? Waiter, bring coffee, and fine-champagne, and some cigarettes. No, don't mind the cigarettes — I have some. Basil, I can't allow you to smoke cigars. You must have a cigarette. A cigarette is the perfect type of a perfect pleasure. It is exquisite, and it leaves one unsatisfied. What more can one want? Yes, Dorian, you

поклоняются — и надоедают, постоянно требуя чего-то.

— По-моему, они требуют лишь того, что первые дарят нам, — сказал Дориан тихо и серьезно. — Они пробуждают в нас Любовь и вправе ждать ее от нас.

— Вот это совершенно верно, Дориан! — воскликнул Холлуорд.

— Есть ли что абсолютно верное на свете? — возразил лорд Генри.

— Да, есть, Гарри, — сказал Дориан Грей. — Вы же не станете отрицать, что женщины отдают мужчинам самое драгоценное в жизни.

— Возможно, — согласился лорд Генри со вздохом. — Но они неизменно требуют его обратно — и все самой мелкой монетой. В том-то и горе! Как сказал один остроумный француз, женщины вдохновляют нас на великие дела, но вечно мешают нам их творить.

— Гарри, вы несносный циник. Право, не понимаю, за что я вас так люблю!

— Вы всегда будете меня любить, Дориан... Кофе хотите, друзья?.. Принесите нам кофе, fine-champagne[1] и папиросы... Впрочем, папирос не нужно: у меня есть, Бэзил, я не дам тебе курить сигары, возьми папиросу! Папиросы — это совершеннейший вид высшего наслаждения, тонкого и острого, но оставляющего нас неудовлетворенными. Чего еще желать?.. Да, Дориан, вы всегда будете любить

_____

[1] Сорт дорогого французского коньяка (*фр.*).

will always be fond of me. I represent to you all the sins you have never had the courage to commit."

"What nonsense you talk, Harry!" cried the lad, taking a light from a fire-breathing silver dragon that the waiter had placed on the table. "Let us go down to the theatre. When Sibyl comes on the stage you will have a new ideal of life. She will represent something to you that you have never known."

"I have known everything," said Lord Henry, with a tired look in his eyes, "but I am always ready for a new emotion. I am afraid, however, that, for me at any rate, there is no such thing. Still, your wonderful girl may thrill me. I love acting. It is so much more real than life. Let us go. Dorian, you will come with me. I am so sorry, Basil, but there is only room for two in the brougham. You must follow us in a hansom."

They got up and put on their coats, sipping their coffee standing. The painter was silent and preoccupied. There was a gloom over him. He could not bear this marriage, and yet it seemed to him to be better than many other things that might have happened.

After a few minutes, they all passed downstairs. He drove off by himself, as had been arranged, and watched the flashing lights of the little brougham in front of him. A strange sense of loss came over him. He felt that Dorian Gray would never again be to him all that he had been in the past. Life had come between them...

меня. В ваших глазах я — воплощение всех грехов, которые у вас не хватает смелости совершить.

— Вздор вы говорите, Гарри! — воскликнул молодой человек, зажигая папиросу от серебряного огнедышащего дракона, которого лакей поставил на стол. — Едемте-ка лучше в театр. Когда вы увидите Сибилу на сцене, жизнь представится вам совсем иной. Она откроет вам нечто такое, чего вы не знали до сих пор.

— Я все изведал и узнал, — возразил лорд Генри, и глаза его приняли усталое выражение. — Я всегда рад новым впечатлениям, боюсь, однако, что мне уже их ждать нечего. Впрочем, быть может, ваша чудо-девушка и расшевелит меня. Я люблю сцену, на ней все гораздо правдивее, чем в жизни! Едем! Дориан, вы со мной. Мне очень жаль, Бэзил, что в моем кабриолете могут поместиться только двое. Вам придется ехать за нами в кебе.

Они встали из-за стола и, надев пальто, допили кофе стоя. Художник был молчалив и рассеян, им овладело уныние. Не по душе ему был этот брак, хотя он понимал, что с Дорианом могло случиться многое похуже.

Через несколько минут все трое сошли вниз. Как было решено, Холлуорд ехал один за экипажем лорда Генри. Глядя на мерцавшие впереди фонари, он испытывал новое чувство утраты. Он понимал, что никогда больше Дориан Грей не будет для него тем, чем был. Жизнь встала между ними...

His eyes darkened, and the crowded flaring streets became blurred to his eyes. When the cab drew up at the theatre, it seemed to him that he had grown years older.

Chapter VII

For some reason or other, the house was crowded that night, and the fat Jew manager who met them at the door was beaming from ear to ear with an oily tremulous smile. He escorted them to their box with a sort of pompous humility, waving his fat jewelled hands and talking at the top of his voice. Dorian Gray loathed him more than ever. He felt as if he had come to look for Miranda and had been met by Caliban. Lord Henry, upon the other hand, rather liked him. At least he declared he did, and insisted on shaking him by the hand and assuring him that he was proud to meet a man who had discovered a real genius and gone bankrupt over a poet. Hallward amused himself with watching the faces in the pit. The heat was terribly oppressive, and the huge sunlight flamed like a monstrous dahlia with petals of yellow fire. The youths in the gallery had taken off their coats and waistcoats and hung them over the side. They talked to each other across the theatre and shared their oranges with the tawdry girls who sat beside them. Some women were laughing in the pit. Their voices were horribly shrill and discordant. The sound of the popping of corks came from the bar.

Глаза Холлуорда затуманились, и ярко освещенные людные улицы расплывались перед ним мутными пятнами. К тому времени, когда кеб подкатил к театру, художнику уже казалось, что он сегодня постарел на много лет.

Глава VII

В этот вечер театр почему-то был полон, и толстый директор, встретивший Дориана и его друзей у входа, сиял и ухмылялся до ушей приторной, заискивающей улыбкой. Он проводил их в ложу весьма торжественно и подобострастно, жестикулируя пухлыми руками в перстнях и разглагольствуя во весь голос. Дориан наблюдал за ним с еще большим отвращением, чем всегда, испытывая чувства влюбленного, который пришел за Мирандой, а наткнулся на Калибана. Зато лорду Генри еврей, видимо, понравился. Так он, во всяком случае, объявил и непременно захотел пожать ему руку, уверив его, что гордится знакомством с человеком, который открыл подлинный талант и разорился из-за любви к поэту. Холлуорд рассматривал публику партера. Жара стояла удушающая, и большая люстра пылала, как гигантский георгин с огненными лепестками. На галерке молодые люди, сняв пиджаки и жилеты, развесили их на барьере. Они переговаривались через весь зал и угощали апельсинами безвкусно разодетых девиц, сидевших с ними рядом. В партере громко хохотали какие-то женщины. Их визгливые голоса резали слух. Из буфета доносилось щелканье пробок.

"What a place to find one's divinity in!" said Lord Henry.

"Yes!" answered Dorian Gray. "It was here I found her, and she is divine beyond all living things. When she acts, you will forget everything. These common rough people, with their coarse faces and brutal gestures, become quite different when she is on the stage. They sit silently and watch her. They weep and laugh as she wills them to do. She makes them as responsive as a violin. She spiritualizes them, and one feels that they are of the same flesh and blood as one's self."

"The same flesh and blood as one's self! Oh, I hope not!" exclaimed Lord Henry, who was scanning the occupants of the gallery through his opera-glass.

"Don't pay any attention to him, Dorian," said the painter. "I understand what you mean, and I believe in this girl. Any one you love must be marvellous, and any girl who has the effect you describe must be fine and noble. To spiritualize one's age — that is something worth doing. If this girl can give a soul to those who have lived without one, if she can create the sense of beauty in people whose lives have been sordid and ugly, if she can strip them of their selfishness and lend them tears for sorrows that are not their own, she is worthy of all your adoration, worthy of the adoration of the world. This marriage is quite right. I did not think so at first, but I admit it now. The gods made Sibyl Vane for you. Without her you would have been incomplete."

— И в таком месте вы нашли свое божество! — сказал лорд Генри.

— Да, — отозвался Дориан Грей. — Здесь я нашел ее, богиню среди простых смертных. Когда она играет, забываешь все на свете. Это неотесанное простонародье, люди с грубыми лицами и вульгарными манерами, совершенно преображаются, когда она на сцене. Они сидят, затаив дыхание, и смотрят на нее. Они плачут и смеются по ее воле. Она делает их чуткими, как скрипка, она их одухотворяет, и тогда я чувствую — это люди из той же плоти и крови, что и я.

— Из той же плоти и крови? Ну, надеюсь, что нет! — воскликнул лорд Генри, разглядывавший в бинокль публику на галерке.

— Не слушайте его, Дориан, — сказал художник. — Я понимаю, что вы хотите сказать, и верю в эту девушку. Если вы ее полюбили, значит, она хороша. И, конечно, девушка, которая так влияет на людей, обладает душой прекрасной и возвышенной. Облагораживать свое поколение — это немалая заслуга. Если ваша избранница способна вдохнуть душу в тех, кто до сих пор существовал без души, если она будит любовь к прекрасному в людях, чья жизнь грязна и безобразна, заставляет их отрешиться от эгоизма и проливать слезы сострадания к чужому горю, — она достойна вашей любви, и мир должен преклоняться перед ней. Хорошо, что вы женитесь на ней. Я раньше был другого мнения, но теперь вижу, что это хорошо. Сибилу Вэйн боги создали для вас. Без нее жизнь ваша была бы неполна.

"Thanks, Basil," answered Dorian Gray, pressing his hand. "I knew that you would understand me. Harry is so cynical, he terrifies me. But here is the orchestra. It is quite dreadful, but it only lasts for about five minutes. Then the curtain rises, and you will see the girl to whom I am going to give all my life, to whom I have given everything that is good in me."

A quarter of an hour afterwards, amidst an extraordinary turmoil of applause, Sibyl Vane stepped on to the stage. Yes, she was certainly lovely to look at — one of the loveliest creatures, Lord Henry thought, that he had ever seen. There was something of the fawn in her shy grace and startled eyes. A faint blush, like the shadow of a rose in a mirror of silver, came to her cheeks as she glanced at the crowded enthusiastic house. She stepped back a few paces and her lips seemed to tremble. Basil Hallward leaped to his feet and began to applaud. Motionless, and as one in a dream, sat Dorian Gray, gazing at her. Lord Henry peered through his glasses, murmuring, "Charming! charming!"

The scene was the hall of Capulet's house, and Romeo in his pilgrim's dress had entered with Mercutio and his other friends. The band, such as it was, struck up a few bars of music, and the dance began. Through the crowd of ungainly, shabbily dressed actors, Sibyl Vane moved like a creature from a finer world. Her body swayed, while she danced, as a plant sways in the water. The curves of her throat were the curves of a white lily. Her hands seemed to be made of cool ivory.

— Спасибо, Бэзил, — сказал Дориан Грей, пожимая ему руку. — Я знал, что вы меня поймете. А Гарри просто в ужас меня приводит своим цинизмом... Ага, вот и оркестр! Он прескверный, но играет только каких-нибудь пять минут. Потом поднимется занавес, и вы увидите ту, которой я отдам всю жизнь, которой я уже отдал лучшее, что есть во мне.

Через четверть часа на сцену под гром рукоплесканий вышла Сибила Вэйн. Ею и в самом деле можно было залюбоваться, и даже лорд Генри сказал себе, что никогда еще не видывал девушки очаровательнее. В ее застенчивой грации и робком выражении глаз было что-то, напоминавшее молодую лань. Когда она увидела переполнявшую зал восторженную толпу, на щеках ее вспыхнул легкий румянец, как тень розы в серебряном зеркале. Она отступила на несколько шагов, и губы ее дрогнули. Бэзил Холлуорд вскочил и стал аплодировать. Дориан сидел неподвижно, как во сне, и не сводил с нее глаз. А лорд Генри все смотрел в бинокль и бормотал: «Прелесть! Прелесть!»

Сцена представляла зал в доме Капулетти. Вошел Ромео в одежде монаха, с ним Меркуцио и еще несколько приятелей. Снова заиграл скверный оркестр, и начались танцы. В толпе неуклюжих и убого одетых актеров Сибила Вэйн казалась существом из другого, высшего мира. Когда она танцевала, стан ее покачивался, как тростник над водой. Шея изгибом напоминала белоснежную лилию, а руки были словно выточены из слоновой кости.

Yet she was curiously listless. She showed no sign of joy when her eyes rested on Romeo. The few words she had to speak—

> Good pilgrim, you do wrong your hand too much,
> Which mannerly devotion shows in this;
> For saints have hands that pilgrims' hands do touch,
> And palm to palm is holy palmers' kiss—

with the brief dialogue that follows, were spoken in a thoroughly artificial manner. The voice was exquisite, but from the point of view of tone it was absolutely false. It was wrong in colour. It took away all the life from the verse. It made the passion unreal.

Dorian Gray grew pale as he watched her. He was puzzled and anxious. Neither of his friends dared to say anything to him. She seemed to them to be absolutely incompetent. They were horribly disappointed.

Yet they felt that the true test of any Juliet is the balcony scene of the second act. They waited for that. If she failed there, there was nothing in her.

She looked charming as she came out in the moonlight. That could not be denied. But the staginess of her acting was unbearable, and grew worse as she went on. Her gestures became absurdly artificial. She overemphasized everything that she had to say. The beautiful passage—

Однако она оставалась до странности безучастной. Лицо ее не выразило никакой радости, когда она увидела Ромео. И первые слова Джульетты:

Любезный пилигрим, ты строг чрезмерно
К своей руке: лишь благочестье в ней.
Есть руки у святых: их может, верно,
Коснуться пилигрим рукой своей[1], —

как и последовавшие за ними реплики во время короткого диалога, прозвучали фальшиво. Голос был дивный, но интонации совершенно неверные. И этот неверно взятый тон делал стихи неживыми, выраженное в них чувство — неискренним.

Дориан Грей смотрел, слушал — и лицо его становилось все бледнее. Он был поражен, встревожен. Ни лорд Генри, ни Холлуорд не решались заговорить с ним. Сибила Вэйн казалась им совершенно бездарной, и они были крайне разочарованы.

Понимая, однако, что подлинный пробный камень для всякой актрисы, играющей Джульетту, — это сцена на балконе во втором акте, они выжидали. Если Сибиле и эта сцена не удастся, значит, у нее нет даже искры таланта.

Она была обворожительно хороша, когда появилась на балконе в лунном свете, — этого нельзя было отрицать. Но игра ее была нестерпимо театральна — и чем дальше, тем хуже. Жесты были искусственны до нелепости, произносила она все с преувеличенным пафосом. Великолепный монолог:

---

[1] Перевод Т. Щепкиной-Куперник.

> Thou knowest the mask of night is on my face,
> Else would a maiden blush bepaint my cheek
> For that which thou hast heard me speak to-night—

was declaimed with the painful precision of a school-girl who has been taught to recite by some second-rate professor of elocution. When she leaned over the balcony and came to those wonderful lines—

> Although I joy in thee,
> I have no joy of this contract to-night:
> It is too rash, too unadvised, too sudden;
> Too like the lightning, which doth cease to be
> Ere one can say, "It lightens." Sweet, good-night!
> This bud of love by summer's ripening breath
> May prove a beauteous flower when next we meet—

she spoke the words as though they conveyed no meaning to her. It was not nervousness. Indeed, so far from being nervous, she was absolutely self-contained. It was simply bad art. She was a complete failure.

Even the common uneducated audience of the pit and gallery lost their interest in the play. They got restless, and began to talk loudly and to whistle. The Jew manager, who was standing at the back of the dress-circle, stamped and swore with rage. The only person unmoved was the girl herself.

> Мое лицо под маской ночи скрыто,
> Но все оно пылает от стыда
> За то, что ты подслушал нынче ночью, —

она произнесла с неуклюжей старательностью ученицы, обученной каким-нибудь второразрядным учителем декламации. А когда, наклонясь через перила балкона, дошла до следующих дивных строк:

> Нет, не клянись. Хоть радость ты моя,
> Но сговор наш ночной мне не на радость.
> Он слишком скор, внезапен, необдуман,
> Как молния, что исчезает раньше,
> Чем скажем мы: «Вот молния!» О милый,
> Спокойной ночи! Пусть росток любви
> В дыханье теплом лета расцветет
> Цветком прекрасным в миг, когда мы снова
> Увидимся... —

она проговорила их так механически, словно смысл их не дошел до нее. Этого нельзя было объяснить нервным волнением. Напротив, Сибила, казалось, вполне владела собой. Это была попросту очень плохая игра. Видимо, актриса была совершенно бездарна.

Даже некультурная публика задних рядов и галерки утратила всякий интерес к тому, что происходило на сцене. Все зашумели, заговорили громко, послышались даже свистки. Еврей-антрепренер, стоявший за скамьями балкона, топал ногами и яростно бранился. И только девушка на сцене оставалась ко всему безучастна.

When the second act was over, there came a storm of hisses, and Lord Henry got up from his chair and put on his coat.

"She is quite beautiful, Dorian," he said, "but she can't act. Let us go."

"I am going to see the play through," answered the lad, in a hard bitter voice. "I am awfully sorry that I have made you waste an evening, Harry. I apologize to you both."

"My dear Dorian, I should think Miss Vane was ill," interrupted Hallward. "We will come some other night."

"I wish she were ill," he rejoined. "But she seems to me to be simply callous and cold. She has entirely altered. Last night she was a great artist. This evening she is merely a commonplace mediocre actress."

"Don't talk like that about any one you love, Dorian. Love is a more wonderful thing than art."

"They are both simply forms of imitation," remarked Lord Henry. "But do let us go. Dorian, you must not stay here any longer. It is not good for one's morals to see bad acting. Besides, I don't suppose you will want your wife to act, so what does it matter if she plays Juliet like a wooden doll? She is very lovely, and if she knows as little about life as she does about acting, she will be a delightful experience. There are only two kinds of people who are really fascinating — people who know absolutely everything, and people who know absolutely nothing. Good heavens, my dear boy, don't look so tragic! The secret of remain-

Когда окончилось второе действие, в зале поднялась буря шиканья. Лорд Генри встал и надел пальто.

— Она очень красива, Дориан, — сказал он. — Но играть не умеет. Пойдемте!

— Нет, я досижу до конца, — возразил Дориан резко и с горечью. — Мне очень совестно, что вы из-за меня потеряли вечер, Гарри. Прошу прощения у вас обоих.

— Дорогой мой, мисс Вэйн, наверное, сегодня нездорова, — перебил его Холлуорд. — Мы придем как-нибудь в другой раз.

— Хотел бы я думать, что она больна, — возразил Дориан. — Но вижу, что она просто холодна и бездушна. Она совершенно изменилась. Вчера еще она была великой артисткой. А сегодня только самая заурядная средняя актриса.

— Не надо так говорить о любимой женщине, Дориан. Любовь выше искусства.

— И любовь и искусство — только формы подражания, — сказал лорд Генри. — Ну, пойдемте, Бэзил. И вам, Дориан, тоже не советую здесь оставаться. Смотреть плохую игру вредно для души... Наконец, вряд ли вы захотите, чтобы ваша жена оставалась актрисой, — так не все ли вам равно, что она играет Джульетту, как деревянная кукла? Она очень мила. И если в жизни она понимает так же мало, как в искусстве, то более близкое знакомство с ней доставит вам много удовольствия. Только два сорта людей по-настоящему интересны — те, кто знает о жизни все решительно, и те, кто ничего

ing young is never to have an emotion that is unbecoming. Come to the club with Basil and myself. We
will smoke cigarettes and drink to the beauty of Sibyl
Vane. She is beautiful. What more can you want?"

"Go away, Harry," cried the lad. "I want to be
alone. Basil, you must go. Ah! can't you see that my
heart is breaking?"

The hot tears came to his eyes. His lips trembled,
and rushing to the back of the box, he leaned up
against the wall, hiding his face in his hands.

"Let us go, Basil," said Lord Henry with a strange
tenderness in his voice, and the two young men passed
out together.

A few moments afterwards the footlights flared up
and the curtain rose on the third act. Dorian Gray
went back to his seat. He looked pale, and proud, and
indifferent. The play dragged on, and seemed interminable. Half of the audience went out, tramping in
heavy boots and laughing. The whole thing was a fi-
asco.

The last act was played to almost empty benches.
The curtain went down on a titter and some groans.

As soon as it was over, Dorian Gray rushed behind
the scenes into the greenroom. The girl was standing there alone, with a look of triumph on her face.
Her eyes were lit with an exquisite fire. There was a
radiance about her. Her parted lips were smiling over
some secret of their own.

о ней не знает... Ради бога, дорогой мой мальчик, не принимайте этого так трагично! Секрет сохранения молодости в том, чтобы избегать волнений, от которых дурнеешь. Поедемте-ка со мной и Бэзилом в клуб! Мы будем курить и пить за Сибилу Вэйн. Она красавица. Чего вам еще?

— Уходите, Гарри! — крикнул Дориан. — Я хочу побыть один. Бэзил, и вы уходите. Неужели вы не видите, что у меня сердце разрывается на части?

К глазам его подступили горячие слезы, губы дрожали. Отойдя в глубь ложи, он прислонился к стене и закрыл лицо руками.

— Пойдем, Бэзил, — промолвил лорд Генри с неожиданной для него теплотой. И оба вышли из ложи.

Через несколько минут снова вспыхнули огни рампы, занавес поднялся, и началось третье действие. Дориан Грей вернулся на свое место. Он был бледен, и на лице его застыло выражение высокомерного равнодушия. Спектакль продолжался; казалось, ему не будет конца. Зал наполовину опустел, люди уходили, стуча тяжелыми башмаками и пересмеиваясь. Провал был полный.

Последнее действие шло почти при пустом зале. Наконец занавес опустился под хихиканье и громкий ропот.

Как только окончился спектакль, Дориан Грей помчался за кулисы. Сибила стояла одна в своей уборной. Лицо ее светилось торжеством, глаза ярко блестели, от нее словно исходило сияние. Полуоткрытые губы улыбались какой-то одной ей ведомой тайне.

When he entered, she looked at him, and an expression of infinite joy came over her.

"How badly I acted to-night, Dorian!" she cried.

"Horribly!" he answered, gazing at her in amazement. "Horribly! It was dreadful. Are you ill? You have no idea what it was. You have no idea what I suffered."

The girl smiled.

"Dorian," she answered, lingering over his name with long-drawn music in her voice, as though it were sweeter than honey to the red petals of her mouth. "Dorian, you should have understood. But you understand now, don't you?"

"Understand what?" he asked, angrily.

"Why I was so bad to-night. Why I shall always be bad. Why I shall never act well again."

He shrugged his shoulders.

"You are ill, I suppose. When you are ill you shouldn't act. You make yourself ridiculous. My friends were bored. I was bored."

She seemed not to listen to him. She was transfigured with joy. An ecstasy of happiness dominated her.

"Dorian, Dorian," she cried, "before I knew you, acting was the one reality of my life. It was only in the theatre that I lived. I thought that it was all true. I was Rosalind one night and Portia the other. The joy of Beatrice was my joy, and the sorrows of Cordelia

Когда вошел Дориан Грей, она посмотрела на него с невыразимой радостью и воскликнула:

— Как скверно я сегодня играла, Дориан!

— Ужасно! — подтвердил он, глядя на нее в полном недоумении. — Отвратительно! Вы не больны? Вы и представить себе не можете, как это было ужасно и как я страдал!

Девушка все улыбалась.

— Дориан. — Она произнесла его имя певуче и протяжно, упиваясь им, словно оно было слаще меда для алых лепестков ее губ. — Дориан, как же вы не поняли? Но сейчас вы уже понимаете, да?

— Что тут понимать? — спросил он с раздражением.

— Да то, почему я так плохо играла сегодня... И всегда буду плохо играть. Никогда больше не смогу играть так, как прежде.

Дориан пожал плечами.

— Вы, должно быть, заболели. Вам не следовало играть, если вы нездоровы. Ведь вы становитесь посмешищем. Моим друзьям было нестерпимо скучно. Да и мне тоже.

Сибила, казалось, не слушала его. Она была в каком-то экстазе счастья, совершенно преобразившем ее.

— Дориан, Дориан! — воскликнула она. — Пока я вас не знала, я жила только на сцене. Мне казалось, что это — моя настоящая жизнь. Один вечер я была Розалиндой, другой — Порцией. Радость Беатриче была моей радостью, и страдания Кор-

Оскар Уайльд

were mine also. I believed in everything. The common people who acted with me seemed to me to be godlike. The painted scenes were my world. I knew nothing but shadows, and I thought them real. You came — oh, my beautiful love!—and you freed my soul from prison. You taught me what reality really is. To-night, for the first time in my life, I saw through the hollowness, the sham, the silliness of the empty pageant in which I had always played. To-night, for the first time, I became conscious that the Romeo was hideous, and old, and painted, that the moonlight in the orchard was false, that the scenery was vulgar, and that the words I had to speak were unreal, were not my words, were not what I wanted to say. You had brought me something higher, something of which all art is but a reflection. You had made me understand what love really is. My love! My love! Prince Charming! Prince of life! I have grown sick of shadows. You are more to me than all art can ever be. What have I to do with the puppets of a play? When I came on to-night, I could not understand how it was that everything had gone from me. I thought that I was going to be wonderful. I found that I could do nothing. Suddenly it dawned on my soul what it all meant. The knowledge was exquisite to me. I heard them hissing, and I smiled. What could they know of love such as ours? Take me away, Dorian — take me away with you, where we can be quite alone. I hate the stage. I might mimic a passion that I do not feel, but I cannot mimic one that burns me like fire. Oh, Dorian, Dorian, you understand now what it signifies? Even

делии — моими страданиями. Я верила всему. Те жалкие актеры, что играли со мной, казались мне божественными, размалеванные кулисы составляли мой мир. Я жила среди призраков и считала их живыми людьми. Но ты пришел, любимый, и освободил мою душу из плена. Ты показал мне настоящую жизнь. И сегодня у меня словно открылись глаза. Я увидела всю мишурность, фальшь и нелепость той бутафории, которая меня окружает на сцене. Сегодня вечером я впервые увидела, что Ромео стар, безобразен, накрашен, что лунный свет в саду не настоящий и сад этот — не сад, а убогие декорации. И слова, которые я произносила, были не настоящие, не мои слова, не то, что мне хотелось бы говорить. Благодаря тебе я узнала то, что выше искусства. Я узнала любовь настоящую. Искусство — только ее бледное отражение. О радость моя, мой Прекрасный Принц! Мне надоело жить среди теней. Ты мне дороже, чем все искусство мира. Что мне эти марионетки, которые окружают меня на сцене? Когда я сегодня пришла в театр, я просто удивилась: все сразу стало мне таким чужим! Думала, что буду играть чудесно, — а оказалось, что ничего у меня не выходит. И вдруг я душой поняла, отчего это так, и мне стало радостно. Я слышала в зале шиканье — и только улыбалась. Что они знают о такой любви, как наша? Возьми меня отсюда, Дориан, уведи меня туда, где мы будем совсем одни. Я теперь ненавижу театр. Я могла изображать на сцене любовь, которой не знала, но не могу делать это теперь, когда любовь сжигает меня,

if I could do it, it would be profanation for me to play at being in love. You have made me see that."

He flung himself down on the sofa and turned away his face.

"You have killed my love," he muttered.

She looked at him in wonder and laughed. He made no answer. She came across to him, and with her little fingers stroked his hair. She knelt down and pressed his hands to her lips. He drew them away, and a shudder ran through him.

Then he leaped up and went to the door.

"Yes," he cried, "you have killed my love. You used to stir my imagination. Now you don't even stir my curiosity. You simply produce no effect. I loved you because you were marvellous, because you had genius and intellect, because you realized the dreams of great poets and gave shape and substance to the shadows of art. You have thrown it all away. You are shallow and stupid. My God! how mad I was to love you! What a fool I have been! You are nothing to me now. I will never see you again. I will never think of you. I will never mention your name. You don't know what you were to me, once. Why, once ... Oh, I can't bear to think of it! I wish I had never laid eyes upon you! You have spoiled the romance of my life. How little you can know of love, if you say it mars your art! Without your art, you are nothing. I would have made you famous, splendid, magnificent. The world would have worshipped you, and you would have borne my

как огонь. Ах, Дориан, Дориан, ты меня понимаешь? Ведь мне сейчас играть влюбленную — это профанация! Благодаря тебе я теперь это знаю.

Дориан порывистым движением отвернулся от Сибилы и сел на диван.

— Вы убили мою любовь, — пробормотал он, не поднимая глаз.

Сибила удивленно посмотрела на него и рассмеялась. Дориан молчал. Она подошла к нему и легко, одними пальчиками коснулась его волос. Потом стала на колени и прильнула губами к его рукам. Но Дориан вздрогнул, отдернул руки.

Потом, вскочив с дивана, шагнул к двери.

— Да, да, — крикнул он, — вы убили мою любовь! Раньше вы волновали мое воображение, — теперь вы не вызываете во мне никакого интереса. Вы мне просто безразличны. Я вас полюбил, потому что вы играли чудесно, потому что я видел в вас талант, потому что вы воплощали в жизнь мечты великих поэтов, облекали в живую, реальную форму бесплотные образы искусства. А теперь все это кончено. Вы оказались только пустой и ограниченной женщиной. Боже, как я был глуп!.. Каким безумием была моя любовь к вам! Сейчас вы для меня ничто. Я не хочу вас больше видеть. Я никогда и не вспомню о вас, имени вашего не произнесу. Если бы вы могли понять, чем вы были для меня... О господи, да я... Нет, об этом и думать больно. Лучше бы я вас никогда не знал! Вы испортили самое прекрасное в моей жизни. Как мало вы знаете о любви, если можете говорить, что она убила в вас артистку!

name. What are you now? A third-rate actress with a pretty face."

The girl grew white, and trembled. She clenched her hands together, and her voice seemed to catch in her throat.

"You are not serious, Dorian?" she murmured. "You are acting."

"Acting! I leave that to you. You do it so well," he answered bitterly.

She rose from her knees and, with a piteous expression of pain in her face, came across the room to him. She put her hand upon his arm and looked into his eyes. He thrust her back.

"Don't touch me!" he cried.

A low moan broke from her, and she flung herself at his feet and lay there like a trampled flower.

"Dorian, Dorian, don't leave me!" she whispered. "I am so sorry I didn't act well. I was thinking of you all the time. But I will try — indeed, I will try. It came so suddenly across me, my love for you. I think I should never have known it if you had not kissed me — if we had not kissed each other. Kiss me again, my love. Don't go away from me. I couldn't bear it. Oh! don't go away from me. My brother ... No; never mind. He didn't mean it. He was in jest... But you, oh! can't you forgive me for to-night? I will work so hard and try to improve. Don't be cruel to me, be-

Да ведь без вашего искусства вы — ничто! Я хотел сделать вас великой, знаменитой. Весь мир преклонился бы перед вами, и вы носили бы мое имя. А что вы теперь? Третьеразрядная актриса с хорошеньким личиком.

Сибила побледнела и вся дрожала. Сжав руки, она прошептала с трудом, словно слова застревали у нее в горле:

— Вы ведь не серьезно это говорите, Дориан? Вы словно играете.

— Играю? Нет, играть я предоставляю вам, — вы это делаете так хорошо! — едко возразил Дориан.

Девушка поднялась с колен и подошла к нему. С трогательным выражением душевной муки она положила ему руку на плечо и заглянула в глаза. Но Дориан оттолкнул ее и крикнул:

— Не трогайте меня!

У Сибилы вырвался глухой стон, и она упала к его ногам. Как затоптанный цветок, лежала она на полу.

— Дориан, Дориан, не покидайте меня! — шептала она с мольбой. — Я так жалею, что плохо играла сегодня. Это оттого, что я все время думала о вас. Я попробую опять... Да, да, я постараюсь... Любовь пришла так неожиданно. Я, наверное, этого и не знала бы, если бы вы меня не поцеловали... если бы мы не поцеловались тогда... Поцелуй меня еще раз, любимый! Не уходи, я этого не переживу... Не бросай меня! Мой брат... Нет, нет, он этого не думал, он просто пошутил... Ох, неужели ты не можешь меня простить? Я буду работать изо всех сил

cause I love you better than anything in the world. After all, it is only once that I have not pleased you. But you are quite right, Dorian. I should have shown myself more of an artist. It was foolish of me, and yet I couldn't help it. Oh, don't leave me, don't leave me."

A fit of passionate sobbing choked her. She crouched on the floor like a wounded thing, and Dorian Gray, with his beautiful eyes, looked down at her, and his chiselled lips curled in exquisite disdain. There is always something ridiculous about the emotions of people whom one has ceased to love. Sibyl Vane seemed to him to be absurdly melodramatic. Her tears and sobs annoyed him.

"I am going," he said at last in his calm clear voice. "I don't wish to be unkind, but I can't see you again. You have disappointed me."

She wept silently, and made no answer, but crept nearer. Her little hands stretched blindly out, and appeared to be seeking for him. He turned on his heel and left the room. In a few moments he was out of the theatre.

Where he went to he hardly knew. He remembered wandering through dimly lit streets, past gaunt, black-shadowed archways and evil-looking houses. Women with hoarse voices and harsh laughter had called after him. Drunkards had reeled by, cursing and chattering to themselves like monstrous apes. He had seen grotesque children huddled upon door-steps, and heard shrieks and oaths from gloomy courts.

и постараюсь играть лучше. Не будь ко мне жесток, я люблю тебя больше всего на свете. Ведь я только раз не угодила тебе. Ты, конечно, прав, Дориан, — мне не следовало забывать, что я артистка... Это было глупо, но я ничего не могла с собой поделать. Не покидай меня, Дориан, не уходи!..

Захлебываясь бурными слезами, она корчилась на полу, как раненое животное, а Дориан Грей смотрел на нее сверху с усмешкой высокомерного презрения на красиво очерченных губах. В страданиях тех, кого разлюбили, всегда есть что-то смешное. И слова и слезы Сибилы казались Дориану нелепо-мелодраматичными и только раздражали его.

— Ну, я ухожу, — сказал он наконец спокойно и громко. — Не хотел бы я быть бессердечным, но я не могу больше встречаться с вами. Вы меня разочаровали.

Сибила тихо плакала и ничего не отвечала, но подползла ближе. Она, как слепая, протянула вперед руки, словно ища его. Но он отвернулся и вышел. Через несколько минут он был уже на улице.

Он шел, едва сознавая, куда идет. Смутно вспоминалось ему потом, что он бродил по каким-то плохо освещенным улицам мимо домов зловещего вида, под высокими арками, где царила черная тьма. Женщины с резким смехом хриплыми голосами зазывали его. Шатаясь, брели пьяные, похожие на больших обезьян, бормоча что-то про себя или грубо ругаясь. Дориан видел жалких, заморен-

As the dawn was just breaking, he found himself close to Covent Garden. The darkness lifted, and, flushed with faint fires, the sky hollowed itself into a perfect pearl. Huge carts filled with nodding lilies rumbled slowly down the polished empty street. The air was heavy with the perfume of the flowers, and their beauty seemed to bring him an anodyne for his pain. He followed into the market and watched the men unloading their waggons. A white-smocked carter offered him some cherries. He thanked him, wondered why he refused to accept any money for them, and began to eat them listlessly. They had been plucked at midnight, and the coldness of the moon had entered into them. A long line of boys carrying crates of striped tulips, and of yellow and red roses, defiled in front of him, threading their way through the huge, jade-green piles of vegetables. Under the portico, with its grey, sun-bleached pillars, loitered a troop of draggled bareheaded girls, waiting for the auction to be over. Others crowded round the swinging doors of the coffee-house in the piazza. The heavy cart-horses slipped and stamped upon the rough stones, shaking their bells and trappings. Some of the drivers were lying asleep on a pile of sacks. Iris-necked and pink-footed, the pigeons ran about picking up seeds.

After a little while, he hailed a hansom and drove home. For a few moments he loitered upon the door-

ных детей, прикорнувших на порогах домов, слышал пронзительные крики и брань, доносившиеся из мрачных дворов.

На рассвете он очутился вблизи Ковент-Гардена. Мрак рассеялся, и пронизанное бледными огнями небо сияло над землей, как чудесная жемчужина. По словно отполированным мостовым еще безлюдных улиц медленно громыхали большие телеги, полные лилий, покачивавшихся на длинных стеблях. Воздух был напоен ароматом этих цветов. Прелесть их утоляла душевную муку Дориана. Шагая за возами, он забрел на рынок. Стоял и смотрел, как их разгружали. Один возчик в белом балахоне предложил ему вишен. Дориан поблагодарил и стал рассеянно есть их, удивляясь про себя тому, что возчик отказался взять деньги. Вишни были сорваны в полночь, и от них словно исходила прохлада лунного света. Мимо Дориана прошли длинной вереницей мальчики с корзинами полосатых тюльпанов и желтых и красных роз, прокладывая себе дорогу между высокими грудами нежно-зеленых овощей. Под портиком, между серыми, залитыми солнцем колоннами, слонялись простоволосые и обтрепанные девицы. Другая группа их теснилась у дверей кафе на Пьяцце. Неповоротливые ломовые лошади спотыкались на неровной мостовой, дребезжали сбруей и колокольцами. Некоторые возчики спали на мешках. Розовоногие голуби с радужными шейками суетились вокруг, клюя рассыпанное зерно.

Наконец Дориан кликнул извозчика и поехал домой. Минуту-другую он постоял в дверях, ози-

step, looking round at the silent square, with its blank, close-shuttered windows and its staring blinds. The sky was pure opal now, and the roofs of the houses glistened like silver against it. From some chimney opposite a thin wreath of smoke was rising. It curled, a violet riband, through the nacre-coloured air.

In the huge gilt Venetian lantern, spoil of some Doge's barge, that hung from the ceiling of the great, oak-panelled hall of entrance, lights were still burning from three flickering jets: thin blue petals of flame they seemed, rimmed with white fire. He turned them out and, having thrown his hat and cape on the table, passed through the library towards the door of his bedroom, a large octagonal chamber on the ground floor that, in his new-born feeling for luxury, he had just had decorated for himself and hung with some curious Renaissance tapestries that had been discovered stored in a disused attic at Selby Royal. As he was turning the handle of the door, his eye fell upon the portrait Basil Hallward had painted of him. He started back as if in surprise. Then he went on into his own room, looking somewhat puzzled. After he had taken the button-hole out of his coat, he seemed to hesitate. Finally, he came back, went over to the picture, and examined it. In the dim arrested light that struggled through the cream-coloured silk blinds, the face appeared to him to be a little changed. The expression looked different. One would have said that there was a touch of cruelty in the mouth. It was certainly strange.

рая тихую площадь, окна домов, наглухо закрытые ставнями или пестрыми шторами. Небо теперь было чистейшего опалового цвета, и на его фоне крыши блестели, как серебро. Из трубы соседнего дома поднималась тонкая струя дыма и лиловатой лентой вилась в перламутровом воздухе.

В большом золоченом венецианском фонаре, некогда похищенном, вероятно, с гондолы какого-нибудь дожа и висевшем теперь на потолке в просторном холле с дубовыми панелями, еще горели три газовых рожка, мерцая узкими голубыми лепестками в обрамлении белого огня. Дориан погасил их и, бросив на столик шляпу и плащ, прошел через библиотеку к двери в спальню, большую осьмиугольную комнату в первом этаже, которую он, в своем новом увлечении роскошью, недавно отделал заново и увешал стены редкими гобеленами времен Ренессанса, найденными на чердаке его дома в Селби. В ту минуту, когда он уже взялся за ручку двери, взгляд его упал на портрет, написанный Бэзилом Холлуордом. Дориан вздрогнул и отступил, словно чем-то пораженный, затем вошел в спальню. Однако, вынув бутоньерку из петлицы, он остановился в нерешительности — что-то его, видимо, смущало. В конце концов он вернулся в библиотеку и, подойдя к своему портрету, долго всматривался в него. При слабом свете, затененном желтыми шелковыми шторами, лицо на портрете показалось ему изменившимся. Выражение было какое-то другое, — в складке рта чувствовалась жестокость. Как странно!

He turned round and, walking to the window, drew up the blind. The bright dawn flooded the room and swept the fantastic shadows into dusky corners, where they lay shuddering. But the strange expression that he had noticed in the face of the portrait seemed to linger there, to be more intensified even. The quivering ardent sunlight showed him the lines of cruelty round the mouth as clearly as if he had been looking into a mirror after he had done some dreadful thing.

He winced and, taking up from the table an oval glass framed in ivory Cupids, one of Lord Henry's many presents to him, glanced hurriedly into its polished depths. No line like that warped his red lips. What did it mean?

He rubbed his eyes, and came close to the picture, and examined it again. There were no signs of any change when he looked into the actual painting, and yet there was no doubt that the whole expression had altered. It was not a mere fancy of his own. The thing was horribly apparent.

He threw himself into a chair and began to think. Suddenly there flashed across his mind what he had said in Basil Hallward's studio the day the picture had been finished. Yes, he remembered it perfectly. He had uttered a mad wish that he himself might remain young, and the portrait grow old; that his own beauty might be untarnished, and the face on the canvas bear the burden of his passions and his sins; that the painted image might be seared with the lines of

Отвернувшись от портрета, Дориан подошел к окну и раздвинул шторы. Яркий утренний свет залил комнату и разогнал причудливые тени, прятавшиеся по сумрачным углам. Однако в лице портрета по-прежнему заметна была какая-то странная перемена, она даже стала явственнее. В скользивших по полотну ярких лучах солнца складка жестокости у рта видна была так отчетливо, словно Дориан смотрелся в зеркало после какого-то совершенного им преступления.

Он вздрогнул и, торопливо взяв со стола овальное ручное зеркало в украшенной купидонами рамке слоновой кости (один из многочисленных подарков лорда Генри), погляделся в него. Нет, его алые губы не безобразила такая складка, как на портрете. Что же это могло значить?

Дориан протер глаза и, подойдя к портрету вплотную, снова стал внимательно рассматривать его. Краска, несомненно, была нетронута, никаких следов подрисовки. А между тем выражение лица явно изменилось. Нет, это ему не почудилось — страшная перемена бросалась в глаза.

Сев в кресло, Дориан усиленно размышлял. И вдруг в его памяти всплыли слова, сказанные им в мастерской Бэзила Холлуорда в тот день, когда портрет был окончен. Да, он их отлично помнил. Он тогда высказал безумное желание, чтобы портрет старел вместо него, а он оставался вечно молодым, чтобы его красота не поблекла, а печать страстей и пороков ложилась на лицо портрета. Да, он хотел, чтобы следы страданий и тяжких дум бороздили

suffering and thought, and that he might keep all the delicate bloom and loveliness of his then just conscious boyhood. Surely his wish had not been fulfilled? Such things were impossible. It seemed monstrous even to think of them. And, yet, there was the picture before him, with the touch of cruelty in the mouth.

Cruelty! Had he been cruel? It was the girl's fault, not his. He had dreamed of her as a great artist, had given his love to her because he had thought her great. Then she had disappointed him. She had been shallow and unworthy. And, yet, a feeling of infinite regret came over him, as he thought of her lying at his feet sobbing like a little child. He remembered with what callousness he had watched her. Why had he been made like that? Why had such a soul been given to him?

But he had suffered also. During the three terrible hours that the play had lasted, he had lived centuries of pain, aeon upon aeon of torture. His life was well worth hers. She had marred him for a moment, if he had wounded her for an age. Besides, women were better suited to bear sorrow than men. They lived on their emotions. They only thought of their emotions. When they took lovers, it was merely to have some one with whom they could have scenes. Lord Henry had told him that, and Lord Henry knew what women were.

Why should he trouble about Sibyl Vane? She was nothing to him now.

But the picture? What was he to say of that? It held the secret of his life, and told his story. It had

лишь его изображение на полотне, а сам он сохранил весь нежный цвет и прелесть своей, тогда еще впервые осознанной, юности. Неужели его желание исполнилось? Нет, таких чудес не бывает! Страшно даже и думать об этом. А между тем — вот перед ним его портрет со складкой жестокости у губ.

Жестокость? Разве он поступил жестоко? Виноват во всем не он, виновата Сибила. Он воображал ее великой артисткой и за это полюбил. А она его разочаровала. Она оказалась ничтожеством, недостойным его любви. Однако сейчас он с безграничной жалостью вспомнил ту минуту, когда она лежала у его ног и плакала, как ребенок, вспомнил, с каким черствым равнодушием смотрел тогда на нее. Зачем он так создан, зачем ему дана такая душа?..

Однако разве и он не страдал? За те ужасные три часа, пока шел спектакль, он пережил столетия терзаний, вечность мук. Его жизнь, уж во всяком случае, равноценна ее жизни. Пусть он ранил Сибилу навек — но и она на время омрачила его жизнь. Притом женщины переносят горе легче, чем мужчины, так уж они созданы! Они живут одними чувствами, только ими и заняты. Они и любовников заводят лишь для того, чтобы было кому устраивать сцены. Так говорит лорд Генри, а лорд Генри знает женщин.

К чему же тревожить себя мыслями о Сибиле Вэйн? Ведь она больше для него не существует.

Ну а портрет? Как тут быть? Портрет хранит тайну его жизни и может всем ее поведать. Портрет

taught him to love his own beauty. Would it teach him to loathe his own soul? Would he ever look at it again?

No; it was merely an illusion wrought on the troubled senses. The horrible night that he had passed had left phantoms behind it. Suddenly there had fallen upon his brain that tiny scarlet speck that makes men mad. The picture had not changed. It was folly to think so.

Yet it was watching him, with its beautiful marred face and its cruel smile. Its bright hair gleamed in the early sunlight. Its blue eyes met his own. A sense of infinite pity, not for himself, but for the painted image of himself, came over him. It had altered already, and would alter more. Its gold would wither into grey. Its red and white roses would die. For every sin that he committed, a stain would fleck and wreck its fairness.

But he would not sin. The picture, changed or unchanged, would be to him the visible emblem of conscience. He would resist temptation. He would not see Lord Henry any more — would not, at any rate, listen to those subtle poisonous theories that in Basil Hallward's garden had first stirred within him the passion for impossible things.

He would go back to Sibyl Vane, make her amends, marry her, try to love her again. Yes, it was his duty

научил его любить собственную красоту, — неужели тот же портрет заставит его возненавидеть собственную душу? Как ему и смотреть теперь на это полотно?

Нет, нет, все это только обман чувств, вызванный душевным смятением. Он пережил ужасную ночь — вот ему и мерещится что-то. В мозгу его появилось то багровое пятнышко, которое делает человека безумным. Портрет ничуть не изменился, и воображать это — просто сумасшествие.

Но человек на портрете смотрел на него с жестокой усмешкой, портившей прекрасное лицо. Золотистые волосы сияли в лучах утреннего солнца, голубые глаза встречались с глазами живого Дориана. Чувство беспредельной жалости проснулось в сердце Дориана — жалости не к себе, а к своему портрету. Человек на полотне уже изменился и будет меняться все больше! Потускнеет золото кудрей и сменится сединой. Увянут белые и алые розы юного лица. Каждый грех, совершенный им, Дорианом, будет ложиться пятном на портрет, портя его красоту...

Нет, нет, он не станет больше грешить! Будет ли портрет меняться или нет, — все равно этот портрет станет как бы его совестью. Надо отныне бороться с искушениями. И больше не встречаться с лордом Генри — или, по крайней мере, не слушать его опасных, как тонкий яд, речей, которые когда-то в саду Бэзила Холлуорда впервые пробудили в нем, Дориане, жажду невозможного.

И Дориан решил вернуться к Сибиле Вэйн, загладить свою вину. Он женится на Сибиле и поста-

to do so. She must have suffered more than he had. Poor child! He had been selfish and cruel to her. The fascination that she had exercised over him would return. They would be happy together. His life with her would be beautiful and pure.

He got up from his chair and drew a large screen right in front of the portrait, shuddering as he glanced at it.

"How horrible!" he murmured to himself, and he walked across to the window and opened it.

When he stepped out on to the grass, he drew a deep breath. The fresh morning air seemed to drive away all his sombre passions. He thought only of Sibyl. A faint echo of his love came back to him. He repeated her name over and over again. The birds that were singing in the dew-drenched garden seemed to be telling the flowers about her.

Chapter VIII

It was long past noon when he awoke. His valet had crept several times on tiptoe into the room to see if he was stirring, and had wondered what made his young master sleep so late. Finally his bell sounded, and Victor came in softly with a cup of tea, and a pile of letters, on a small tray of old Sevres china, and drew back the olive-satin curtains, with their shimmering blue lining, that hung in front of the three tall windows.

рается снова полюбить ее. Да, это его долг. Она, наверное, сильно страдала, больше, чем он. Бедняжка! Он поступил с ней, как бессердечный эгоист. Любовь вернется, они будут счастливы. Жизнь его с Сибилой будет чиста и прекрасна.

Он встал с кресла и, с содроганием взглянув последний раз на портрет, заслонил его высоким экраном.

— Какой ужас! — пробормотал он про себя и, подойдя к окну, распахнул его.

Он вышел в сад, на лужайку, и жадно вдохнул всей грудью свежий утренний воздух. Казалось, ясное утро рассеяло все темные страсти, и Дориан думал теперь только о Сибиле. В сердце своем он слышал слабый отзвук прежней любви. Он без конца твердил имя возлюбленной. И птицы, заливавшиеся в росистом саду, как будто рассказывали о ней цветам.

Глава VIII

Когда Дориан проснулся, было далеко за полдень. Его слуга уже несколько раз на цыпочках входил в спальню — посмотреть, не зашевелился ли молодой хозяин, и удивлялся тому, что он сегодня спит так долго. Наконец из спальни раздался звонок, и Виктор, бесшумно ступая, вошел туда с чашкой чаю и целой пачкой писем на подносе старого севрского фарфора. Он раздвинул зеленые шелковые портьеры на блестящей синей подкладке, закрывавшие три высоких окна.

"Monsieur has well slept this morning," he said, smiling.

"What o'clock is it, Victor?" asked Dorian Gray drowsily.

"One hour and a quarter, Monsieur."

How late it was! He sat up, and having sipped some tea, turned over his letters. One of them was from Lord Henry, and had been brought by hand that morning. He hesitated for a moment, and then put it aside. The others he opened listlessly. They contained the usual collection of cards, invitations to dinner, tickets for private views, programmes of charity concerts, and the like that are showered on fashionable young men every morning during the season. There was a rather heavy bill for a chased silver Louis-Quinze toilet-set that he had not yet had the courage to send on to his guardians, who were extremely old-fashioned people and did not realize that we live in an age when unnecessary things are our only necessities; and there were several very courteously worded communications from Jermyn Street money-lenders offering to advance any sum of money at a moment's notice and at the most reasonable rates of interest.

After about ten minutes he got up, and throwing on an elaborate dressing-gown of silk-embroidered cashmere wool, passed into the onyx-paved bathroom. The cool water refreshed him after his long sleep. He seemed to have forgotten all that he had gone through. A dim sense of having taken part in some

— Вы сегодня хорошо выспались, мосье, — сказал он с улыбкой.

— А который час, Виктор? — сонно спросил Дориан.

— Четверть второго, мосье.

— Ого, как поздно! — Дориан сел в постели и, попивая чай, стал разбирать письма. Одно было от лорда Генри, его принес посыльный сегодня утром. После минутного колебания Дориан отложил его в сторону и бегло просмотрел остальные письма. Это были, как всегда, приглашения на обеды, билеты на закрытые вернисажи, программы благотворительных концертов и так далее — обычная корреспонденция, которой засыпают светского молодого человека в разгаре сезона. Был здесь и счет на довольно крупную сумму — за туалетный прибор чеканного серебра в стиле Людовика Пятнадцатого (счет этот Дориан не решился послать своим опекунам, людям старого закала, крайне отсталым, которые не понимали, что в наш век только бесполезные вещи и необходимы человеку), было и несколько писем от ростовщиков с Джермин-стрит, в весьма учтивых выражениях предлагавших ссудить какую угодно сумму по первому требованию и за самые умеренные проценты.

Минут через десять Дориан встал и, накинув элегантный кашемировый халат, расшитый шелком, прошел в облицованную ониксом ванную комнату. После долгого сна холодная вода очень освежила его. Он, казалось, уже забыл обо всем, пережитом вчера. Только раз-другой мелькнуло воспоминание,

strange tragedy came to him once or twice, but there was the unreality of a dream about it.

As soon as he was dressed, he went into the library and sat down to a light French breakfast that had been laid out for him on a small round table close to the open window. It was an exquisite day. The warm air seemed laden with spices. A bee flew in and buzzed round the blue-dragon bowl that, filled with sulphur-yellow roses, stood before him. He felt perfectly happy.

Suddenly his eye fell on the screen that he had placed in front of the portrait, and he started.

"Too cold for Monsieur?" asked his valet, putting an omelette on the table. "I shut the window?"

Dorian shook his head.

"I am not cold," he murmured.

Was it all true? Had the portrait really changed? Or had it been simply his own imagination that had made him see a look of evil where there had been a look of joy? Surely a painted canvas could not alter? The thing was absurd. It would serve as a tale to tell Basil some day. It would make him smile.

And, yet, how vivid was his recollection of the whole thing! First in the dim twilight, and then in the bright dawn, he had seen the touch of cruelty round the warped lips. He almost dreaded his valet leaving the room. He knew that when he was alone he would have to examine the portrait. He was afraid of certainty.

что он был участником какой-то необычайной драмы, но вспоминалось это смутно, как сон.

Одевшись, он прошел в библиотеку и сел за круглый столик у раскрытого окна, где для него был приготовлен легкий завтрак на французский манер. День стоял чудесный. Теплый воздух был насыщен пряными ароматами. В комнату влетела пчела и, жужжа, кружила над стоявшей перед Дорианом синей китайской вазой с желтыми розами. И Дориан чувствовал себя совершенно счастливым.

Но вдруг взгляд его остановился на экране, которым он накануне заслонил портрет, — и он вздрогнул.

— Мосье холодно? — спросил лакей, подававший ему в эту минуту омлет. — Не закрыть ли окно?

Дориан покачал головой.

— Нет, мне не холодно.

Так неужели же все это было на самом деле? И портрет действительно изменился? Или это игра расстроенного воображения, и ему просто показалось, что злобное выражение сменило радостную улыбку на лице портрета? Ведь не могут же меняться краски на полотне! Какой вздор! Надо будет как-нибудь рассказать Бэзилу — это его изрядно позабавит!

Однако как живо помнится все! Сначала в полумраке, потом в ярком свете утра он увидел ее, эту черту жестокости, искривившую рот. И сейчас он чуть не со страхом ждал той минуты, когда лакей уйдет из комнаты. Он знал, что, оставшись один, не выдержит, непременно примется снова рассматривать портрет. И боялся узнать правду.

When the coffee and cigarettes had been brought and the man turned to go, he felt a wild desire to tell him to remain. As the door was closing behind him, he called him back. The man stood waiting for his orders. Dorian looked at him for a moment.

"I am not at home to any one, Victor," he said with a sigh. The man bowed and retired.

Then he rose from the table, lit a cigarette, and flung himself down on a luxuriously cushioned couch that stood facing the screen. The screen was an old one, of gilt Spanish leather, stamped and wrought with a rather florid Louis-Quatorze pattern. He scanned it curiously, wondering if ever before it had concealed the secret of a man's life.

Should he move it aside, after all? Why not let it stay there? What was the use of knowing? If the thing was true, it was terrible. If it was not true, why trouble about it?

But what if, by some fate or deadlier chance, eyes other than his spied behind and saw the horrible change? What should he do if Basil Hallward came and asked to look at his own picture? Basil would be sure to do that. No; the thing had to be examined, and at once. Anything would be better than this dreadful state of doubt.

He got up and locked both doors. At least he would be alone when he looked upon the mask of his shame. Then he drew the screen aside and saw himself face to face. It was perfectly true. The portrait had altered.

Когда лакей, подав кофе и папиросы, шагнул к двери, Дориану страстно захотелось остановить его. И не успела еще дверь захлопнуться, как он вернул Виктора. Лакей стоял, ожидая приказаний. Дориан с минуту смотрел на него молча.

— Кто бы ни пришел, меня нет дома, Виктор, — сказал он наконец со вздохом. Лакей поклонился и вышел.

Тогда Дориан встал из-за стола, закурил папиросу и растянулся на кушетке против экрана, скрывавшего портрет. Экран был старинный, из позолоченной испанской кожи с тисненым, пестро раскрашенным узором в стиле Людовика Четырнадцатого. Дориан пристально всматривался в него, спрашивая себя, доводилось ли этому экрану когда-нибудь прежде скрывать тайну человеческой жизни.

Что же — отодвинуть его? А не лучше ли оставить на месте? Зачем узнавать? Будет ужасно, если все окажется правдой. А если нет, — так незачем и беспокоиться.

Ну а если по роковой случайности чей-либо посторонний глаз заглянет за этот экран и увидит страшную перемену? Как быть, если Бэзил Холлуорд придет и захочет взглянуть на свою работу? А Бэзил непременно захочет... Нет, портрет во что бы то ни стало надо рассмотреть еще раз — и немедленно. Нет ничего тягостнее мучительной неизвестности.

Дориан встал и запер на ключ обе двери. Он хотел, по крайней мере, быть один, когда увидит свой позор! Он отодвинул в сторону экран и стоял теперь лицом к лицу с самим собой.

As he often remembered afterwards, and always with no small wonder, he found himself at first gazing at the portrait with a feeling of almost scientific interest. That such a change should have taken place was incredible to him. And yet it was a fact. Was there some subtle affinity between the chemical atoms that shaped themselves into form and colour on the canvas and the soul that was within him? Could it be that what that soul thought, they realized?—that what it dreamed, they made true? Or was there some other, more terrible reason?

He shuddered, and felt afraid, and, going back to the couch, lay there, gazing at the picture in sickened horror.

One thing, however, he felt that it had done for him. It had made him conscious how unjust, how cruel, he had been to Sibyl Vane. It was not too late to make reparation for that. She could still be his wife. His unreal and selfish love would yield to some higher influence, would be transformed into some nobler passion, and the portrait that Basil Hallward had painted of him would be a guide to him through life, would be to him what holiness is to some, and conscience to others, and the fear of God to us all. There were opiates for remorse, drugs that could lull the moral sense to sleep. But here was a visible symbol of the degradation of sin. Here was an ever-present sign of the ruin men brought upon their souls.

Да, сомнений быть не могло: портрет изменился.

Позднее Дориан часто — и всякий раз с немалым удивлением — вспоминал, что в первые минуты он смотрел на портрет с почти объективным интересом. Казалось невероятным, что такая перемена может произойти, — а между тем она была налицо. Неужели же есть какое-то непостижимое сродство между его душой и химическими атомами, образующими на полотне формы и краски? Возможно ли, что эти атомы отражают на полотне все движения души, делают ее сны явью? Или тут кроется иная, еще более страшная причина?

Задрожав при этой мысли, Дориан отошел и снова лег на кушетку. Отсюда он с ужасом, не отрываясь, смотрел на портрет.

Утешало его только сознание, что кое-чему портрет уже научил его. Он помог ему понять, как несправедлив, как жесток он был к Сибиле Вэйн. Исправить это еще не поздно. Сибила станет его женой. Его эгоистичная и, быть может, надуманная любовь под ее влиянием преобразится в чувство более благородное, и портрет, написанный Бэзилом, всегда будет указывать ему путь в жизни, руководить им, как одними руководит добродетель, другими — совесть и всеми людьми — страх перед Богом. В жизни существуют наркотики против угрызений совести, средства, усыпляющие нравственное чутье. Но здесь перед его глазами — видимый символ разложения, наглядные последствия греха. И всегда будет перед ним это доказательство, что человек способен погубить собственную душу.

Three o'clock struck, and four, and the half-hour rang its double chime, but Dorian Gray did not stir. He was trying to gather up the scarlet threads of life and to weave them into a pattern; to find his way through the sanguine labyrinth of passion through which he was wandering. He did not know what to do, or what to think. Finally, he went over to the table and wrote a passionate letter to the girl he had loved, imploring her forgiveness and accusing himself of madness. He covered page after page with wild words of sorrow and wilder words of pain. There is a luxury in self-reproach. When we blame ourselves, we feel that no one else has a right to blame us. It is the confession, not the priest, that gives us absolution. When Dorian had finished the letter, he felt that he had been forgiven.

Suddenly there came a knock to the door, and he heard Lord Henry's voice outside.

"My dear boy, I must see you. Let me in at once. I can't bear your shutting yourself up like this."

He made no answer at first, but remained quite still. The knocking still continued and grew louder. Yes, it was better to let Lord Henry in, and to explain to him the new life he was going to lead, to quarrel with him if it became necessary to quarrel, to part if parting was inevitable.

He jumped up, drew the screen hastily across the picture, and unlocked the door.

"I am so sorry for it all, Dorian," said Lord Henry as he entered. "But you must not think too much about it."

Пробило три часа, четыре. Прошло еще полчаса, а Дориан не двигался с места. Он пытался собрать воедино алые нити жизни, соткать из них какой-то узор, отыскать свой путь в багровом лабиринте страстей, где он блуждал. Он не знал, что думать, что делать. Наконец он подошел к столу и стал писать пылкое письмо любимой девушке, в котором молил о прощении и называл себя безумцем. Страницу за страницей исписывал он словами страстного раскаяния и еще более страстной муки. В самобичевании есть своего рода сладострастие. И когда мы сами себя виним, мы чувствуем, что никто другой не вправе более винить нас. Отпущение грехов дает нам не священник, а сама исповедь. Написав это письмо Сибиле, Дориан уже чувствовал себя прощенным.

Неожиданно постучали в дверь, и он услышал голос лорда Генри.

— Дориан, мне необходимо вас увидеть. Впустите меня сейчас же! Что это вы задумали запираться?

Дориан сначала не отвечал и не трогался с места. Но стук повторился, еще громче и настойчивее. Он решил, что, пожалуй, лучше впустить лорда Генри. Надо объяснить ему, что он, Дориан, отныне начнет новую жизнь. Он не остановится и перед ссорой с Гарри или даже перед окончательным разрывом, если это окажется неизбежным.

Он вскочил, поспешно закрыл портрет экраном и только после этого отпер дверь.

— Ужасно все это неприятно, Дориан, — сказал лорд Генри, как только вошел. — Но вы старайтесь поменьше думать о том, что случилось.

"Do you mean about Sibyl Vane?" asked the lad.

"Yes, of course," answered Lord Henry, sinking into a chair and slowly pulling off his yellow gloves. "It is dreadful, from one point of view, but it was not your fault. Tell me, did you go behind and see her, after the play was over?"

"Yes."

"I felt sure you had. Did you make a scene with her?"

"I was brutal, Harry — perfectly brutal. But it is all right now. I am not sorry for anything that has happened. It has taught me to know myself better."

"Ah, Dorian, I am so glad you take it in that way! I was afraid I would find you plunged in remorse and tearing that nice curly hair of yours."

"I have got through all that," said Dorian, shaking his head and smiling. "I am perfectly happy now. I know what conscience is, to begin with. It is not what you told me it was. It is the divinest thing in us. Don't sneer at it, Harry, any more — at least not before me. I want to be good. I can't bear the idea of my soul being hideous."

"A very charming artistic basis for ethics, Dorian! I congratulate you on it. But how are you going to begin?"

"By marrying Sibyl Vane."

— Вы хотите сказать — о Сибиле Вэйн? — спросил Дориан.

— Да, конечно. — Лорд Генри сел и стал медленно снимать желтые перчатки. — Вообще говоря, это ужасно, но вы не виноваты. Скажите... вы после спектакля ходили к ней за кулисы?

— Да.

— Я так и думал. И вы поссорились?

— Я был жесток, Гарри, бесчеловечно жесток! Но сейчас все уже в порядке. Я не жалею о том, что произошло, — это помогло мне лучше узнать самого себя.

— Я очень, очень рад, Дориан, что вы так отнеслись к этому. Я боялся, что вы терзаетесь угрызениями совести и в отчаянии рвете на себе свои золотые кудри.

— Через все это я уже прошел, — отозвался Дориан, с улыбкой тряхнув головой. — И сейчас я совершенно счастлив. Во-первых, я понял, что такое совесть. Это вовсе не то, что вы говорили, Гарри. Она — самое божественное в нас. И вы не смейтесь больше над этим — по крайней мере, при мне. Я хочу быть человеком с чистой совестью. Я не могу допустить, чтобы душа моя стала уродливой.

— Какая прекрасная эстетическая основа нравственности, Дориан! Поздравляю вас. А с чего же вы намерены начать?

— С женитьбы на Сибиле Вэйн.

"Marrying Sibyl Vane!" cried Lord Henry, standing up and looking at him in perplexed amazement. "But, my dear Dorian—"

"Yes, Harry, I know what you are going to say. Something dreadful about marriage. Don't say it. Don't ever say things of that kind to me again. Two days ago I asked Sibyl to marry me. I am not going to break my word to her. She is to be my wife."

"Your wife! Dorian! ... Didn't you get my letter? I wrote to you this morning, and sent the note down by my own man."

"Your letter? Oh, yes, I remember. I have not read it yet, Harry. I was afraid there might be something in it that I wouldn't like. You cut life to pieces with your epigrams."

"You know nothing then?"

"What do you mean?"

Lord Henry walked across the room, and sitting down by Dorian Gray, took both his hands in his own and held them tightly.

"Dorian," he said, "my letter — don't be frightened — was to tell you that Sibyl Vane is dead."

A cry of pain broke from the lad's lips, and he leaped to his feet, tearing his hands away from Lord Henry's grasp.

"Dead! Sibyl dead! It is not true! It is a horrible lie! How dare you say it?"

"It is quite true, Dorian," said Lord Henry, gravely. "It is in all the morning papers. I wrote down to you to ask you not to see any one till I came. There will have to be an inquest, of course, and you must

— На Сибиле Вэйн! — воскликнул лорд Генри, вставая и в величайшем удивлении и замешательстве глядя на Дориана. — Дорогой мой, но она...

— Ах, Гарри, знаю, что вы хотите сказать: какую-нибудь гадость о браке. Не надо! Никогда больше не говорите мне таких вещей. Два дня тому назад я просил Сибилу быть моей женой. И я своего слова не нарушу. Она будет моей женой.

— Вашей женой? Дориан! Да разве вы не получили моего письма? Я его написал сегодня утром, и мой слуга отнес его вам.

— Письмо? Ах да... Я его еще не читал, Гарри. Боялся найти в нем что-нибудь такое, что мне будет не по душе. Вы своими эпиграммами кромсаете жизнь на куски.

— Так вы ничего еще не знаете?

— О чем?

Лорд Генри прошелся по комнате, затем, сев рядом с Дорианом, крепко сжал его руки в своих.

— Дориан, в письме я... не пугайтесь... я вам сообщал, что Сибила Вэйн... умерла.

Горестный крик вырвался у Дориана. Он вскочил и высвободил руки из рук лорда Генри.

— Умерла! Сибила умерла! Неправда! Это ужасная ложь! Как вы смеете лгать мне!

— Это правда, Дориан, — сказал лорд Генри серьезно. — Об этом сообщают сегодня все газеты. Я вам писал, чтобы вы до моего прихода никого не принимали. Наверное, будет следствие, и надо по-

not be mixed up in it. Things like that make a man fashionable in Paris. But in London people are so prejudiced. Here, one should never make one's debut with a scandal. One should reserve that to give an interest to one's old age. I suppose they don't know your name at the theatre? If they don't, it is all right. Did any one see you going round to her room? That is an important point."

Dorian did not answer for a few moments. He was dazed with horror. Finally he stammered, in a stifled voice,

"Harry, did you say an inquest? What did you mean by that? Did Sibyl—? Oh, Harry, I can't bear it! But be quick. Tell me everything at once."

"I have no doubt it was not an accident, Dorian, though it must be put in that way to the public. It seems that as she was leaving the theatre with her mother, about half-past twelve or so, she said she had forgotten something upstairs. They waited some time for her, but she did not come down again. They ultimately found her lying dead on the floor of her dressing-room. She had swallowed something by mistake, some dreadful thing they use at theatres. I don't know what it was, but it had either prussic acid or white lead in it. I should fancy it was prussic acid, as she seems to have died instantaneously."

"Harry, Harry, it is terrible!" cried the lad.

"Yes; it is very tragic, of course, but you must not get yourself mixed up in it. I see by The Standard that

стараться, чтобы вы не были замешаны в этой истории. В Париже подобные истории создают человеку известность, но в Лондоне у людей еще так много предрассудков. Здесь никак не следует начинать свою карьеру со скандала. Скандалы приберегают на старость, когда бывает нужно подогреть интерес к себе. Надеюсь, в театре не знали, кто вы такой? Если нет, тогда все в порядке. Видел кто-нибудь, как вы входили в уборную Сибилы? Это очень важно.

Дориан некоторое время не отвечал — он обомлел от ужаса. Наконец пробормотал, запинаясь, сдавленным голосом:

— Вы сказали — следствие? Что это значит? Разве Сибила... Ох, Гарри, я этого не вынесу!.. Отвечайте скорее! Скажите мне все!

— Не приходится сомневаться, Дориан, что это не просто несчастный случай, но надо, чтобы публика так думала. А рассказывают вот что: когда девушка в тот вечер уходила с матерью из театра — кажется, около половины первого, она вдруг сказала, что забыла что-то наверху. Ее некоторое время ждали, но она не возвращалась. В конце концов ее нашли мертвой на полу в уборной. Она по ошибке проглотила какое-то ядовитое снадобье, которое употребляют в театре для гримировки. Не помню, что именно, но в него входит не то синильная кислота, не то свинцовые белила. Вернее всего, синильная кислота, так как смерть наступила мгновенно.

— Боже, боже, какой ужас! — простонал Дориан.

— Да... Это поистине трагедия, но нельзя, чтобы вы оказались в нее замешанным... Я читал в «Стан-

she was seventeen. I should have thought she was almost younger than that. She looked such a child, and
seemed to know so little about acting. Dorian, you
mustn't let this thing get on your nerves. You must
come and dine with me, and afterwards we will look
in at the opera. It is a Patti night, and everybody will
be there. You can come to my sister's box. She has got
some smart women with her."

"So I have murdered Sibyl Vane," said Dorian
Gray, half to himself, "murdered her as surely as if
I had cut her little throat with a knife. Yet the roses
are not less lovely for all that. The birds sing just as
happily in my garden. And to-night I am to dine with
you, and then go on to the opera, and sup somewhere,
I suppose, afterwards. How extraordinarily dramatic
life is! If I had read all this in a book, Harry, I think
I would have wept over it. Somehow, now that it has
happened actually, and to me, it seems far too wonderful for tears. Here is the first passionate love-
letter I have ever written in my life. Strange, that
my first passionate love-letter should have been addressed to a dead girl. Can they feel, I wonder, those
white silent people we call the dead? Sibyl! Can she
feel, or know, or listen? Oh, Harry, how I loved her
once! It seems years ago to me now. She was everything to me. Then came that dreadful night — was
it really only last night?—when she played so badly,
and my heart almost broke. She explained it all to me.
It was terribly pathetic. But I was not moved a bit.
I thought her shallow. Suddenly something happened

дарде», что Сибиле Вэйн было семнадцать лет. А на вид ей можно было дать еще меньше. Она казалась совсем девочкой, притом играла еще так неумело. Дориан, не принимайте этого близко к сердцу! Непременно поезжайте со мной обедать, а потом мы с вами заглянем в оперу. Сегодня поет Патти, и весь свет будет в театре. Мы зайдем в ложу моей сестры. Сегодня с нею приедут несколько эффектных женщин.

— Значит, я убил Сибилу Вэйн, — сказал Дориан Грей словно про себя. — Все равно что перерезал ей ножом горло. И, несмотря на это, розы все так же прекрасны, птицы все так же весело поют в моем саду. А сегодня вечером я обедаю с вами и поеду в оперу, потом куда-нибудь ужинать... Как необычайна и трагична жизнь! Прочти я все это в книге, Гарри, я, верно, заплакал бы. А сейчас, когда это случилось на самом деле, и случилось со мной, я так потрясен, что и слез нет. Вот лежит написанное мною страстное любовное письмо, первое в жизни любовное письмо. Не странно ли, что это первое письмо я писал мертвой? Хотел бы я знать, чувствуют они что-нибудь, эти безмолвные, бледные люди, которых мы называем мертвецами? Сибила!.. Знает ли она все, может ли меня слышать, чувствовать что-нибудь? Ах, Гарри, как я ее любил когда-то! Мне кажется сейчас, что это было много лет назад. Тогда она была для меня всем на свете. Потом наступил этот страшный вечер, — неужели он был только вчера? — когда она играла так скверно, что у меня сердце чуть не разорвалось. Она мне

that made me afraid. I can't tell you what it was, but it was terrible. I said I would go back to her. I felt I had done wrong. And now she is dead. My God! My God! Harry, what shall I do? You don't know the danger I am in, and there is nothing to keep me straight. She would have done that for me. She had no right to kill herself. It was selfish of her."

"My dear Dorian," answered Lord Henry, taking a cigarette from his case and producing a gold-latten matchbox, "the only way a woman can ever reform a man is by boring him so completely that he loses all possible interest in life. If you had married this girl, you would have been wretched. Of course, you would have treated her kindly. One can always be kind to people about whom one cares nothing. But she would have soon found out that you were absolutely indifferent to her. And when a woman finds that out about her husband, she either becomes dreadfully dowdy, or wears very smart bonnets that some other woman's husband has to pay for. I say nothing about the social mistake, which would have been abject — which, of course, I would not have allowed — but I assure you that in any case the whole thing would have been an absolute failure."

"I suppose it would," muttered the lad, walking up and down the room and looking horribly pale. "But I thought it was my duty. It is not my fault that this terrible tragedy has prevented my doing what was right. I remember your saying once that there is a fa-

потом все объяснила. Это было так трогательно... но меня ничуть не тронуло, и я назвал ее глупой. Потом случилось кое-что... не могу вам рассказать что, но это было страшно. И я решил вернуться к Сибиле. Я понял, что поступил дурно... А теперь она умерла... Боже, боже! Гарри, что мне делать? Вы не знаете, в какой я опасности! И теперь некому удержать меня от падения. Она могла бы сделать это. Она не имела права убивать себя. Это эгоистично!

— Милый Дориан, — отозвался лорд Генри, доставая папиросы из портсигара. — Женщина может сделать мужчину праведником только одним способом: надоесть ему так, что он утратит всякий интерес к жизни. Если бы вы женились на этой девушке, вы были бы несчастны. Разумеется, вы обращались бы с ней хорошо, — это всегда легко, если человек тебе безразличен. Но она скоро поняла бы, что вы ее больше не любите. А когда женщина почувствует, что ее муж равнодушен к ней, она начинает одеваться слишком кричаще и безвкусно или у нее появляются очень нарядные шляпки, за которые платит чужой муж. Не говоря уже об унизительности такого неравного брака, который я постарался бы не допустить, — я вас уверяю, что при всех обстоятельствах ваш брак с этой девушкой был бы крайне неудачен.

— Пожалуй, вы правы, — пробормотал Дориан. Он был мертвенно-бледен и беспокойно шагал из угла в угол. — Но я считал, что обязан жениться. И не моя вина, если эта страшная драма помешала мне выполнить долг. Вы как-то сказали, что над

tality about good resolutions — that they are always made too late. Mine certainly were."

"Good resolutions are useless attempts to interfere with scientific laws. Their origin is pure vanity. Their result is absolutely nil. They give us, now and then, some of those luxurious sterile emotions that have a certain charm for the weak. That is all that can be said for them. They are simply cheques that men draw on a bank where they have no account."

"Harry," cried Dorian Gray, coming over and sitting down beside him, "why is it that I cannot feel this tragedy as much as I want to? I don't think I am heartless. Do you?"

"You have done too many foolish things during the last fortnight to be entitled to give yourself that name, Dorian," answered Lord Henry with his sweet melancholy smile.

The lad frowned.

"I don't like that explanation, Harry," he rejoined, "but I am glad you don't think I am heartless. I am nothing of the kind. I know I am not. And yet I must admit that this thing that has happened does not affect me as it should. It seems to me to be simply like a wonderful ending to a wonderful play. It has all the terrible beauty of a Greek tragedy, a tragedy in which I took a great part, but by which I have not been wounded."

"It is an interesting question," said Lord Henry, who found an exquisite pleasure in playing on the

благими решениями тяготеет злой рок: они всегда принимаются слишком поздно. Так случилось и со мной.

— Благие намерения — попросту бесплодные попытки идти против природы. Порождены они бывают всегда чистейшим самомнением, и ничего ровно из этих попыток не выходит. Они только дают нам иногда блаженные, но пустые ощущения, которые тешат людей слабых. Вот и все. Благие намерения — это чеки, которые люди выписывают на банк, где у них нет текущего счета.

— Гарри, — воскликнул Дориан Грей, подходя и садясь рядом с лордом Генри. — Почему я страдаю не так сильно, как хотел бы? Неужели у меня нет сердца? Как вы думаете?

— Назвать вас человеком без сердца никак нельзя после всех безумств, которые вы натворили за последние две недели, — ответил лорд Генри, ласково и меланхолически улыбаясь.

Дориан нахмурил брови.

— Мне не нравится такое объяснение, Гарри. Но я рад, что вы меня не считаете бесчувственным. Я не такой, знаю, что не такой! И все же — то, что случилось, не подействовало на меня так, как должно было бы подействовать. Оно для меня — как бы необычайная развязка какой-то удивительной пьесы. В нем — жуткая красота греческой трагедии, трагедии, в которой я сыграл видную роль, но которая не ранила моей души.

— Это любопытное обстоятельство, — сказал лорд Генри. Ему доставляло острое наслаждение

lad's unconscious egotism, "an extremely interesting question. I fancy that the true explanation is this: It often happens that the real tragedies of life occur in such an inartistic manner that they hurt us by their crude violence, their absolute incoherence, their absurd want of meaning, their entire lack of style. They affect us just as vulgarity affects us. They give us an impression of sheer brute force, and we revolt against that. Sometimes, however, a tragedy that possesses artistic elements of beauty crosses our lives. If these elements of beauty are real, the whole thing simply appeals to our sense of dramatic effect. Suddenly we find that we are no longer the actors, but the spectators of the play. Or rather we are both. We watch ourselves, and the mere wonder of the spectacle enthralls us. In the present case, what is it that has really happened? Some one has killed herself for love of you. I wish that I had ever had such an experience. It would have made me in love with love for the rest of my life. The people who have adored me — there have not been very many, but there have been some — have always insisted on living on, long after I had ceased to care for them, or they to care for me. They have become stout and tedious, and when I meet them, they go in at once for reminiscences. That awful memory of woman! What a fearful thing it is! And what an utter intellectual stagnation it reveals! One should absorb the colour of life, but one should never remember its details. Details are always vulgar."

играть на бессознательном эгоизме юноши. — Да, очень любопытное. И, думаю, объяснить это можно вот так: частенько подлинные трагедии в жизни принимают такую неэстетическую форму, что оскорбляют нас своим грубым неистовством, крайней нелогичностью и бессмысленностью, полным отсутствием изящества. Они нам претят, как все вульгарное. Мы чуем в них одну лишь грубую животную силу и восстаем против нее. Но случается, что мы в жизни наталкиваемся на драму, в которой есть элементы художественной красоты. Если красота эта — подлинная, то драматизм события нас захватывает. И мы неожиданно замечаем, что мы уже более не действующие лица, а только зрители этой трагедии. Или, вернее, то и другое вместе. Мы наблюдаем самих себя, и самая необычайность такого зрелища нас увлекает. Что, в сущности, произошло? Девушка покончила с собой из-за любви к вам. Жалею, что в моей жизни не было ничего подобного. Я тогда поверил бы в любовь и вечно преклонялся бы перед нею. Но все, кто любил меня, — таких было не очень много, но они были, — упорно жили и здравствовали еще много лет после того, как я разлюбил их, а они — меня. Эти женщины растолстели, стали скучны и несносны. Когда мы встречаемся, они сразу же ударяются в воспоминания. Ах, эта ужасающая женская память, что за наказание! И какую косность, какой душевный застой она обличает! Человек должен вбирать в себя краски жизни, но никогда не помнить деталей. Детали всегда банальны.

"I must sow poppies in my garden," sighed Dorian.

"There is no necessity," rejoined his companion. "Life has always poppies in her hands. Of course, now and then things linger. I once wore nothing but violets all through one season, as a form of artistic mourning for a romance that would not die. Ultimately, however, it did die. I forget what killed it. I think it was her proposing to sacrifice the whole world for me. That is always a dreadful moment. It fills one with the terror of eternity. Well — would you believe it?—a week ago, at Lady Hampshire's, I found myself seated at dinner next the lady in question, and she insisted on going over the whole thing again, and digging up the past, and raking up the future. I had buried my romance in a bed of asphodel. She dragged it out again and assured me that I had spoiled her life. I am bound to state that she ate an enormous dinner, so I did not feel any anxiety. But what a lack of taste she showed! The one charm of the past is that it is the past.

But women never know when the curtain has fallen. They always want a sixth act, and as soon as the interest of the play is entirely over, they propose to continue it. If they were allowed their own way, every comedy would have a tragic ending, and every tragedy would culminate in a farce. They are charmingly artificial, but they have no sense of art. You are more

— Придется посеять маки в моем саду, — со вздохом промолвил Дориан.

— В этом нет необходимости, — возразил его собеседник. — У жизни маки для нас всегда наготове. Правда, порой мы долго не можем забыть. Я когда-то в течение целого сезона носил в петлице только фиалки — это было нечто вроде траура по любви, которая не хотела умирать. Но в конце концов она умерла. Не помню, что ее убило. Вероятно, обещание любимой женщины пожертвовать для меня всем на свете. Это всегда страшная минута: она внушает человеку страх перед вечностью. Так вот, можете себе представить, — на прошлой неделе на обеде у леди Хэмпшайр моей соседкой за столом оказалась эта самая дама, и она во что бы то ни стало хотела начать все сначала, раскопать прошлое и расчистить дорогу будущему. Я похоронил этот роман в могиле под асфоделями, а она снова вытащила его на свет божий и уверяла меня, что я разбил ей жизнь. Должен констатировать, что за обедом она уписывала все с чудовищным аппетитом, так что я за нее ничуть не тревожусь. Но какова бестактность! Какое отсутствие вкуса! Ведь вся прелесть прошлого в том, что оно — прошлое.

А женщины никогда не замечают, что занавес опустился. Им непременно подавай шестой акт! Они желают продолжать спектакль, когда всякий интерес к нему уже пропал. Если бы дать им волю, каждая комедия имела бы трагическую развязку, а каждая трагедия перешла бы в фарс. Женщины в жизни — прекрасные актрисы, но у них нет ни-

fortunate than I am. I assure you, Dorian, that not one of the women I have known would have done for me what Sibyl Vane did for you. Ordinary women always console themselves. Some of them do it by going in for sentimental colours. Never trust a woman who wears mauve, whatever her age may be, or a woman over thirty-five who is fond of pink ribbons. It always means that they have a history. Others find a great consolation in suddenly discovering the good qualities of their husbands. They flaunt their conjugal felicity in one's face, as if it were the most fascinating of sins. Religion consoles some. Its mysteries have all the charm of a flirtation, a woman once told me, and I can quite understand it. Besides, nothing makes one so vain as being told that one is a sinner. Conscience makes egotists of us all. Yes; there is really no end to the consolations that women find in modern life. Indeed, I have not mentioned the most important one."

"What is that, Harry?" said the lad listlessly.

"Oh, the obvious consolation. Taking some one else's admirer when one loses one's own. In good society that always whitewashes a woman. But really, Dorian, how different Sibyl Vane must have been from all the women one meets! There is something to me quite beautiful about her death. I am glad I am

какого артистического чутья. Вы оказались счастливее меня, Дориан. Клянусь вам, ни одна из женщин, с которыми я был близок, не сделала бы из-за меня того, что сделала из-за вас Сибила Вэйн. Обыкновенные женщины всегда утешаются. Одни — тем, что носят сентиментальные цвета. Не доверяйте женщине, которая, не считаясь со своим возрастом, носит платья цвета mauvy[1] или в тридцать пять лет питает пристрастие к розовым лентам: это, несомненно, женщина с прошлым. Другие неожиданно открывают всякие достоинства в своих законных мужьях — и это служит им великим утешением. Они выставляют напоказ свое супружеское счастье, как будто оно — самый соблазнительный адюльтер. Некоторые ищут утешения в религии. Таинства религии имеют для них всю прелесть флирта — так мне когда-то сказала одна женщина, и я этому охотно верю. Кроме того, ничто так не льстит женскому тщеславию, как репутация грешницы. Совесть делает всех нас эгоистами... Да, да, счету нет утешениям, которые находят себе женщины в наше время. А я не упомянул еще о самом главном...

— О чем, Гарри? — спросил Дориан рассеянно.

— Ну как же! Самое верное утешение — отбить поклонника у другой, когда теряешь своего. В высшем свете это всегда реабилитирует женщину. Подумайте, Дориан, как непохожа была Сибила Вэйн на тех женщин, каких мы встречаем в жизни! В ее смерти есть что-то удивительно прекрасное. Я рад,

---

[1] Розовато-лиловый *(фр.)*.

living in a century when such wonders happen. They make one believe in the reality of the things we all play with, such as romance, passion, and love."

"I was terribly cruel to her. You forget that."

"I am afraid that women appreciate cruelty, downright cruelty, more than anything else. They have wonderfully primitive instincts. We have emancipated them, but they remain slaves looking for their masters, all the same. They love being dominated. I am sure you were splendid. I have never seen you really and absolutely angry, but I can fancy how delightful you looked. And, after all, you said something to me the day before yesterday that seemed to me at the time to be merely fanciful, but that I see now was absolutely true, and it holds the key to everything."

"What was that, Harry?"

"You said to me that Sibyl Vane represented to you all the heroines of romance — that she was Desdemona one night, and Ophelia the other; that if she died as Juliet, she came to life as Imogen."

"She will never come to life again now," muttered the lad, burying his face in his hands.

"No, she will never come to life. She has played her last part. But you must think of that lonely death in the tawdry dressing-room simply as a strange lurid fragment from some Jacobean tragedy, as a wonderful scene from Webster, or Ford, or Cyril Tourneur. The girl never really lived, and so she has never really died. To you at least she was always a dream, a phan-

что живу в эпоху, когда бывают такие чудеса. Они вселяют в нас веру в существование настоящей любви, страсти, романтических чувств, над которыми мы привыкли только подсмеиваться.

— Я был страшно жесток с ней. Это вы забываете.

— Пожалуй, жестокость, откровенная жестокость женщинам милее всего: в них удивительно сильны первобытные инстинкты. Мы им дали свободу, а они все равно остались рабынями, ищущими себе господина. Они любят покоряться... Я уверен, что вы были великолепны. Никогда не видел вас в сильном гневе, но представляю себе, как вы были интересны! И, наконец, позавчера вы мне сказали одну вещь... тогда я подумал, что это просто ваша фантазия, а сейчас вижу, что вы были абсолютно правы, и этим все объясняется.

— Что я сказал, Гарри?

— Что в Сибиле Вэйн вы видите всех романтических героинь. Один вечер она — Дездемона, другой — Офелия и, умирая Джульеттой, воскресает в образе Имоджены.

— Теперь она уже не воскреснет, — прошептал Дориан, закрывая лицо руками.

— Нет, не воскреснет. Она сыграла свою последнюю роль. Но пусть ее одинокая смерть в жалкой театральной уборной представляется вам как бы необычайным и мрачным отрывком из какой-нибудь трагедии семнадцатого века или сценой из Уэбстера, Форда или Сирила Тернера. Эта девушка, в сущности, не жила — и, значит, не умерла. Для вас, во

tom that flitted through Shakespeare's plays and left them lovelier for its presence, a reed through which Shakespeare's music sounded richer and more full of joy. The moment she touched actual life, she marred it, and it marred her, and so she passed away. Mourn for Ophelia, if you like. Put ashes on your head because Cordelia was strangled. Cry out against Heaven because the daughter of Brabantio died. But don't waste your tears over Sibyl Vane. She was less real than they are."

There was a silence. The evening darkened in the room. Noiselessly, and with silver feet, the shadows crept in from the garden. The colours faded wearily out of things.

After some time Dorian Gray looked up.

"You have explained me to myself, Harry," he murmured with something of a sigh of relief. "I felt all that you have said, but somehow I was afraid of it, and I could not express it to myself. How well you know me! But we will not talk again of what has happened. It has been a marvellous experience. That is all. I wonder if life has still in store for me anything as marvellous."

"Life has everything in store for you, Dorian. There is nothing that you, with your extraordinary good looks, will not be able to do."

"But suppose, Harry, I became haggard, and old, and wrinkled? What then?"

"Ah, then," said Lord Henry, rising to go, "then, my dear Dorian, you would have to fight for your vic-

всяком случае, она была только грезой, видением, промелькнувшим в пьесах Шекспира и сделавшим их еще прекраснее, она была свирелью, придававшей музыке Шекспира еще больше очарования и жизнерадостности. При первом же столкновении с действительной жизнью она была ранена и ушла из мира. Оплакивайте же Офелию, если хотите. Посыпайте голову пеплом, горюя о задушенной Корделии. Кляните небеса за то, что погибла дочь Брабанцио. Но не лейте напрасно слез о Сибиле Вэйн. Она была еще менее реальна, чем они все.

Наступило молчание. Вечерний сумрак окутал комнату. Бесшумно вползли из сада среброногие тени. Медленно выцветали все краски.

Немного погодя Дориан Грей поднял глаза.

— Вы мне помогли понять себя, Гарри, — сказал он тихо, со вздохом, в котором чувствовалось облегчение. — Мне и самому так казалось, но меня это как-то пугало, и я не все умел себе объяснить. Как хорошо вы меня знаете! Но не будем больше говорить о случившемся. Это было удивительное переживание — вот и все. Не знаю, суждено ли мне в жизни испытать еще что-нибудь столь же необыкновенное.

— У вас все впереди, Дориан. При такой красоте для вас нет ничего невозможного.

— А если я стану изможденным, старым, сморщенным? Что тогда?

— Ну, тогда... — Лорд Генри встал, собираясь уходить. — Тогда, мой милый, вам придется бо-

tories. As it is, they are brought to you. No, you must keep your good looks. We live in an age that reads too much to be wise, and that thinks too much to be beautiful. We cannot spare you. And now you had better dress and drive down to the club. We are rather late, as it is."

"I think I shall join you at the opera, Harry. I feel too tired to eat anything. What is the number of your sister's box?"

"Twenty-seven, I believe. It is on the grand tier. You will see her name on the door. But I am sorry you won't come and dine."

"I don't feel up to it," said Dorian listlessly. "But I am awfully obliged to you for all that you have said to me. You are certainly my best friend. No one has ever understood me as you have."

"We are only at the beginning of our friendship, Dorian," answered Lord Henry, shaking him by the hand. "Good-bye. I shall see you before nine-thirty, I hope. Remember, Patti is singing."

As he closed the door behind him, Dorian Gray touched the bell, and in a few minutes Victor appeared with the lamps and drew the blinds down. He waited impatiently for him to go. The man seemed to take an interminable time over everything.

As soon as he had left, he rushed to the screen and drew it back. No; there was no further change in the picture. It had received the news of Sibyl Vane's death before he had known of it himself. It was con-

роться за каждую победу, а сейчас они сами плывут к вам в руки. Нет, нет, вы должны беречь свою красоту. Она нам нужна. В наш век люди слишком много читают, это мешает им быть мудрыми, и слишком много думают, а это мешает им быть красивыми. Ну, однако, вам пора одеваться и ехать в клуб. Мы и так уже опаздываем.

— Лучше я приеду прямо в оперу, Гарри. Я так устал, что мне не хочется есть. Какой номер ложи вашей сестры?

— Кажется, двадцать семь. Она в бельэтаже, и на дверях вы прочтете фамилию сестры. Но очень жаль, Дориан, что вы не хотите со мной пообедать.

— Право, я не в силах, — сказал Дориан устало. — Я вам очень, очень признателен, Гарри, за все, что вы сказали. Знаю, что у меня нет друга вернее. Никто не понимает меня так, как вы.

— И это еще только начало нашей дружбы, — подхватил лорд Генри, пожимая ему руку. — До свиданья. Надеюсь увидеть вас не позднее половины десятого. Помните — поет Патти.

Когда лорд Генри вышел и закрыл за собой дверь, Дориан позвонил, и через несколько минут появился Виктор. Он принес лампы и опустил шторы. Дориан с нетерпением дожидался его ухода. Ему казалось, что слуга сегодня бесконечно долго копается.

Как только Виктор ушел, Дориан Грей подбежал к экрану и отодвинул его. Никаких новых перемен в портрете не произошло. Видно, весть о смерти Сибилы Вэйн дошла до него раньше, чем узнал о ней

scious of the events of life as they occurred. The vicious cruelty that marred the fine lines of the mouth had, no doubt, appeared at the very moment that the girl had drunk the poison, whatever it was. Or was it indifferent to results? Did it merely take cognizance of what passed within the soul? He wondered, and hoped that some day he would see the change taking place before his very eyes, shuddering as he hoped it.

Poor Sibyl! What a romance it had all been! She had often mimicked death on the stage. Then Death himself had touched her and taken her with him. How had she played that dreadful last scene? Had she cursed him, as she died? No; she had died for love of him, and love would always be a sacrament to him now. She had atoned for everything by the sacrifice she had made of her life. He would not think any more of what she had made him go through, on that horrible night at the theatre. When he thought of her, it would be as a wonderful tragic figure sent on to the world's stage to show the supreme reality of love. A wonderful tragic figure? Tears came to his eyes as he remembered her childlike look, and winsome fanciful ways, and shy tremulous grace. He brushed them away hastily and looked again at the picture.

He felt that the time had really come for making his choice. Or had his choice already been made? Yes, life had decided that for him — life, and his own infinite curiosity about life. Eternal youth, infinite passion, pleasures subtle and secret, wild joys and wilder

он, Дориан. Этот портрет узнавал о событиях его жизни, как только они происходили. И злобная жестокость исказила красивый рот в тот самый миг, когда девушка выпила яд. Или, может быть, на портрете отражаются не деяния живого Дориана Грея, а только то, что происходит в его душе? Размышляя об этом, Дориан Грей спрашивал себя: а что, если в один прекрасный день портрет изменится у него на глазах? Он и желал этого, и содрогался при одной мысли об этом.

Бедная Сибила! Как все это романтично! Она часто изображала смерть на сцене, и вот Смерть пришла и унесла ее. Как сыграла Сибила эту последнюю страшную сцену? Проклинала его, умирая? Нет, она умерла от любви к нему, и отныне Любовь будет всегда для него святыней. Сибила, отдав жизнь, все этим искупила. Он не станет больше вспоминать, сколько он из-за нее выстрадал в тот ужасный вечер в театре. Она останется в его памяти как дивный трагический образ, посланный на великую арену жизни, чтобы явить миру высшую сущность Любви. Дивный трагический образ? При воспоминании о детском личике Сибилы, о ее пленительной живости и застенчивой грации Дориан почувствовал на глазах слезы. Он торопливо смахнул их и снова посмотрел на портрет.

Он говорил себе, что настало время сделать выбор. Или выбор уже сделан? Да, сама жизнь решила за него — жизнь и его безграничный интерес к ней. Вечная молодость, неутолимая страсть, наслаждения утонченные и запретные, безумие сча-

sins — he was to have all these things. The portrait was to bear the burden of his shame: that was all.

A feeling of pain crept over him as he thought of the desecration that was in store for the fair face on the canvas. Once, in boyish mockery of Narcissus, he had kissed, or feigned to kiss, those painted lips that now smiled so cruelly at him. Morning after morning he had sat before the portrait wondering at its beauty, almost enamoured of it, as it seemed to him at times. Was it to alter now with every mood to which he yielded? Was it to become a monstrous and loathsome thing, to be hidden away in a locked room, to be shut out from the sunlight that had so often touched to brighter gold the waving wonder of its hair? The pity of it! the pity of it!

For a moment, he thought of praying that the horrible sympathy that existed between him and the picture might cease. It had changed in answer to a prayer; perhaps in answer to a prayer it might remain unchanged.

And yet, who, that knew anything about life, would surrender the chance of remaining always young, however fantastic that chance might be, or with what fateful consequences it might be fraught? Besides, was it really under his control? Had it indeed been prayer that had produced the substitution? Might there not be some curious scientific reason for it all? If thought could exercise its influence upon a living organism, might not thought exercise an influ-

стья и еще более исступленное безумие греха — все будет ему дано, все он должен изведать! А портрет пусть несет бремя его позора — вот и все.

На миг он ощутил боль в сердце при мысли, что прекрасное лицо на портрете будет обезображено. Как-то раз он, дурашливо подражая Нарциссу, поцеловал — вернее, сделал вид, что целует эти нарисованные губы, которые сейчас так зло усмехались ему. Каждое утро он подолгу простаивал перед портретом, любуясь им. Иногда он чувствовал, что почти влюблен в него. И неужели же теперь каждая слабость, которой он, Дориан, поддастся, будет отражаться на этом портрете? Неужели он станет чудовищно безобразным и его придется прятать под замок, вдали от солнца, которое так часто золотило его чудесные кудри? Как жаль! Как жаль!

Одну минуту Дориану Грею хотелось помолиться о том, чтобы исчезла эта сверхъестественная связь между ним и портретом. Перемена в портрете возникла потому, что он когда-то пожелал этого, — так, быть может, после новой молитвы портрет перестанет меняться?

Но... Разве человек, хоть немного узнавший жизнь, откажется от возможности остаться вечно молодым, как бы ни была эфемерна эта возможность и какими бы роковыми последствиями она ни грозила? Притом — разве это действительно в его власти? Разве и в самом деле его мольба вызвала такую перемену? Не объясняется ли эта перемена какими-то неведомыми законами науки? Если мысль способна влиять на живой организм, так,

ence upon dead and inorganic things? Nay, without thought or conscious desire, might not things external to ourselves vibrate in unison with our moods and passions, atom calling to atom in secret love or strange affinity? But the reason was of no importance. He would never again tempt by a prayer any terrible power. If the picture was to alter, it was to alter. That was all. Why inquire too closely into it?

For there would be a real pleasure in watching it. He would be able to follow his mind into its secret places. This portrait would be to him the most magical of mirrors. As it had revealed to him his own body, so it would reveal to him his own soul. And when winter came upon it, he would still be standing where spring trembles on the verge of summer. When the blood crept from its face, and left behind a pallid mask of chalk with leaden eyes, he would keep the glamour of boyhood. Not one blossom of his loveliness would ever fade. Not one pulse of his life would ever weaken. Like the gods of the Greeks, he would be strong, and fleet, and joyous. What did it matter what happened to the coloured image on the canvas? He would be safe. That was everything.

быть может, она оказывает действие и на мертвые, неодушевленные предметы? Более того, даже без участия нашей мысли или сознательной воли не может ли то, что вне нас, звучать в унисон с нашими настроениями и чувствами и атом — стремиться к атому под влиянием какого-то таинственного тяготения или удивительного сродства?.. Впрочем, не все ли равно, какова причина? Никогда больше он не станет призывать на помощь какие-то страшные, неведомые силы. Если портрету суждено меняться, пусть меняется. Зачем так глубоко в это вдумываться?

Ведь наблюдать этот процесс будет истинным наслаждением! Портрет даст ему возможность изучать самые сокровенные свои помыслы. Портрет станет для него волшебным зеркалом. В этом зеркале он когда-то впервые по-настоящему увидел свое лицо, а теперь увидит свою душу. И когда для его двойника на полотне наступит зима, он, живой Дориан Грей, будет все еще оставаться на волнующе-прекрасной грани весны и лета. Когда с лица на портрете сойдут краски и оно станет мертвенной меловой маской с оловянными глазами, лицо живого Дориана будет по-прежнему сохранять весь блеск юности. Да, цвет его красоты не увянет, пульс жизни никогда не ослабнет. Подобно греческим богам, он будет вечно сильным, быстроногим и жизнерадостным. Не все ли равно, что станется с его портретом? Самому-то ему ничто не угрожает, а только это и важно.

He drew the screen back into its former place in front of the picture, smiling as he did so, and passed into his bedroom, where his valet was already waiting for him. An hour later he was at the opera, and Lord Henry was leaning over his chair.

Chapter IX

As he was sitting at breakfast next morning, Basil Hallward was shown into the room.

"I am so glad I have found you, Dorian," he said gravely. "I called last night, and they told me you were at the opera. Of course, I knew that was impossible. But I wish you had left word where you had really gone to. I passed a dreadful evening, half afraid that one tragedy might be followed by another. I think you might have telegraphed for me when you heard of it first. I read of it quite by chance in a late edition of The Globe that I picked up at the club. I came here at once and was miserable at not finding you. I can't tell you how heart-broken I am about the whole thing. I know what you must suffer. But where were you? Did you go down and see the girl's mother? For a moment I thought of following you there. They gave the address in the paper. Somewhere in the Euston Road, isn't it? But I was afraid of intruding upon a sorrow that I could not lighten. Poor woman! What a state she must be in! And her only child, too! What did she say about it all?"

Дориан Грей, улыбаясь, поставил экран на прежнее место перед портретом и пошел в спальню, где его ждал камердинер. Через час он был уже в опере, и лорд Генри сидел позади, облокотясь на его кресло.

Глава IX

На другое утро, когда Дориан сидел за завтраком, пришел Бэзил Холлуорд.

— Я очень рад, что застал вас, Дориан, — сказал он серьезным тоном. — Я заходил вчера вечером, но мне сказали, что вы в опере. Разумеется, я не поверил и жалел, что не знаю, где вы находитесь. Я весь вечер ужасно тревожился и, признаться, даже боялся, как бы за одним несчастьем не последовало второе. Вам надо было вызвать меня телеграммой, как только вы узнали... Я прочел об этом случайно в вечернем выпуске «Глобуса», который попался мне под руку в клубе... Тотчас поспешил к вам, да, к моему великому огорчению, не застал вас дома. И сказать вам не могу, до чего меня потрясло это несчастье! Понимаю, как вам тяжело... А где вы вчера были? Вероятно, ездили к матери? В первую минуту я хотел поехать туда вслед за вами — адрес я узнал из газеты. Это, помнится, где-то на Юстон-роуд? Но я побоялся, что буду там лишний, — чем можно облегчить такое горе? Несчастная мать! Воображаю, в каком она состоянии! Ведь это ее единственная дочь? Что она говорила?

"My dear Basil, how do I know?" murmured Dorian Gray, sipping some pale-yellow wine from a delicate, gold-beaded bubble of Venetian glass and looking dreadfully bored. "I was at the opera. You should have come on there. I met Lady Gwendolen, Harry's sister, for the first time. We were in her box. She is perfectly charming; and Patti sang divinely. Don't talk about horrid subjects. If one doesn't talk about a thing, it has never happened. It is simply expression, as Harry says, that gives reality to things. I may mention that she was not the woman's only child. There is a son, a charming fellow, I believe. But he is not on the stage. He is a sailor, or something. And now, tell me about yourself and what you are painting."

"You went to the opera?" said Hallward, speaking very slowly and with a strained touch of pain in his voice. "You went to the opera while Sibyl Vane was lying dead in some sordid lodging? You can talk to me of other women being charming, and of Patti singing divinely, before the girl you loved has even the quiet of a grave to sleep in? Why, man, there are horrors in store for that little white body of hers!"

"Stop, Basil! I won't hear it!" cried Dorian, leaping to his feet. "You must not tell me about things. What is done is done. What is past is past."

"You call yesterday the past?"

— Мой милый Бэзил, откуда мне знать? — процедил Дориан Грей с недовольным и скучающим видом, потягивая желтоватое вино из красивого, усеянного золотыми бусинками венецианского бокала. — Я был в опере. Напрасно и вы туда не приехали. Я познакомился вчера с сестрой Гарри, леди Гвендолен, мы сидели у нее в ложе. Обворожительная женщина! И Патти пела божественно. Не будем говорить о неприятном. О чем не говоришь, того как будто и не было. Вот и Гарри всегда твердит, что только слова придают реальность явлениям. Ну а что касается матери Сибилы... Она не одна, у нее есть еще сын, и, кажется, славный малый. Но он не актер. Он моряк или что-то в этом роде. Ну, расскажите-ка лучше о себе. Что вы сейчас пишете?

— Вы... были... в опере? — с расстановкой переспросил Бэзил, и в его изменившемся голосе слышалось глубокое огорчение. — Вы поехали в оперу в то время, как Сибила Вэйн лежала мертвая в какой-то грязной каморке? Вы можете говорить о красоте других женщин и о божественном пении Патти, когда девушка, которую вы любили, еще даже не обрела покой в могиле? Эх, Дориан, вы бы хоть подумали о тех ужасах, которые еще предстоит пройти ее бедному маленькому телу!

— Перестаньте, Бэзил! Я не хочу ничего слушать! — крикнул Дориан и вскочил. — Не говорите больше об этом. Что было, то было. Что прошло, то уже прошлое.

— Вчерашний день для вас уже прошлое?

"What has the actual lapse of time got to do with it? It is only shallow people who require years to get rid of an emotion. A man who is master of himself can end a sorrow as easily as he can invent a pleasure. I don't want to be at the mercy of my emotions. I want to use them, to enjoy them, and to dominate them."

"Dorian, this is horrible! Something has changed you completely. You look exactly the same wonderful boy who, day after day, used to come down to my studio to sit for his picture. But you were simple, natural, and affectionate then. You were the most unspoiled creature in the whole world. Now, I don't know what has come over you. You talk as if you had no heart, no pity in you. It is all Harry's influence. I see that."

The lad flushed up and, going to the window, looked out for a few moments on the green, flickering, sun-lashed garden.

"I owe a great deal to Harry, Basil," he said at last, "more than I owe to you. You only taught me to be vain."

"Well, I am punished for that, Dorian — or shall be some day."

"I don't know what you mean, Basil," he exclaimed, turning round. "I don't know what you want. What do you want?"

"I want the Dorian Gray I used to paint," said the artist sadly.

— При чем тут время? Только людям ограниченным нужны годы, чтобы отделаться от какого-нибудь чувства или впечатления. А человек, умеющий собой владеть, способен покончить с печалью так же легко, как найти новую радость. Я не желаю быть рабом своих переживаний. Я хочу ими насладиться, извлечь из них все, что можно. Хочу властвовать над своими чувствами.

— Дориан, это ужасно! Что-то сделало вас совершенно другим человеком. На вид вы все тот же славный мальчик, что каждый день приходил ко мне в мастерскую позировать. Но тогда вы были простодушны, непосредственны и добры, вы были самый неиспорченный юноша на свете. А сейчас... Не понимаю, что на вас нашло! Вы рассуждаете, как человек без сердца, не знающий жалости. Все это — влияние Гарри. Теперь мне ясно...

Дориан покраснел и, отойдя к окну, с минуту смотрел на зыбкое море зелени в облитом солнцем саду.

— Я обязан Гарри многим, — сказал он наконец. — Больше, чем вам, Бэзил. Вы только разбудили во мне тщеславие.

— Что же, я за это уже наказан, Дориан... или буду когда-нибудь наказан.

— Не понимаю я ваших слов, Бэзил, — воскликнул Дориан, обернувшись. — И не знаю, чего вы от меня хотите. Ну скажите, что вам нужно?

— Мне нужен тот Дориан Грей, которого я писал, — с грустью ответил художник.

"Basil," said the lad, going over to him and putting his hand on his shoulder, "you have come too late. Yesterday, when I heard that Sibyl Vane had killed herself—"

"Killed herself! Good heavens! is there no doubt about that?" cried Hallward, looking up at him with an expression of horror.

"My dear Basil! Surely you don't think it was a vulgar accident? Of course she killed herself."

The elder man buried his face in his hands.

"How fearful," he muttered, and a shudder ran through him.

"No," said Dorian Gray, "there is nothing fearful about it. It is one of the great romantic tragedies of the age. As a rule, people who act lead the most commonplace lives. They are good husbands, or faithful wives, or something tedious. You know what I mean — middle-class virtue and all that kind of thing. How different Sibyl was! She lived her finest tragedy. She was always a heroine. The last night she played — the night you saw her — she acted badly because she had known the reality of love. When she knew its unreality, she died, as Juliet might have died. She passed again into the sphere of art. There is something of the martyr about her. Her death has all the pathetic uselessness of martyrdom, all its wasted beauty.

But, as I was saying, you must not think I have not suffered. If you had come in yesterday at a par-

— Бэзил, — Дориан подошел и положил ему руку на плечо, — вы пришли слишком поздно. Вчера, когда я узнал, что Сибила покончила с собой...

— Покончила с собой! Господи помилуй! Неужели? — ахнул Холлуорд, в ужасе глядя на Дориана.

— А вы думали, мой друг, что это просто несчастный случай? Конечно нет! Она лишила себя жизни.

Художник закрыл лицо руками.

— Это страшно! — прошептал он, вздрогнув.

— Нет, — возразил Дориан Грей. — Ничего в этом нет страшного. Это — одна из великих романтических трагедий нашего времени. Обыкновенные актеры, как правило, ведут жизнь самую банальную. Все они — примерные мужья или примерные жены, — словом, скучные люди. Понимаете — мещанская добродетель и все такое. Как непохожа на них была Сибила! Она пережила величайшую трагедию. Она всегда оставалась героиней. В последний вечер, тот вечер, когда вы видели ее на сцене, она играла плохо оттого, что узнала любовь настоящую. А когда мечта оказалась несбыточной, она умерла, как умерла некогда Джульетта. Она снова перешла из жизни в сферы искусства. Ее окружает ореол мученичества. Да, в ее смерти — весь пафос напрасного мученичества, вся его бесполезная красота...

Однако не думайте, Бэзил, что я не страдал. Вчера был такой момент... Если бы вы пришли

ticular moment — about half-past five, perhaps, or a quarter to six — you would have found me in tears. Even Harry, who was here, who brought me the news, in fact, had no idea what I was going through. I suffered immensely. Then it passed away. I cannot repeat an emotion. No one can, except sentimentalists. And you are awfully unjust, Basil. You come down here to console me. That is charming of you. You find me consoled, and you are furious. How like a sympathetic person! You remind me of a story Harry told me about a certain philanthropist who spent twenty years of his life in trying to get some grievance redressed, or some unjust law altered — I forget exactly what it was. Finally he succeeded, and nothing could exceed his disappointment. He had absolutely nothing to do, almost died of ennui, and became a confirmed misanthrope. And besides, my dear old Basil, if you really want to console me, teach me rather to forget what has happened, or to see it from a proper artistic point of view. Was it not Gautier who used to write about la consolation des arts?

I remember picking up a little vellum-covered book in your studio one day and chancing on that delightful phrase. Well, I am not like that young man you told me of when we were down at Marlow together, the young man who used to say that yellow satin could console one for all the miseries of life. I love beautiful things that one can touch and handle. Old brocades,

около половины шестого... или без четверти шесть, вы застали бы меня в слезах. Даже Гарри — он-то и принес мне эту весть — не подозревает, что я пережил. Я страдал ужасно. А потом это прошло. Не могу я то же чувство переживать снова. И никто не может, кроме очень сентиментальных людей. Вы ужасно несправедливы ко мне, Бэзил. Вы пришли меня утешать, это очень мило с вашей стороны. Но застали меня уже утешившимся — и злитесь. Вот оно, людское сочувствие! Я вспоминаю анекдот, рассказанный Гарри, про одного филантропа, который двадцать лет жизни потратил на борьбу с какими-то злоупотреблениями или несправедливым законом — я забыл уже, с чем именно. В конце концов он добился своего — и тут наступило жестокое разочарование. Ему больше решительно нечего было делать, он умирал со скуки и превратился в убежденного мизантропа. Так-то, дорогой друг! Если вы действительно хотите меня утешить, научите, как забыть то, что случилось, или смотреть на это глазами художника. Кажется, Готье писал об утешении, которое мы находим в искусстве?

Помню, однажды у вас в мастерской мне попалась под руку книжечка в веленевой обложке, и, листая ее, я наткнулся на это замечательное выражение: la consolation des arts[1]. Право, я нисколько не похож на того молодого человека, про которого вы мне рассказывали, когда мы вместе ездили в Марло. Он уверял, что желтый атлас может служить

[1] Утешение в искусстве *(фр.)*.

green bronzes, lacquer-work, carved ivories, exquisite surroundings, luxury, pomp — there is much to
be got from all these. But the artistic temperament
that they create, or at any rate reveal, is still more
to me. To become the spectator of one's own life, as
Harry says, is to escape the suffering of life. I know
you are surprised at my talking to you like this.
You have not realized how I have developed. I was a
schoolboy when you knew me. I am a man now. I have
new passions, new thoughts, new ideas. I am different, but you must not like me less. I am changed, but
you must always be my friend. Of course, I am very
fond of Harry. But I know that you are better than he
is. You are not stronger — you are too much afraid of
life — but you are better. And how happy we used to
be together! Don't leave me, Basil, and don't quarrel
with me. I am what I am. There is nothing more to
be said."

The painter felt strangely moved. The lad was infinitely dear to him, and his personality had been the
great turning point in his art. He could not bear the
idea of reproaching him any more. After all, his indifference was probably merely a mood that would pass
away. There was so much in him that was good, so
much in him that was noble.

человеку утешением во всех жизненных невзгодах. Я люблю красивые вещи, которые можно трогать, держать в руках. Старинная парча, зеленая бронза, изделия из слоновой кости, красивое убранство комнат, роскошь, пышность — все это доставляет столько удовольствия! Но для меня всего ценнее тот инстинкт художника, который они порождают или хотя бы выявляют в человеке. Стать, как говорит Гарри, зрителем собственной жизни — это значит уберечь себя от земных страданий. Знаю, вас удивят такие речи. Вы еще не уяснили себе, насколько я созрел. Когда мы познакомились, я был мальчик, сейчас я — мужчина. У меня появились новые увлечения, новые мысли и взгляды. Да, я стал другим, однако я не хочу, Бэзил, чтобы вы меня за это разлюбили. Я переменился, но вы должны навсегда остаться моим другом. Конечно, я очень люблю Гарри. Но я знаю, что вы лучше его. Вы не такой сильный человек, как он, потому что слишком боитесь жизни, но вы лучше. И как нам бывало хорошо вместе! Не оставляйте же меня, Бэзил, и не спорьте со мной. Я таков, какой я есть, — ничего с этим не поделаешь.

Холлуорд был невольно тронут. Этот юноша был ему бесконечно дорог, и знакомство с ним стало как бы поворотным пунктом в его творчестве художника. У него не хватило духу снова упрекать Дориана, и он утешался мыслью, что черствость этого мальчика — лишь минутное настроение. Ведь у Дориана так много хороших черт, так много в нем благородства!

"Well, Dorian," he said at length, with a sad smile, "I won't speak to you again about this horrible thing, after to-day. I only trust your name won't be mentioned in connection with it. The inquest is to take place this afternoon. Have they summoned you?"

Dorian shook his head, and a look of annoyance passed over his face at the mention of the word "inquest." There was something so crude and vulgar about everything of the kind.

"They don't know my name," he answered.

"But surely she did?"

"Only my Christian name, and that I am quite sure she never mentioned to any one. She told me once that they were all rather curious to learn who I was, and that she invariably told them my name was Prince Charming. It was pretty of her. You must do me a drawing of Sibyl, Basil. I should like to have something more of her than the memory of a few kisses and some broken pathetic words."

"I will try and do something, Dorian, if it would please you. But you must come and sit to me yourself again. I can't get on without you."

"I can never sit to you again, Basil. It is impossible!" he exclaimed, starting back.

The painter stared at him.

"My dear boy, what nonsense!" he cried. "Do you mean to say you don't like what I did of you? Where is it? Why have you pulled the screen in front of it? Let

— Ну хорошо, Дориан, — промолвил он наконец с грустной улыбкой. — Не стану больше говорить об этой страшной истории. И хочу надеяться, что ваше имя не будет связано с нею. Следствие назначено на сегодня. Вас не вызывали?

Дориан отрицательно покачал головой и досадливо поморщился при слове «следствие». Он находил, что во всех этих подробностях есть что-то грубое, пошлое.

— Моя фамилия там никому не известна, — пояснил он.

— Но девушка-то, наверное, ее знала?

— Нет, только имя. И потом я совершенно уверен, что она не называла его никому. Она мне рассказывала, что в театре все очень интересуются, кто я такой, но на их вопросы она отвечает только, что меня зовут Прекрасный Принц. Это очень трогательно, правда? Нарисуйте мне Сибилу, Бэзил. Мне хочется сохранить на память о ней нечто большее, чем воспоминания о нескольких поцелуях и нежных словах.

— Ладно, попробую, Дориан, если вам этого так хочется. Но вы и сами снова должны мне позировать. Я не могу обойтись без вас.

— Никогда больше я не буду вам позировать, Бэзил. Это невозможно! — почти крикнул Дориан, отступая.

Художник удивленно посмотрел на него.

— Это еще что за фантазия, Дориан? Неужели вам не нравится портрет, который я написал? А кстати, где он? Зачем его заслонили экраном?

me look at it. It is the best thing I have ever done. Do take the screen away, Dorian. It is simply disgraceful of your servant hiding my work like that. I felt the room looked different as I came in."

"My servant has nothing to do with it, Basil. You don't imagine I let him arrange my room for me? He settles my flowers for me sometimes — that is all. No; I did it myself. The light was too strong on the portrait."

"Too strong! Surely not, my dear fellow? It is an admirable place for it. Let me see it."

And Hallward walked towards the corner of the room.

A cry of terror broke from Dorian Gray's lips, and he rushed between the painter and the screen.

"Basil," he said, looking very pale, "you must not look at it. I don't wish you to."

"Not look at my own work! You are not serious. Why shouldn't I look at it?" exclaimed Hallward, laughing.

"If you try to look at it, Basil, on my word of honour I will never speak to you again as long as I live. I am quite serious. I don't offer any explanation, and you are not to ask for any. But, remember, if you touch this screen, everything is over between us."

Hallward was thunderstruck. He looked at Dorian Gray in absolute amazement. He had never seen him like this before. The lad was actually pallid with rage.

Я хочу на него взглянуть. Ведь это моя лучшая работа. Уберите-ка ширму, Дориан. Какого черта ваш лакей вздумал запрятать портрет в угол? То-то я, как вошел, сразу почувствовал, что в комнате чего-то недостает.

— Мой лакей тут ни при чем, Бэзил. Неужели вы думаете, что я позволю ему по своему вкусу переставлять вещи в комнатах? Он только цветы иногда выбирает для меня — и больше ничего. А экран перед портретом я сам поставил: в этом месте слишком резкое освещение.

— Слишком резкое? Не может быть, мой милый. По-моему, самое подходящее. Дайте-ка взглянуть.

И Холлуорд направился в тот угол, где стоял портрет.

Крик ужаса вырвался у Дориана. Одним скачком опередив Холлуорда, он стал между ним и экраном.

— Бэзил, — сказал он, страшно побледнев, — не смейте! Я не хочу, чтобы вы на него смотрели.

— Вы шутите! Мне запрещается смотреть на мое собственное произведение? Это еще почему? — воскликнул Холлуорд со смехом.

— Только попытайтесь, Бэзил, — и даю вам слово, что на всю жизнь перестану с вами встречаться. Я говорю совершенно серьезно. Объяснять ничего не буду, и вы меня ни о чем не спрашивайте. Но знайте — если вы тронете экран, между нами все кончено.

Холлуорд стоял как громом пораженный и во все глаза смотрел на Дориана. Никогда еще он не видел его таким: лицо Дориана побледнело от гне-

His hands were clenched, and the pupils of his eyes were like disks of blue fire. He was trembling all over.

"Dorian!"

"Don't speak!"

"But what is the matter? Of course I won't look at it if you don't want me to," he said, rather coldly, turning on his heel and going over towards the window. "But, really, it seems rather absurd that I shouldn't see my own work, especially as I am going to exhibit it in Paris in the autumn. I shall probably have to give it another coat of varnish before that, so I must see it some day, and why not to-day?"

"To exhibit it! You want to exhibit it?" exclaimed Dorian Gray, a strange sense of terror creeping over him. Was the world going to be shown his secret? Were people to gape at the mystery of his life? That was impossible. Something — he did not know what — had to be done at once.

"Yes; I don't suppose you will object to that. Georges Petit is going to collect all my best pictures for a special exhibition in the Rue de Seze, which will open the first week in October. The portrait will only be away a month. I should think you could easily spare it for that time. In fact, you are sure to be out of town. And if you keep it always behind a screen, you can't care much about it."

ва, руки были сжаты в кулаки, зрачки метали синие молнии. Он весь дрожал.

— Дориан!

— Молчите, Бэзил!

— Господи, да что это с вами? Не хотите, так я, разумеется, не стану смотреть, — сказал художник довольно сухо и, круто повернувшись, отошел к окну. — Но это просто дико — запрещать мне смотреть на мою собственную картину! Имейте в виду, осенью я хочу послать ее в Париж на выставку, и, наверное, понадобится перед этим заново покрыть ее лаком. Значит, осмотреть ее я все равно должен, — так почему бы не сделать этого сейчас?

— На выставку? Вы хотите ее выставить? — переспросил Дориан Грей, чувствуя, как в душу его закрадывается безумный страх. Значит, все узнают его тайну? Люди будут с любопытством глазеть на самое сокровенное в его жизни? Немыслимо! Что-то надо тотчас же сделать, как-то это предотвратить. Но как?

— Да, в Париже. Надеюсь, против этого вы не станете возражать? — говорил между тем художник. — Жорж Пти намерен собрать все мои лучшие работы и устроить специальную выставку на улице Сэз. Откроется она в первых числах октября. Портрет увезут не более как на месяц. Думаю, что вы вполне можете на такое короткое время с ним расстаться. Как раз в эту пору вас тоже не будет в Лондоне. И потом — если вы держите его за ширмой, значит, не так уж дорожите им.

Dorian Gray passed his hand over his forehead. There were beads of perspiration there. He felt that he was on the brink of a horrible danger.

"You told me a month ago that you would never exhibit it," he cried. "Why have you changed your mind? You people who go in for being consistent have just as many moods as others have. The only difference is that your moods are rather meaningless. You can't have forgotten that you assured me most solemnly that nothing in the world would induce you to send it to any exhibition. You told Harry exactly the same thing."

He stopped suddenly, and a gleam of light came into his eyes. He remembered that Lord Henry had said to him once, half seriously and half in jest, "If you want to have a strange quarter of an hour, get Basil to tell you why he won't exhibit your picture. He told me why he wouldn't, and it was a revelation to me." Yes, perhaps Basil, too, had his secret. He would ask him and try.

"Basil," he said, coming over quite close and looking him straight in the face, "we have each of us a secret. Let me know yours, and I shall tell you mine. What was your reason for refusing to exhibit my picture?"

The painter shuddered in spite of himself.

"Dorian, if I told you, you might like me less than you do, and you would certainly laugh at me. I could not bear your doing either of those two things. If you wish me never to look at your picture again, I am content. I have always you to look at. If you wish the best work I have ever done to be hidden from the world,

Дориан Грей провел рукой по лбу, покрытому крупными каплями пота. Он чувствовал себя на краю гибели.

— Но всего лишь месяц назад вы говорили, что ни за что его не выставите! Почему же вы передумали? Вы из тех людей, которые гордятся своим постоянством, а на самом деле и у вас все зависит от настроения. Разница только та, что эти ваши настроения — просто необъяснимые прихоти. Вы торжественно уверяли меня, что ни за что на свете не пошлете мой портрет на выставку, — вы это, конечно, помните? И Гарри вы говорили то же самое.

Дориан вдруг умолк, и в глазах его блеснул огонек. Он вспомнил, как лорд Генри сказал полушутя: «Если хотите провести презанятные четверть часа, заставьте Бэзила объяснить вам, почему он не хочет выставлять ваш портрет. Мне он это рассказал, и для меня это было настоящим откровением». Ага, так, может быть, и у Бэзила есть своя тайна! Надо выведать ее.

— Бэзил, — начал он, подойдя к Холлуорду очень близко и глядя в глаза, — у каждого из нас есть свой секрет. Откройте мне ваш, и я вам открою свой. Почему вы не хотели выставлять мой портрет?

Художник вздрогнул и невольно отступил.

— Дориан, если я вам это скажу, вы непременно посмеетесь надо мной и, пожалуй, будете меньше любить меня. А с этим я не мог бы примириться. Раз вы требуете, чтобы я не пытался больше увидеть ваш портрет, пусть будет так. Ведь у меня остаетесь вы, — я смогу всегда видеть вас. Вы хотите

I am satisfied. Your friendship is dearer to me than any fame or reputation."

"No, Basil, you must tell me," insisted Dorian Gray. "I think I have a right to know."

His feeling of terror had passed away, and curiosity had taken its place. He was determined to find out Basil Hallward's mystery.

"Let us sit down, Dorian," said the painter, looking troubled. "Let us sit down. And just answer me one question. Have you noticed in the picture something curious?—something that probably at first did not strike you, but that revealed itself to you suddenly?"

"Basil!" cried the lad, clutching the arms of his chair with trembling hands and gazing at him with wild startled eyes.

"I see you did. Don't speak. Wait till you hear what I have to say. Dorian, from the moment I met you, your personality had the most extraordinary influence over me. I was dominated, soul, brain, and power, by you. You became to me the visible incarnation of that unseen ideal whose memory haunts us artists like an exquisite dream. I worshipped you. I grew jealous of every one to whom you spoke. I wanted to have you all to myself. I was only happy when I was with you. When you were away from me, you were still present in my art... Of course, I never let you know anything about this. It would have been impossible. You would not have understood it. I hardly understood it myself. I only knew that I had seen perfection face to

скрыть от всех лучшее, что я создал в жизни? Ну что ж, я согласен. Ваша дружба мне дороже славы.

— Нет, вы все-таки ответьте на мой вопрос, Бэзил, — настаивал Дориан Грей. — Мне кажется, я имею право знать.

Страх его прошел и сменился любопытством. Он твердо решил узнать тайну Холлуорда.

— Сядемте, Дориан, — сказал тот, не умея скрыть своего волнения. — И прежде всего ответьте мне на один вопрос. Вы не приметили в портрете ничего особенного? Ничего такого, что сперва, быть может, в глаза не бросалось, но потом внезапно открылось вам?

— Ох, Бэзил! — вскрикнул Дориан, дрожащими руками сжимая подлокотники кресла и в диком испуге глядя на художника.

— Вижу, что заметили. Не надо ничего говорить, Дориан, сначала выслушайте меня. С первой нашей встречи я был словно одержим вами. Вы имели какую-то непонятную власть над моей душой, мозгом, талантом, были для меня воплощением того идеала, который всю жизнь витал перед художником как дивная мечта. Я обожал вас. Стоило вам заговорить с кем-нибудь, — и я уже ревновал к нему. Я хотел сохранить вас для себя одного и чувствовал себя счастливым, только когда вы бывали со мной. И даже если вас не было рядом, вы незримо присутствовали в моем воображении, когда я творил. Конечно, я никогда, ни единым словом не обмолвился об этом — ведь вы ничего не поняли бы. Да я и сам

face, and that the world had become wonderful to my eyes — too wonderful, perhaps, for in such mad worships there is peril, the peril of losing them, no less than the peril of keeping them...

Weeks and weeks went on, and I grew more and more absorbed in you. Then came a new development. I had drawn you as Paris in dainty armour, and as Adonis with huntsman's cloak and polished boar-spear. Crowned with heavy lotus-blossoms you had sat on the prow of Adrian's barge, gazing across the green turbid Nile. You had leaned over the still pool of some Greek woodland and seen in the water's silent silver the marvel of your own face. And it had all been what art should be — unconscious, ideal, and remote. One day, a fatal day I sometimes think, I determined to paint a wonderful portrait of you as you actually are, not in the costume of dead ages, but in your own dress and in your own time. Whether it was the realism of the method, or the mere wonder of your own personality, thus directly presented to me without mist or veil, I cannot tell. But I know that as I worked at it, every flake and film of colour seemed to me to reveal my secret. I grew afraid that others would know of my idolatry. I felt, Dorian, that I had told too much, that I had put too much of myself into it. Then it was that I resolved never to allow the picture to be exhibited. You were a little annoyed; but then you did not realize all that it meant to me. Harry, to whom I talked about it, laughed at me. But I did not mind that. When the picture was finished, and I sat alone with it, I felt that I was right...

не очень-то понимал это. Я чувствовал только, что вижу перед собой совершенство, и оттого мир представлялся мне чудесным, — пожалуй, слишком чудесным, ибо такие восторги души опасны. Не знаю, что страшнее — власть их над душой или их утрата.

Проходили недели, а я был все так же или еще больше одержим вами. Наконец мне пришла в голову новая идея. Я уже ранее написал вас Парисом в великолепных доспехах и Адонисом в костюме охотника, со сверкающим копьем в руках. В венке из тяжелых цветов лотоса вы сидели на носу корабля императора Адриана и глядели на мутные волны зеленого Нила. Вы склонялись над озером в одной из рощ Греции, любуясь чудом своей красоты в недвижном серебре его тихих вод. Эти образы создавались интуитивно, как того требует наше искусство, были идеальны, далеки от действительности. Но в один прекрасный день, — роковой день, как мне кажется иногда, — я решил написать ваш портрет, написать вас таким, какой вы есть, не в костюме прошлых веков, а в обычной вашей одежде и в современной обстановке. И вот... Не знаю, что сыграло тут роль, реалистическая манера письма или обаяние вашей индивидуальности, которая предстала предо мной теперь непосредственно, ничем не замаскированная, — но, когда я писал, мне казалось, что каждый мазок, каждый удар кисти все больше раскрывает мою тайну. И я боялся, что, увидев портрет, люди поймут, как я боготворю вас, Дориан. Я чувствовал, что в этом портрете выразил слишком много, вложил в него слишком много себя. Вот тогда-то я и решил ни за что не выставлять его.

Well, after a few days the thing left my studio, and as soon as I had got rid of the intolerable fascination of its presence, it seemed to me that I had been foolish in imagining that I had seen anything in it, more than that you were extremely good-looking and that I could paint. Even now I cannot help feeling that it is a mistake to think that the passion one feels in creation is ever really shown in the work one creates. Art is always more abstract than we fancy. Form and colour tell us of form and colour — that is all. It often seems to me that art conceals the artist far more completely than it ever reveals him.

And so when I got this offer from Paris, I determined to make your portrait the principal thing in my exhibition. It never occurred to me that you would refuse. I see now that you were right. The picture cannot be shown. You must not be angry with me, Dorian, for what I have told you. As I said to Harry, once, you are made to be worshipped."

Dorian Gray drew a long breath. The colour came back to his cheeks, and a smile played about his lips. The peril was over. He was safe for the time. Yet he could not help feeling infinite pity for the painter who had just made this strange confession to him, and wondered if he himself would ever be so dominated by the personality of a friend. Lord Henry had

Вам было досадно — ведь вы не подозревали, какие у меня на то серьезные причины. А Гарри, когда я заговорил с ним об этом, высмеял меня. Ну да это меня ничуть не задело. Когда портрет был окончен, я, глядя на него, почувствовал, что я прав...

А через несколько дней он был увезен из моей мастерской, и, как только я освободился от его неодолимых чар, мне показалось, что все это лишь моя фантазия, что в портрете люди увидят только вашу удивительную красоту и мой талант художника, больше ничего. Даже и сейчас мне кажется, что я заблуждался, что чувства художника не отражаются в его творении. Искусство гораздо абстрактнее, чем мы думаем. Форма и краски говорят нам лишь о форме и красках — и больше ни о чем. Мне часто приходит в голову, что искусство в гораздо большей степени скрывает художника, чем раскрывает его...

Поэтому, когда я получил предложение из Парижа, я решил, что ваш портрет будет гвоздем моей выставки. Мог ли я думать, что вы станете возражать? Ну а теперь я вижу, что вы правы, портрет выставлять не следует. Не сердитесь на меня, Дориан. Перед вами нельзя не преклоняться — вы созданы для этого. Я так и сказал тогда Гарри.

Дориан Грей с облегчением перевел дух. Щеки его снова порозовели. Губы улыбались. Опасность миновала. Пока ему ничто не грозит! Он невольно испытывал глубокую жалость к художнику, сделавшему ему такое странное признание, и спрашивал себя, способен ли и он когда-нибудь оказаться всецело во власти чужой души? К лорду Генри его

the charm of being very dangerous. But that was all. He was too clever and too cynical to be really fond of. Would there ever be some one who would fill him with a strange idolatry? Was that one of the things that life had in store?

"It is extraordinary to me, Dorian," said Hallward, "that you should have seen this in the portrait. Did you really see it?"

"I saw something in it," he answered, "something that seemed to me very curious."

"Well, you don't mind my looking at the thing now?"

Dorian shook his head.

"You must not ask me that, Basil. I could not possibly let you stand in front of that picture."

"You will some day, surely?"

"Never."

"Well, perhaps you are right. And now good-bye, Dorian. You have been the one person in my life who has really influenced my art. Whatever I have done that is good, I owe to you. Ah! you don't know what it cost me to tell you all that I have told you."

"My dear Basil," said Dorian, "what have you told me? Simply that you felt that you admired me too much. That is not even a compliment."

"It was not intended as a compliment. It was a confession. Now that I have made it, something seems to have gone out of me. Perhaps one should never put one's worship into words."

влечет, как влечет человека все очень опасное, — и только. Лорд Генри слишком умен и слишком большой циник, чтобы его можно было любить. Встретит ли он, Дориан, человека, который станет его кумиром? Суждено ли ему в жизни испытать и это тоже?

— Очень мне странно, Дориан, что вы сумели увидеть это в портрете, — сказал Бэзил Холлуорд. — Вы и вправду это заметили?

— Кое-что я заметил. И оно меня сильно поразило.

— Ну а теперь вы мне дадите взглянуть на портрет?

Дориан покачал головой.

— Нет, нет, и не просите, Бэзил. Я не позволю вам даже подойти близко.

— Так, может, потом когда-нибудь?

— Никогда.

— Что ж, может, вы и правы. Ну, прощайте, Дориан. Вы — единственный человек, который по-настоящему имел влияние на мое творчество. И всем, что я создал ценного, я обязан вам... Если бы вы знали, чего мне стоило сказать вам все то, что я сказал!

— Да что же вы мне сказали такого, дорогой Бэзил? Только то, что вы мною слишком восхищались? Право, это даже не комплимент.

— А я и не собирался говорить вам комплименты. Это была исповедь. И после нее я словно чего-то лишился. Пожалуй, никогда не следует выражать свои чувства словами.

"It was a very disappointing confession."

"Why, what did you expect, Dorian? You didn't see anything else in the picture, did you? There was nothing else to see?"

"No; there was nothing else to see. Why do you ask? But you mustn't talk about worship. It is foolish. You and I are friends, Basil, and we must always remain so."

"You have got Harry," said the painter sadly.

"Oh, Harry!" cried the lad, with a ripple of laughter. "Harry spends his days in saying what is incredible and his evenings in doing what is improbable. Just the sort of life I would like to lead. But still I don't think I would go to Harry if I were in trouble. I would sooner go to you, Basil."

"You will sit to me again?"

"Impossible!"

"You spoil my life as an artist by refusing, Dorian. No man comes across two ideal things. Few come across one."

"I can't explain it to you, Basil, but I must never sit to you again. There is something fatal about a portrait. It has a life of its own. I will come and have tea with you. That will be just as pleasant."

"Pleasanter for you, I am afraid," murmured Hallward regretfully. "And now good-bye. I am sorry you won't let me look at the picture once again. But that can't be helped. I quite understand what you feel about it."

— Исповедь ваша, Бэзил, обманула мои ожидания.

— Как так? Чего же вы ожидали, Дориан? Разве вы заметили в портрете еще что-то другое?

— Нет, ничего. Почему вы спрашиваете? А о преклонении вы больше не говорите — это глупо. Мы с вами друзья, Бэзил, и должны всегда оставаться друзьями.

— У вас есть Гарри, — сказал Холлуорд уныло.

— Ах, Гарри! — Дориан рассмеялся. — Гарри днем занят тем, что говорит невозможные вещи, а по вечерам творит невероятные вещи. Такая жизнь как раз в моем вкусе. Но в тяжелую минуту я вряд ли пришел бы к Гарри. Скорее к вам, Бэзил.

— И вы опять будете мне позировать?

— Нет, этого я никак не могу!

— Своим отказом вы губите меня как художника. Никто не встречает свой идеал дважды в жизни. Да и один раз редко кто его находит.

— Не могу вам объяснить причины, Бэзил, но мне нельзя больше вам позировать. Есть что-то роковое в каждом портрете. Он живет своей особой жизнью... Я буду приходить к вам пить чай. Это не менее приятно.

— Для вас, пожалуй, даже приятнее, — огорченно буркнул Холлуорд. — До свидания, Дориан. Очень жаль, что вы не дали мне взглянуть на портрет. Ну да что поделаешь! Я вас вполне понимаю.

As he left the room, Dorian Gray smiled to himself. Poor Basil! How little he knew of the true reason! And how strange it was that, instead of having been forced to reveal his own secret, he had succeeded, almost by chance, in wresting a secret from his friend! How much that strange confession explained to him! The painter's absurd fits of jealousy, his wild devotion, his extravagant panegyrics, his curious reticences — he understood them all now, and he felt sorry. There seemed to him to be something tragic in a friendship so coloured by romance.

He sighed and touched the bell. The portrait must be hidden away at all costs. He could not run such a risk of discovery again. It had been mad of him to have allowed the thing to remain, even for an hour, in a room to which any of his friends had access.

Chapter X

When his servant entered, he looked at him steadfastly and wondered if he had thought of peering behind the screen. The man was quite impassive and waited for his orders. Dorian lit a cigarette and walked over to the glass and glanced into it. He could see the reflection of Victor's face perfectly. It was like a placid mask of servility. There was nothing to be afraid of, there. Yet he thought it best to be on his guard.

Speaking very slowly, he told him to tell the housekeeper that he wanted to see her, and then to go to

Когда он вышел, Дориан усмехнулся про себя. Бедный Бэзил, как он в своих догадках далек от истины! И не странно ли, что ему, Дориану, не только не пришлось открыть свою тайну, но удалось случайно выведать тайну друга! После исповеди Бэзила Дориану многое стало ясно. Нелепые вспышки ревности и страстная привязанность к нему художника, восторженные дифирамбы, а по временам странная сдержанность и скрытность — все теперь было понятно. И Дориану стало грустно. Что-то трагичное было в такой дружбе, окрашенной романтической влюбленностью.

Он вздохнул и позвонил лакею. Портрет надо во что бы то ни стало убрать отсюда! Нельзя рисковать тем, что тайна раскроется. Безумием было бы и на один час оставить портрет в комнате, куда может прийти любой из друзей и знакомых.

Глава X

Когда Виктор вошел, Дориан пристально посмотрел на него, пытаясь угадать, не вздумал ли он заглянуть за экран. Лакей с самым невозмутимым видом стоял, ожидая приказаний. Дориан закурил папиросу и, подойдя к зеркалу, поглядел в него. В зеркале ему было отчетливо видно лицо Виктора. На этом лице не выражалось ничего, кроме спокойной услужливости. Значит, опасаться нечего. Все же он решил, что надо быть настороже.

Медленно отчеканивая слова, он приказал Виктору позвать к нему экономку, а затем сходить в ба-

the frame-maker and ask him to send two of his men round at once. It seemed to him that as the man left the room his eyes wandered in the direction of the screen. Or was that merely his own fancy?

After a few moments, in her black silk dress, with old-fashioned thread mittens on her wrinkled hands, Mrs. Leaf bustled into the library. He asked her for the key of the schoolroom.

"The old schoolroom, Mr. Dorian?" she exclaimed. "Why, it is full of dust. I must get it arranged and put straight before you go into it. It is not fit for you to see, sir. It is not, indeed."

"I don't want it put straight, Leaf. I only want the key."

"Well, sir, you'll be covered with cobwebs if you go into it. Why, it hasn't been opened for nearly five years — not since his lordship died."

He winced at the mention of his grandfather. He had hateful memories of him.

"That does not matter," he answered. "I simply want to see the place — that is all. Give me the key."

"And here is the key, sir," said the old lady, going over the contents of her bunch with tremulously uncertain hands. "Here is the key. I'll have it off the bunch in a moment. But you don't think of living up there, sir, and you so comfortable here?"

"No, no," he cried petulantly. "Thank you, Leaf. That will do."

гетную мастерскую и попросить хозяина немедленно прислать ему двух рабочих. Ему показалось, что лакей, выходя из комнаты, покосился на экран. Или это только его фантазия?

Через несколько минут в библиотеку торопливо вошла миссис Лиф в черном шелковом платье и старомодных нитяных митенках на морщинистых руках. Дориан спросил у нее ключ от бывшей классной комнаты.

— От старой классной, мистер Дориан? — воскликнула она. — Да там полно пыли! Я сперва велю ее прибрать и все привести в порядок. А сейчас вам туда и заглянуть нельзя! Никак нельзя!

— Не нужно мне, чтобы ее убирали, Лиф. Мне только ключ нужен.

— Господи, да вы будете весь в паутине, сэр, если туда войдете. Ведь вот уже пять лет комнату не открывали — со дня смерти его светлости.

При упоминании о старом лорде Дориана передернуло: у него остались очень тягостные воспоминания о покойном деде.

— Пустяки, — ответил он. — Мне нужно только на минуту заглянуть туда, и больше ничего. Дайте мне ключ.

— Вот, возьмите, сэр. — Старушка неловкими дрожащими руками перебирала связку ключей. — Вот этот. Сейчас сниму его с кольца. Но вы же не думаете перебираться туда, сэр? Здесь внизу у вас так уютно!

— Нет, нет, — перебил Дориан нетерпеливо. — Спасибо, Лиф, можете идти.

She lingered for a few moments, and was garrulous over some detail of the household. He sighed and told her to manage things as she thought best. She left the room, wreathed in smiles.

As the door closed, Dorian put the key in his pocket and looked round the room. His eye fell on a large, purple satin coverlet heavily embroidered with gold, a splendid piece of late seventeenth-century Venetian work that his grandfather had found in a convent near Bologna. Yes, that would serve to wrap the dreadful thing in. It had perhaps served often as a pall for the dead. Now it was to hide something that had a corruption of its own, worse than the corruption of death itself — something that would breed horrors and yet would never die. What the worm was to the corpse, his sins would be to the painted image on the canvas. They would mar its beauty and eat away its grace. They would defile it and make it shameful. And yet the thing would still live on. It would be always alive.

He shuddered, and for a moment he regretted that he had not told Basil the true reason why he had wished to hide the picture away. Basil would have helped him to resist Lord Henry's influence, and the still more poisonous influences that came from his own temperament. The love that he bore him — for it was really love — had nothing in it that was not noble and intellectual. It was not that mere physical admiration of beauty that is born of the senses and that dies when the senses tire. It was such love as Michelangelo had known, and Montaigne, and Winckel-

Экономка еще на минуту замешкалась, чтобы поговорить о каких-то хозяйственных делах. Дориан со вздохом сказал ей, что во всем полагается на нее. Наконец она ушла, очень довольная.

Как только дверь за ней захлопнулась, Дориан сунул ключ в карман и окинул взглядом комнату. Ему попалось на глаза атласное покрывало, пурпурное, богато расшитое золотом, — великолепный образец венецианского искусства конца XVII века, — привезенное когда-то его дедом из монастыря близ Болоньи. Да, этим покрывалом можно закрыть страшный портрет! Быть может, оно некогда служило погребальным покровом. Теперь эта ткань укроет картину разложения, более страшного, чем разложение трупа, ибо оно будет порождать ужасы, и ему не будет конца. Как черви пожирают мертвое тело, так пороки Дориана Грея будут разъедать его изображение на полотне. Они изгложут его красоту, уничтожат очарование. Они осквернят его и опозорят. И все-таки портрет будет цел. Он будет жить вечно.

При этой мысли Дориан вздрогнул и на миг пожалел, что не сказал правду Холлуорду. Бэзил поддержал бы его в борьбе с влиянием лорда Генри и с еще более опасным влиянием его собственного темперамента. Любовь, которую питает к нему Бэзил (а это, несомненно, самая настоящая любовь), — чувство благородное и возвышенное. Это не обыкновенное физическое влечение к красоте, порожденное чувственными инстинктами и умирающее, когда они ослабевают в человеке. Нет, это любовь такая, какую знали Микеланджело, и Мон-

mann, and Shakespeare himself. Yes, Basil could have saved him. But it was too late now. The past could always be annihilated. Regret, denial, or forgetfulness could do that. But the future was inevitable. There were passions in him that would find their terrible outlet, dreams that would make the shadow of their evil real.

He took up from the couch the great purple-and-gold texture that covered it, and, holding it in his hands, passed behind the screen. Was the face on the canvas viler than before? It seemed to him that it was unchanged, and yet his loathing of it was intensified. Gold hair, blue eyes, and rose-red lips — they all were there. It was simply the expression that had altered. That was horrible in its cruelty. Compared to what he saw in it of censure or rebuke, how shallow Basil's reproaches about Sibyl Vane had been!—how shallow, and of what little account! His own soul was looking out at him from the canvas and calling him to judgement.

A look of pain came across him, and he flung the rich pall over the picture. As he did so, a knock came to the door. He passed out as his servant entered.

"The persons are here, Monsieur."

He felt that the man must be got rid of at once. He must not be allowed to know where the picture was being taken to. There was something sly about him, and he had thoughtful, treacherous eyes.

Sitting down at the writing-table he scribbled a note to Lord Henry, asking him to send him round

тень, и Винкельман, и Шекспир. Да, Бэзил мог бы спасти его. Но теперь уже поздно. Прошлое всегда можно изгладить раскаянием, забвением или отречением, будущее же неотвратимо. Дориан чувствовал, что в нем бродят страсти, которые найдут себе ужасный выход, и смутные грезы, которые омрачат его жизнь, если осуществятся.

Он снял с кушетки пурпурно-золотое покрывало и, держа его в обеих руках, зашел за экран. Не стало ли еще противнее лицо на портрете? Нет, никаких новых изменений не было заметно. И все-таки Дориан смотрел на него теперь с еще большим отвращением. Золотые кудри, голубые глаза и розовые губы — все как было. Изменилось только выражение лица. Оно ужасало своей жестокостью. В сравнении с этим обвиняющим лицом как ничтожны были укоры Бэзила, как пусты и ничтожны! С портрета на Дориана смотрела его собственная душа и призывала его к ответу.

С гримасой боли Дориан поспешно набросил на портрет роскошное покрывало. В эту минуту раздался стук в дверь, и он вышел из-за экрана как раз тогда, когда в комнату вошел лакей.

— Люди здесь, мосье.

Дориан подумал, что Виктора надо услать сейчас же, чтобы он не знал, куда отнесут портрет. У Виктора глаза умные, и в них светится хитрость, а может, и коварство. Ненадежный человек!

И, сев за стол, Дориан написал записку лорду Генри, в которой просил прислать что-нибудь почи-

something to read and reminding him that they were to meet at eight-fifteen that evening.

"Wait for an answer," he said, handing it to him, "and show the men in here."

In two or three minutes there was another knock, and Mr. Hubbard himself, the celebrated frame-maker of South Audley Street, came in with a somewhat rough-looking young assistant. Mr. Hubbard was a florid, red-whiskered little man, whose admiration for art was considerably tempered by the inveterate impecuniosity of most of the artists who dealt with him. As a rule, he never left his shop. He waited for people to come to him. But he always made an exception in favour of Dorian Gray. There was something about Dorian that charmed everybody. It was a pleasure even to see him.

"What can I do for you, Mr. Gray?" he said, rubbing his fat freckled hands. "I thought I would do myself the honour of coming round in person. I have just got a beauty of a frame, sir. Picked it up at a sale. Old Florentine. Came from Fonthill, I believe. Admirably suited for a religious subject, Mr. Gray."

"I am so sorry you have given yourself the trouble of coming round, Mr. Hubbard. I shall certainly drop in and look at the frame — though I don't go in much at present for religious art — but to-day I only want

тать и напоминал, что они сегодня должны встретиться в четверть девятого.

— Передайте лорду Генри и подождите ответа, — сказал он Виктору, вручая ему записку. — А рабочих приведите сюда.

Через две-три минуты в дверь снова постучали, появился мистер Хаббард собственной персоной, знаменитый багетный мастер с Саут-Одли-стрит, и с ним его помощник, довольно неотесанный парень. Мистер Хаббард представлял собой румяного человечка с рыжими бакенбардами. Его поклонение искусству значительно умерялось хроническим безденежьем большинства его клиентов — художников. Он не имел обыкновения ходить на дом к заказчикам, он ждал, чтобы они сами пришли к нему в мастерскую. Но для Дориана Грея он всегда делал исключение. В Дориане было что-то такое, что всех располагало к нему. Приятно было даже только смотреть на него.

— Чем могу служить, мистер Грей? — осведомился почтенный багетчик, потирая пухлые веснушчатые руки. — Я полагал, что мне следует лично явиться к вам. Я как раз приобрел чудесную раму, сэр. Она мне досталась на распродаже. Старинная флорентийская — должно быть, из Фонтхилла. Замечательно подойдет для картины с религиозным сюжетом, мистер Грей!

— Извините, что побеспокоил вас, мистер Хаббард. Я зайду, конечно, взглянуть на раму, хотя сейчас не особенно увлекаюсь религиозной живописью. Но сегодня мне требуется только перенести

a picture carried to the top of the house for me. It is rather heavy, so I thought I would ask you to lend me a couple of your men."

"No trouble at all, Mr. Gray. I am delighted to be of any service to you. Which is the work of art, sir?"

"This," replied Dorian, moving the screen back. "Can you move it, covering and all, just as it is? I don't want it to get scratched going upstairs."

"There will be no difficulty, sir," said the genial frame-maker, beginning, with the aid of his assistant, to unhook the picture from the long brass chains by which it was suspended. "And, now, where shall we carry it to, Mr. Gray?"

"I will show you the way, Mr. Hubbard, if you will kindly follow me. Or perhaps you had better go in front. I am afraid it is right at the top of the house. We will go up by the front staircase, as it is wider."

He held the door open for them, and they passed out into the hall and began the ascent. The elaborate character of the frame had made the picture extremely bulky, and now and then, in spite of the obsequious protests of Mr. Hubbard, who had the true trades-man's spirited dislike of seeing a gentleman doing anything useful, Dorian put his hand to it so as to help them.

"Something of a load to carry, sir," gasped the little man when they reached the top landing. And he wiped his shiny forehead.

картину на верхний этаж. Она довольно тяжелая, поэтому я и попросил вас прислать людей.

— Помилуйте, мистер Грей, какое же беспокойство? Я очень рад, что могу вам быть полезен. Где картина, сэр?

— Вот она, — ответил Дориан, отодвигая в сторону экран. — Можно ее перенести как есть, не снимая покрывала? Я боюсь, как бы ее не исцарапали при переноске.

— Ничего тут нет трудного, сэр, — услужливо сказал багетчик и с помощью своего подручного начал снимать портрет с длинных медных цепей, на которых он висел. — А куда же прикажете ее перенести, мистер Грей?

— Я вам покажу дорогу, мистер Хаббард. Будьте добры следовать за мной. Или, пожалуй, лучше вы идите вперед. К сожалению, это на самом верху. Мы пройдем по главной лестнице, она шире.

Он распахнул перед ними дверь, и они прошли в холл, а оттуда стали подниматься по лестнице наверх. Из-за украшений массивной рамы портрет был чрезвычайно громоздким, и время от времени Дориан пытался помогать рабочим, несмотря на подобострастные протесты мистера Хаббарда, который, как все люди его сословия, не мог допустить, чтобы знатный джентльмен делал что-либо полезное.

— Груз немалый, сэр, — сказал он, тяжело дыша, когда они добрались до верхней площадки, и отер потную лысину.

"I am afraid it is rather heavy," murmured Dorian as he unlocked the door that opened into the room that was to keep for him the curious secret of his life and hide his soul from the eyes of men.

He had not entered the place for more than four years — not, indeed, since he had used it first as a play-room when he was a child, and then as a study when he grew somewhat older. It was a large, well-proportioned room, which had been specially built by the last Lord Kelso for the use of the little grandson whom, for his strange likeness to his mother, and also for other reasons, he had always hated and desired to keep at a distance. It appeared to Dorian to have but little changed. There was the huge Italian cassone, with its fantastically painted panels and its tarnished gilt mouldings, in which he had so often hidden himself as a boy. There the satinwood book-case filled with his dog-eared schoolbooks. On the wall behind it was hanging the same ragged Flemish tapestry where a faded king and queen were playing chess in a garden, while a company of hawkers rode by, carrying hooded birds on their gauntleted wrists. How well he remembered it all! Every moment of his lonely childhood came back to him as he looked round. He recalled the stainless purity of his boyish life, and it seemed horrible to him that it was here the fatal portrait was to be hidden away. How little he had thought, in those dead days, of all that was in store for him!

— Да, довольно-таки тяжелый, — буркнул в ответ Дориан, отпирая дверь комнаты, которая отныне должна была хранить его странную тайну и скрывать его душу от людских глаз.

Больше четырех лет он не заходил сюда. Когда он был ребенком, здесь была его детская, потом, когда подрос, — классная комната. Эту большую, удобную комнату покойный лорд Келсо специально пристроил для маленького внука, которого он за поразительное сходство с матерью или по каким-то другим причинам терпеть не мог и старался держать подальше от себя. Дориан подумал, что с тех пор в комнате ничего не переменилось. Так же стоял здесь громадный итальянский cassone[1] с причудливо расписанными стенками и потускневшими от времени золочеными украшениями, в нем часто прятался маленький Дориан. На месте был и книжный шкаф красного дерева, набитый растрепанными учебниками, а на стене рядом висел все тот же ветхий фламандский гобелен, на котором сильно вылинявшие король и королева играли в шахматы в саду, а мимо вереницей проезжали на конях сокольничьи, держа на своих латных рукавицах соколов в клобучках. Как все это было знакомо Дориану! Каждая минута его одинокого детства вставала перед ним, пока он осматривался кругом. Он вспомнил непорочную чистоту той детской жизни, и жутко ему стало при мысли, что именно здесь будет стоять роковой портрет. Не думал он в те безвозвратные дни, что его ожидает такое будущее!

---

[1] Большой сундук с крышкой на петлях *(ит.).*

But there was no other place in the house so secure from prying eyes as this. He had the key, and no one else could enter it. Beneath its purple pall, the face painted on the canvas could grow bestial, sodden, and unclean. What did it matter? No one could see it. He himself would not see it. Why should he watch the hideous corruption of his soul? He kept his youth — that was enough.

And, besides, might not his nature grow finer, after all? There was no reason that the future should be so full of shame. Some love might come across his life, and purify him, and shield him from those sins that seemed to be already stirring in spirit and in flesh — those curious unpictured sins whose very mystery lent them their subtlety and their charm. Perhaps, some day, the cruel look would have passed away from the scarlet sensitive mouth, and he might show to the world Basil Hallward's masterpiece.

No; that was impossible. Hour by hour, and week by week, the thing upon the canvas was growing old. It might escape the hideousness of sin, but the hideousness of age was in store for it. The cheeks would become hollow or flaccid. Yellow crow's feet would creep round the fading eyes and make them horrible. The hair would lose its brightness, the mouth would gape or droop, would be foolish or gross, as the mouths of old men are. There would be the wrinkled throat, the cold, blue-veined hands, the twisted body, that he remembered in the grandfather who had been

Но в доме нет другого места, где портрет был бы так надежно укрыт от любопытных глаз. Ключ теперь в руках у него, Дориана, и никто другой не может проникнуть сюда. Пусть лицо портрета под своим пурпурным саваном становится скотски тупым, жестоким и порочным. Что за беда? Ведь никто этого не увидит. Да и сам он не будет этого видеть. К чему наблюдать отвратительное разложение своей души? Он сохранит молодость — и этого довольно.

Впрочем, разве он не может исправиться? Разве позорное будущее так уж неизбежно? Быть может, в жизнь его войдет большая любовь и очистит его, убережет от новых грехов, рождающихся в душе и теле, — тех неведомых, еще никем не описанных грехов, которым самая таинственность их придает коварное очарование. Быть может, настанет день, когда этот алый чувственный рот утратит жестокое выражение и можно будет показать миру шедевр Бэзила Холлуорда?..

Нет, на это надежды нет. Ведь с каждым часом, с каждой неделей человек на полотне будет становиться старше. Если даже на нем не отразятся тайные преступления и пороки, — безобразных следов времени ему не избежать. Щеки его станут дряблыми или ввалятся. Желтые «гусиные лапки» лягут вокруг потускневших глаз и уничтожат их красоту. Волосы утратят блеск, рот, как всегда у стариков, будет бессмысленно полуоткрыт, губы безобразно отвиснут. Морщинистая шея, холодные руки со вздутыми синими венами, сгорбленная спина —

so stern to him in his boyhood. The picture had to be concealed. There was no help for it.

"Bring it in, Mr. Hubbard, please," he said, wearily, turning round. "I am sorry I kept you so long. I was thinking of something else."

"Always glad to have a rest, Mr. Gray," answered the frame-maker, who was still gasping for breath. "Where shall we put it, sir?"

"Oh, anywhere. Here: this will do. I don't want to have it hung up. Just lean it against the wall. Thanks."

"Might one look at the work of art, sir?"

Dorian started.

"It would not interest you, Mr. Hubbard," he said, keeping his eye on the man. He felt ready to leap upon him and fling him to the ground if he dared to lift the gorgeous hanging that concealed the secret of his life. "I shan't trouble you any more now. I am much obliged for your kindness in coming round."

"Not at all, not at all, Mr. Gray. Ever ready to do anything for you, sir."

And Mr. Hubbard tramped downstairs, followed by the assistant, who glanced back at Dorian with a look of shy wonder in his rough uncomely face. He had never seen any one so marvellous.

When the sound of their footsteps had died away, Dorian locked the door and put the key in his pocket.

все будет как у его покойного деда, который был так суров к нему. Да, портрет надо спрятать, ничего не поделаешь!

— Несите сюда, мистер Хаббард, — устало сказал Дориан, обернувшись. — Извините, что задержал вас. Я задумался о другом и забыл, что вы ждете.

— Ничего, мистер Грей, я рад был передохнуть, — отозвался багетчик, все еще не отдышавшийся. — Куда прикажете поставить картину, сэр?

— Куда-нибудь, все равно. Ну, хотя бы тут. Вешать не надо. Просто прислоните ее к стене. Вот так, спасибо.

— Нельзя ли взглянуть на это произведение искусства, сэр?

Дориан вздрогнул.

— Не стоит. Оно вряд ли вам понравится, мистер Хаббард, — сказал он, в упор глядя на багетчика. Он готов был кинуться на него и повалить его на пол, если тот посмеет приподнять пышную завесу, скрывающую тайну его жизни. — Ну, не буду больше утруждать вас. Очень вам признателен, что вы были так любезны и пришли сами.

— Не за что, мистер Грей, не за что! Я всегда к вашим услугам, сэр!

Мистер Хаббард, тяжело ступая, стал спускаться с лестницы, а за ним — его подручный, который то и дело оглядывался на Дориана с выражением робкого восхищения на грубоватом лице: он в жизни не видел таких обаятельных и красивых людей.

Как только внизу затих шум шагов, Дориан запер дверь и ключ положил в карман. Теперь он чув-

He felt safe now. No one would ever look upon the horrible thing. No eye but his would ever see his shame.

On reaching the library, he found that it was just after five o'clock and that the tea had been already brought up. On a little table of dark perfumed wood thickly incrusted with nacre, a present from Lady Radley, his guardian's wife, a pretty professional invalid who had spent the preceding winter in Cairo, was lying a note from Lord Henry, and beside it was a book bound in yellow paper, the cover slightly torn and the edges soiled. A copy of the third edition of The St. James's Gazette had been placed on the tea-tray. It was evident that Victor had returned. He wondered if he had met the men in the hall as they were leaving the house and had wormed out of them what they had been doing. He would be sure to miss the picture — had no doubt missed it already, while he had been laying the tea-things. The screen had not been set back, and a blank space was visible on the wall. Perhaps some night he might find him creeping upstairs and trying to force the door of the room. It was a horrible thing to have a spy in one's house. He had heard of rich men who had been blackmailed all their lives by some servant who had read a letter, or overheard a conversation, or picked up a card with an address, or found beneath a pillow a withered flower or a shred of crumpled lace.

He sighed, and having poured himself out some tea, opened Lord Henry's note. It was simply to say that he sent him round the evening paper, and a book

ствовал себя в безопасности. Ничей глаз не увидит больше страшный портрет. Он один будет лицезреть свой позор.

Вернувшись в библиотеку, он увидел, что уже шестой час и чай подан. На столике темного душистого дерева, богато инкрустированном перламутром (это был подарок леди Рэдли, жены его опекуна, дамы, вечно занятой своими болезнями и прошлую зиму жившей в Каире), лежала записка от лорда Генри и рядом с нею — книжка в желтой, немного потрепанной обложке, а на чайном подносе — третий выпуск «Сент-Джеймс газетт». Очевидно, Виктор уже вернулся. Дориан спрашивал себя, не встретился ли его лакей с уходившими рабочими и не узнал ли от них, что они здесь делали. Виктор, разумеется, заметит, что в библиотеке нет портрета... Наверное, уже заметил, когда подавал чай. Экран был отодвинут, и пустое место на стене сразу бросалось в глаза. Чего доброго, он как-нибудь ночью накроет Виктора, когда тот будет красться наверх, чтобы взломать дверь классной. Ужасно это — иметь в доме шпиона! Дориану приходилось слышать о том, как богатых людей всю жизнь шантажировал кто-нибудь из слуг, которому удалось прочесть письмо или подслушать разговор, подобрать визитную карточку с адресом, найти у хозяина под подушкой увядший цветок или обрывок смятого кружева...

При этой мысли Дориан вздохнул и, налив себе чаю, распечатал письмо. Лорд Генри писал, что посылает вечернюю газету и книгу, которая, верно,

that might interest him, and that he would be at the club at eight-fifteen.

He opened The St. James's languidly, and looked through it. A red pencil-mark on the fifth page caught his eye. It drew attention to the following paragraph:

INQUEST
ON AN ACTRESS. —

An inquest was held this morning at the Bell Tavern, Hoxton Road, by Mr. Danby, the District Coroner, on the body of Sibyl Vane, a young actress recently engaged at the Royal Theatre, Holborn. A verdict of death by misadventure was returned. Considerable sympathy was expressed for the mother of the deceased, who was greatly affected during the giving of her own evidence, and that of Dr. Birrell, who had made the post-mortem examination of the deceased.

He frowned, and tearing the paper in two, went across the room and flung the pieces away. How ugly it all was! And how horribly real ugliness made things! He felt a little annoyed with Lord Henry for having sent him the report. And it was certainly stupid of him to have marked it with red pencil. Victor might have read it. The man knew more than enough English for that.

Perhaps he had read it and had begun to suspect something. And, yet, what did it matter? What had Dorian Gray to do with Sibyl Vane's death? There was nothing to fear. Dorian Gray had not killed her.

заинтересует Дориана, а в четверть девятого будет ожидать его в клубе.

Дориан рассеянно взял газету и стал ее просматривать. На пятой странице ему бросилась в глаза заметка, отчеркнутая красным карандашом. Он прочел следующее:

СЛЕДСТВИЕ ПО ДЕЛУ О СМЕРТИ АКТРИСЫ.

Сегодня утром в Бэлл-Тэверн на Хокстон-Род участковым следователем, мистером Дэнби, произведено было дознание о смерти молодой актрисы Сибилы Вэйн, последнее время выступавшей в Холборнском Королевском театре. Следствием установлена смерть от несчастного случая. Глубокое сочувствие вызывала мать покойной, которая была в сильном волнении, когда давали показания она и доктор Бирелл, производивший вскрытие тела Сибилы Вэйн».

Дориан, нахмурившись, разорвал газету и выбросил клочки в корзину. Как все это противно! Как ужасны эти отвратительные подробности! Он рассердился на лорда Генри, приславшего ему эту заметку. А еще глупее то, что он обвел ее красным карандашом: ведь Виктор мог ее прочесть. Для этого он достаточно знает английский язык.

Да, может быть, лакей уже прочел и что-то подозревает... А впрочем, к чему беспокоиться? Какое отношение имеет Дориан Грей к смерти Сибилы Вэйн? Ему бояться нечего — он ее не убивал.

His eye fell on the yellow book that Lord Henry had sent him. What was it, he wondered. He went towards the little, pearl-coloured octagonal stand that had always looked to him like the work of some strange Egyptian bees that wrought in silver, and taking up the volume, flung himself into an arm-chair and began to turn over the leaves. After a few minutes he became absorbed. It was the strangest book that he had ever read. It seemed to him that in exquisite raiment, and to the delicate sound of flutes, the sins of the world were passing in dumb show before him. Things that he had dimly dreamed of were suddenly made real to him. Things of which he had never dreamed were gradually revealed.

It was a novel without a plot and with only one character, being, indeed, simply a psychological study of a certain young Parisian who spent his life trying to realize in the nineteenth century all the passions and modes of thought that belonged to every century except his own, and to sum up, as it were, in himself the various moods through which the world-spirit had ever passed, loving for their mere artificiality those renunciations that men have unwisely called virtue, as much as those natural rebellions that wise men still call sin. The style in which it was written was that curious jewelled style, vivid and obscure at once, full of argot and of archaisms, of technical expressions and of elaborate paraphrases, that characterizes the work of some of the finest artists of the French

Взгляд Дориана случайно остановился на желтой книжке, присланной лордом Генри. «Интересно, что это за книга?» — подумал он и подошел к столику, на котором она лежала. Осьмиугольный, выложенный перламутром столик казался ему работой каких-то неведомых египетских пчел, лепивших свои соты из серебра. Взяв книгу, Дориан уселся в кресло и стал ее перелистывать. Не прошло и нескольких минут, как он уже погрузился в чтение. Странная то была книга, никогда еще он не читал такой! Казалось, под нежные звуки флейты грехи всего мира в дивных одеяниях проходят перед ним безгласной чередой. Многое, о чем он только смутно грезил, вдруг на его глазах облеклось плотью. Многое, что ему и во сне не снилось, сейчас открывалось перед ним.

То был роман без сюжета, вернее — психологический этюд. Единственный герой его, молодой парижанин, всю жизнь был занят только тем, что в XIX веке пытался воскресить страсти и умонастроения всех прошедших веков, чтобы самому пережить все то, через что прошла мировая душа. Его интересовали своей искусственностью те формы отречения, которые люди безрассудно именуют добродетелями, и в такой же мере — те естественные порывы возмущения против них, которые мудрецы все еще называют пороками. Книга была написана своеобразным чеканным слогом, живым, ярким и в то же время туманным, изобиловавшим всякими арго и архаизмами, техническими терминами и изысканными парафразами. В таком стиле

school of Symbolistes. There were in it metaphors as monstrous as orchids and as subtle in colour. The life of the senses was described in the terms of mystical philosophy. One hardly knew at times whether one was reading the spiritual ecstasies of some mediaeval saint or the morbid confessions of a modern sinner. It was a poisonous book. The heavy odour of incense seemed to cling about its pages and to trouble the brain. The mere cadence of the sentences, the subtle monotony of their music, so full as it was of complex refrains and movements elaborately repeated, produced in the mind of the lad, as he passed from chapter to chapter, a form of reverie, a malady of dreaming, that made him unconscious of the falling day and creeping shadows.

Cloudless, and pierced by one solitary star, a copper-green sky gleamed through the windows. He read on by its wan light till he could read no more. Then, after his valet had reminded him several times of the lateness of the hour, he got up, and going into the next room, placed the book on the little Florentine table that always stood at his bedside and began to dress for dinner.

It was almost nine o'clock before he reached the club, where he found Lord Henry sitting alone, in the morning-room, looking very much bored.

"I am so sorry, Harry," he cried, "but really it is entirely your fault. That book you sent me so fascinated me that I forgot how the time was going."

писали тончайшие художники французской школы символистов. Встречались здесь метафоры, причудливые, как орхидеи, и столь же нежных красок. Чувственная жизнь человека описывалась в терминах мистической философии. Порой трудно было решить, что читаешь — описание религиозных экстазов какого-нибудь средневекового святого или бесстыдные признания современного грешника. Это была отравляющая книга. Казалось, тяжелый запах курений поднимался от ее страниц и дурманил мозг. Самый ритм фраз, вкрадчивая монотонность их музыки, столь богатой сложными рефренами и нарочитыми повторами, склоняли к болезненной мечтательности. И, глотая одну главу за другой, Дориан не заметил, как день склонился к вечеру и в углах комнаты залегли тени.

Безоблачное малахитовое небо, на котором прорезалась одинокая звезда, мерцало за окном. А Дориан все читал при его неверном свете, пока еще можно было разбирать слова. Наконец, после неоднократных напоминаний лакея, что уже поздно, он встал, прошел в соседнюю комнату и, положив книгу на столик флорентийской работы, стоявший у кровати, стал переодеваться к обеду.

Было уже около девяти, когда он приехал в клуб. Лорд Генри сидел один, дожидаясь его, с весьма недовольным и скучающим видом.

— Ради бога, простите, Гарри! — воскликнул Дориан. — Но, в сущности, опоздал я по вашей вине. Книга, которую вы мне прислали, так меня околдовала, что я и не заметил, как прошел день.

"Yes, I thought you would like it," replied his host, rising from his chair.

"I didn't say I liked it, Harry. I said it fascinated me. There is a great difference."

"Ah, you have discovered that?" murmured Lord Henry. And they passed into the dining-room.

Chapter XI

For years, Dorian Gray could not free himself from the influence of this book. Or perhaps it would be more accurate to say that he never sought to free himself from it. He procured from Paris no less than nine large-paper copies of the first edition, and had them bound in different colours, so that they might suit his various moods and the changing fancies of a nature over which he seemed, at times, to have almost entirely lost control.

The hero, the wonderful young Parisian in whom the romantic and the scientific temperaments were so strangely blended, became to him a kind of prefiguring type of himself. And, indeed, the whole book seemed to him to contain the story of his own life, written before he had lived it.

In one point he was more fortunate than the novel's fantastic hero. He never knew — never, indeed, had any cause to know — that somewhat grotesque dread of mirrors, and polished metal surfaces, and still water which came upon the young Parisian so early in his life, and was occasioned by the sudden decay of a beau that had once, apparently, been so

— Я так и знал, что она вам понравится, — отозвался лорд Генри, вставая.

— Я не говорил, что она мне нравится. Я сказал: «околдовала». Это далеко не одно и то же.

— Ага, вы уже поняли разницу? — проронил лорд Генри. Они направились в столовую.

Глава XI

В течение многих лет Дориан Грей не мог освободиться от влияния этой книги. Вернее говоря, он вовсе не старался от него освободиться. Он выписал из Парижа целых девять экземпляров, роскошно изданных, и заказал для них переплеты разных цветов, — цвета эти должны были гармонировать с его настроениями и прихотями изменчивой фантазии, с которой он уже почти не мог совладать.

Герой книги, молодой парижанин, в котором так своеобразно сочетались романтичность и трезвый ум ученого, казался Дориану прототипом его самого, а вся книга — историей его жизни, написанной раньше, чем он ее пережил.

В одном Дориан был счастливее героя этого романа. Он никогда не испытывал и ему не суждено было никогда испытать болезненный страх перед зеркалами, блестящей поверхностью металлических предметов и водной гладью, — страх, который с ранних лет узнал молодой парижанин, когда внезапно утратил свою поразительную красоту. Последние

remarkable. It was with an almost cruel joy — and perhaps in nearly every joy, as certainly in every pleasure, cruelty has its place — that he used to read the latter part of the book, with its really tragic, if somewhat overemphasized, account of the sorrow and despair of one who had himself lost what in others, and the world, he had most dearly valued.

For the wonderful beauty that had so fascinated Basil Hallward, and many others besides him, seemed never to leave him. Even those who had heard the most evil things against him — and from time to time strange rumours about his mode of life crept through London and became the chatter of the clubs — could not believe anything to his dishonour when they saw him. He had always the look of one who had kept himself unspotted from the world. Men who talked grossly became silent when Dorian Gray entered the room. There was something in the purity of his face that rebuked them. His mere presence seemed to recall to them the memory of the innocence that they had tarnished. They wondered how one so charming and graceful as he was could have escaped the stain of an age that was at once sordid and sensual.

Often, on returning home from one of those mysterious and prolonged absences that gave rise to such strange conjecture among those who were his friends, or thought that they were so, he himself would creep upstairs to the locked room, open the door with the key that never left him now, and stand, with a mirror, in front of the portrait that Basil Hallward had

главы книги, в которых с подлинно трагическим, хотя и несколько преувеличенным пафосом описывались скорбь и отчаяние человека, потерявшего то, что он больше всего ценил в других людях и в окружающем мире, Дориан читал с чувством, похожим на злорадство, — впрочем, в радости, как и во всяком наслаждении, почти всегда есть нечто жестокое.

Да, Дориан радовался, ибо его чудесная красота, так пленявшая Бэзила Холлуорда и многих других, не увядала и, по-видимому, была ему дана на всю жизнь. Даже те, до кого доходили темные слухи о Дориане Грее (а такие слухи об его весьма подозрительном образе жизни время от времени ходили по всему Лондону и вызывали толки в клубах), не могли поверить бесчестившим его сплетням: ведь он казался человеком, которого не коснулась грязь жизни. Люди, говорившие непристойности, умолкали, когда входил Дориан Грей. Безмятежная ясность его лица была для них как бы смущающим укором. Одно уже его присутствие напоминало им об утраченной чистоте. И они удивлялись тому, что этот обаятельный человек сумел избежать дурного влияния нашего века, века безнравственности и низменных страстей.

Часто, вернувшись домой после одной из тех длительных и загадочных отлучек, которые вызывали подозрения у его друзей или тех, кто считал себя таковыми, Дориан, крадучись, шел наверх, в свою бывшую детскую, и, отперев дверь ключом, с которым никогда не расставался, подолгу стоял с зеркалом в руках перед портретом, глядя то на отталки-

painted of him, looking now at the evil and aging face on the canvas, and now at the fair young face that laughed back at him from the polished glass. The very sharpness of the contrast used to quicken his sense of pleasure. He grew more and more enamoured of his own beauty, more and more interested in the corruption of his own soul. He would examine with minute care, and sometimes with a monstrous and terrible delight, the hideous lines that seared the wrinkling forehead or crawled around the heavy sensual mouth, wondering sometimes which were the more horrible, the signs of sin or the signs of age. He would place his white hands beside the coarse bloated hands of the picture, and smile. He mocked the misshapen body and the failing limbs.

There were moments, indeed, at night, when, lying sleepless in his own delicately scented chamber, or in the sordid room of the little ill-famed tavern near the docks which, under an assumed name and in disguise, it was his habit to frequent, he would think of the ruin he had brought upon his soul with a pity that was all the more poignant because it was purely selfish. But moments such as these were rare. That curiosity about life which Lord Henry had first stirred in him, as they sat together in the garden of their friend, seemed to increase with gratification. The more he knew, the more he desired to know. He had mad hungers that grew more ravenous as he fed them.

вающее и все более старевшее лицо на полотне, то на прекрасное юное лицо, улыбавшееся ему в зеркале. Чем разительнее становился контраст между тем и другим, тем острее Дориан наслаждался им. Он все сильнее влюблялся в собственную красоту и все с большим интересом наблюдал разложение своей души. С напряженным вниманием, а порой и с каким-то противоестественным удовольствием разглядывал он уродливые складки, бороздившие морщинистый лоб и ложившиеся вокруг отяжелевшего чувственного рта, и порой задавал себе вопрос, что страшнее и омерзительнее — печать порока или печать возраста? Он приближал свои белые руки к огрубевшим и дряблым рукам на портрете — и, сравнивая их, улыбался. Он издевался над этим обезображенным, изношенным телом.

Правда, иногда по ночам, когда он лежал без сна в своей благоухающей тонкими духами спальне или в грязной каморке подозрительного притона близ доков, куда он часто ходил переодетый и под вымышленным именем, Дориан Грей думал о том, что он погубил свою душу, думал с отчаянием, тем более мучительным, что оно было вполне эгоистично. Но такие минуты бывали редко. Любопытство к жизни, которое впервые пробудил в нем лорд Генри в тот день, когда они сидели вдвоем в саду их общего друга Холлуорда, становилось тем острее, чем усерднее Дориан удовлетворял его. Чем больше он узнавал, тем больше жаждал узнать. Этот волчий голод становился тем неутолимее, чем больше он утолял его.

Yet he was not really reckless, at any rate in his relations to society. Once or twice every month during the winter, and on each Wednesday evening while the season lasted, he would throw open to the world his beautiful house and have the most celebrated musicians of the day to charm his guests with the wonders of their art. His little dinners, in the settling of which Lord Henry always assisted him, were noted as much for the careful selection and placing of those invited, as for the exquisite taste shown in the decoration of the table, with its subtle symphonic arrangements of exotic flowers, and embroidered cloths, and antique plate of gold and silver. Indeed, there were many, especially among the very young men, who saw, or fancied that they saw, in Dorian Gray the true realization of a type of which they had often dreamed in Eton or Oxford days, a type that was to combine something of the real culture of the scholar with all the grace and distinction and perfect manner of a citizen of the world. To them he seemed to be of the company of those whom Dante describes as having sought to "make themselves perfect by the worship of beauty." Like Gautier, he was one for whom "the visible world existed."

And, certainly, to him life itself was the first, the greatest, of the arts, and for it all the other arts seemed to be but a preparation. Fashion, by which what is really fantastic becomes for a moment universal, and dandyism, which, in its own way, is an attempt to assert the absolute modernity of beauty, had, of course, their fascination for him. His mode of

Однако Дориан не отличался безрассудной смелостью и легкомыслием — во всяком случае, он не пренебрегал мнением общества и соблюдал приличия. Зимой — раза два в месяц, а в остальное время года — каждую среду двери его великолепного дома широко раскрывались для гостей, и здесь самые известные и модные в то время музыканты пленяли их чудесами своего искусства. Его обеды, в устройстве которых ему всегда помогал лорд Генри, славились тщательным подбором приглашенных, а также изысканным убранством стола, представлявшим собой настоящую симфонию экзотических цветов, вышитых скатертей, старинной золотой и серебряной посуды. И много было (особенно среди зеленой молодежи) людей, видевших в Дориане Грее тот идеал, о котором они мечтали в студенческие годы, — сочетание подлинной культуры ученого с обаянием и утонченной благовоспитанностью светского человека, гражданина мира. Он казался им одним из тех, кто, как говорит Данте, «стремится облагородить душу поклонением красоте». Одним из тех, для кого, по словам Готье, и создан видимый мир.

И, несомненно, для Дориана сама Жизнь была первым и величайшим из искусств, а все другие искусства — только преддверием к ней. Конечно, он отдавал дань и Моде, которая на время может осуществить любую фантазию, добившись всеобщего ее признания, и Дендизму, как своего рода стремлению доказать абсолютность условного понятия

dressing, and the particular styles that from time to time he affected, had their marked influence on the young exquisites of the Mayfair balls and Pall Mall club windows, who copied him in everything that he did, and tried to reproduce the accidental charm of his graceful, though to him only half-serious, fopperies.

For, while he was but too ready to accept the position that was almost immediately offered to him on his coming of age, and found, indeed, a subtle pleasure in the thought that he might really become to the London of his own day what to imperial Neronian Rome the author of the Satyricon once had been, yet in his inmost heart he desired to be something more than a mere arbiter elegantiarum, to be consulted on the wearing of a jewel, or the knotting of a necktie, or the conduct of a cane. He sought to elaborate some new scheme of life that would have its reasoned philosophy and its ordered principles, and find in the spiritualizing of the senses its highest realization.

The worship of the senses has often, and with much justice, been decried, men feeling a natural instinct of terror about passions and sensations that seem stronger than themselves, and that they are conscious of sharing with the less highly organized forms of existence. But it appeared to Dorian Gray that the true nature of the senses had never been understood, and that they had remained savage and

о Красоте. Его манера одеваться, те моды, которыми он время от времени увлекался, оказывали заметное влияние на молодых щеголей, блиставших на балах в Мэйфере и в клубах Пэлл-Мэлл. Они подражали ему во всем, пытаясь достигнуть такого же изящества даже в случайных мелочах, которым сам Дориан не придавал никакого значения.

Дориан весьма охотно занял то положение в обществе, какое было ему предоставлено по достижении совершеннолетия, и его радовала мысль, что он может стать для Лондона наших дней тем, чем для Рима времен императора Нерона был автор «Сатирикона». Но в глубине души он желал играть роль более значительную, чем простой «arbiter elegantiarum»[1], у которого спрашивают совета, какие надеть драгоценности, как завязать галстук или как носить трость. Он мечтал создать новую философию жизни, у которой будет свое разумное обоснование, свои последовательные принципы, и высший смысл жизни видел в одухотворении чувств и ощущений.

Культ жизни чувственной часто и вполне справедливо осуждался, ибо люди инстинктивно боятся страстей и ощущений, которые могут оказаться сильнее их и, как мы знаем, свойственны и существам низшим. Но Дориану Грею казалось, что истинная природа этих чувств еще до сих пор не понята и они остаются животными и необузданными лишь потому, что люди всегда старались их

---

[1] «Законодатель мод» *(лат.)*.

animal merely because the world had sought to starve them into submission or to kill them by pain, instead of aiming at making them elements of a new spirituality, of which a fine instinct for beauty was to be the dominant characteristic.

As he looked back upon man moving through history, he was haunted by a feeling of loss. So much had been surrendered! and to such little purpose! There had been mad wilful rejections, monstrous forms of self-torture and self-denial, whose origin was fear and whose result was a degradation infinitely more terrible than that fancied degradation from which, in their ignorance, they had sought to escape; Nature, in her wonderful irony, driving out the anchorite to feed with the wild animals of the desert and giving to the hermit the beasts of the field as his companions.

Yes: there was to be, as Lord Henry had prophesied, a new Hedonism that was to recreate life and to save it from that harsh uncomely puritanism that is having, in our own day, its curious revival. It was to have its service of the intellect, certainly, yet it was never to accept any theory or system that would involve the sacrifice of any mode of passionate experience. Its aim, indeed, was to be experience itself, and not the fruits of experience, sweet or bitter as they might be. Of the asceticism that deadens the senses, as of the vulgar profligacy that dulls them, it was to know nothing. But it was to teach man to concentrate himself upon the moments of a life that is itself but a moment.

усмирить, не давая им пищи, или убить страданием, вместо того чтобы видеть в них элементы новой духовной жизни, в которой преобладающей чертой должно быть утонченное стремление к Красоте.

Оглядываясь на путь человечества в веках, Дориан не мог отделаться от чувства глубокого сожаления. Как много упущено, сколько уступок сделано — и ради какой ничтожной цели! Бессмысленное, упрямое отречение, уродливые формы самоистязания и самоограничения, в основе которых лежал страх, а результатом было вырождение, безмерно более страшное, чем так называемое падение, от которого люди в своем неведении стремились спастись. Недаром же Природа с великолепной иронией всегда гнала анахоретов в пустыню к диким зверям, давала святым отшельникам в спутники жизни четвероногих обитателей лесов и полей.

Да, прав был лорд Генри, предсказывая рождение нового гедонизма, который должен перестроить жизнь, освободив ее от сурового и нелепого пуританства, неизвестно почему возродившегося в наши дни. Конечно, гедонизм этот будет прибегать к услугам интеллекта, но никакими теориями или учениями не станет подменять многообразный опыт страстей. Цель гедонизма — именно этот опыт сам по себе, а не плоды его, горькие или сладкие. В нашей жизни не должно быть места аскетизму, умерщвляющему чувства, так же как и грубому распутству, притупляющему их. Гедонизм научит людей во всей полноте переживать каждое мгновение жизни, ибо и сама жизнь — лишь преходящее мгновение.

There are few of us who have not sometimes wakened before dawn, either after one of those dreamless nights that make us almost enamoured of death, or one of those nights of horror and misshapen joy, when through the chambers of the brain sweep phantoms more terrible than reality itself, and instinct with that vivid life that lurks in all grotesques, and that lends to Gothic art its enduring vitality, this art being, one might fancy, especially the art of those whose minds have been troubled with the malady of reverie. Gradually white fingers creep through the curtains, and they appear to tremble. In black fantastic shapes, dumb shadows crawl into the corners of the room and crouch there. Outside, there is the stirring of birds among the leaves, or the sound of men going forth to their work, or the sigh and sob of the wind coming down from the hills and wandering round the silent house, as though it feared to wake the sleepers and yet must needs call forth sleep from her purple cave.

Veil after veil of thin dusky gauze is lifted, and by degrees the forms and colours of things are restored to them, and we watch the dawn remaking the world in its antique pattern. The wan mirrors get back their mimic life. The flameless tapers stand where we had left them, and beside them lies the half-cut book that we had been studying, or the wired flower that we had worn at the ball, or the letter that we had been afraid to read, or that we had read too often. Nothing seems to us changed. Out of the unreal shadows of the night comes back the real life that we had known. We have

Кто из нас не просыпался порой до рассвета после сна без сновидений, столь сладкого, что нам становился почти желанным вечный сон смерти, или после ночи ужаса и извращенной радости, когда в клетках мозга возникают видения страшнее самой действительности, живые и яркие, как всякая фантастика, исполненные той властной силы, которая делает таким живучим готическое искусство, как будто созданное для тех, кто болен мечтательностью? Всем памятны эти пробуждения. Постепенно белые пальцы рассвета пробираются сквозь занавески, и кажется, будто занавески дрожат. Черные причудливые тени бесшумно уползли в углы комнаты и притаились там. А за окном среди листвы уже шумят птицы, на улице слышны шаги идущих на работу людей, порой вздохи и завывания ветра, который налетает с холмов и долго бродит вокруг безмолвного дома, словно боясь разбудить спящих, но все же вынужден прогнать сон из его пурпурного убежища.

Одна за другой поднимаются легкие, как вуаль, завесы мрака, все вокруг медленно обретает прежние формы и краски, и на ваших глазах рассвет возвращает окружающему миру его обычный вид. Тусклые зеркала снова начинают жить своей отраженной жизнью. Потушенные свечи стоят там, где их оставили накануне, а рядом — не до конца разрезанная книга, которую вчера читали, или увядший цветок, вчера вечером на балу украшавший вашу петлицу, или письмо, которое вы боялись прочесть или перечитывали слишком часто. Ничто как буд-

to resume it where we had left off, and there steals over us a terrible sense of the necessity for the continuance of energy in the same wearisome round of stereotyped habits, or a wild longing, it may be, that our eyelids might open some morning upon a world that had been refashioned anew in the darkness for our pleasure, a world in which things would have fresh shapes and colours, and be changed, or have other secrets, a world in which the past would have little or no place, or survive, at any rate, in no conscious form of obligation or regret, the remembrance even of joy having its bitterness and the memories of pleasure their pain.

It was the creation of such worlds as these that seemed to Dorian Gray to be the true object, or amongst the true objects, of life; and in his search for sensations that would be at once new and delightful, and possess that element of strangeness that is so essential to romance, he would often adopt certain modes of thought that he knew to be really alien to his nature, abandon himself to their subtle influences, and then, having, as it were, caught their colour and satisfied his intellectual curiosity, leave them with that curious indifference that is not incompatible with a real ardour of temperament, and that, indeed, according to certain modern psychologists, is often a condition of it.

It was rumoured of him once that he was about to join the Roman Catholic communion, and certainly

то не изменилось. Из призрачных теней ночи снова встает знакомая действительность. Надо продолжать жизнь с того, на чем она вчера остановилась, и мы с болью сознаем, что обречены непрерывно тратить силы, вертясь все в том же утомительном кругу привычных стереотипных занятий. Иногда мы в эти минуты испытываем страстное желание, открыв глаза, увидеть новый мир, преобразившийся за ночь, нам на радость, мир, в котором все приняло новые формы и оделось живыми, светлыми красками, мир, полный перемен и новых тайн, мир, где прошлому нет места или отведено место весьма скромное, и если это прошлое еще живо, то, во всяком случае, не в виде обязательств или сожалений, ибо даже в воспоминании о счастье есть своя горечь, а память о минувших наслаждениях причиняет боль.

Именно создание таких миров представлялось Дориану Грею главной целью или одной из главных целей жизни; и в погоне за ощущениями, новыми и упоительными, которые содержали бы в себе основной элемент романтики — необычайность, он часто увлекался идеями, заведомо чуждыми его натуре, поддаваясь их коварному влиянию, а затем, постигнув их сущность, насытив свою любознательность, отрекался от них с тем равнодушием, которое не только совместимо с пылким темпераментом, но, как утверждают некоторые современные психологи, часто является необходимым его условием.

Одно время в Лондоне говорили, что Дориан намерен перейти в католичество. Действительно, об-

the Roman ritual had always a great attraction for him. The daily sacrifice, more awful really than all the sacrifices of the antique world, stirred him as much by its superb rejection of the evidence of the senses as by the primitive simplicity of its elements and the eternal pathos of the human tragedy that it sought to symbolize. He loved to kneel down on the cold marble pavement and watch the priest, in his stiff flowered dalmatic, slowly and with white hands moving aside the veil of the tabernacle, or raising aloft the jewelled, lantern-shaped monstrance with that pallid wafer that at times, one would fain think, is indeed the "panis caelestis," the bread of angels, or, robed in the garments of the Passion of Christ, breaking the Host into the chalice and smiting his breast for his sins. The fuming censers that the grave boys, in their lace and scarlet, tossed into the air like great gilt flowers had their subtle fascination for him. As he passed out, he used to look with wonder at the black confessionals and long to sit in the dim shadow of one of them and listen to men and women whispering through the worn grating the true story of their lives.

But he never fell into the error of arresting his intellectual development by any formal acceptance of

рядность католической религии всегда очень нравилась ему. Таинство ежедневного жертвоприношения во время литургии, более страшного своей реальностью, чем все жертвоприношения Древнего мира, волновало его своим великолепным презрением к свидетельству всех наших чувств, первобытной простотой, извечным пафосом человеческой трагедии, которую оно стремится символизировать. Дориан любил преклонять колена на холодном мраморе церковных плит и смотреть, как священник в тяжелом парчовом облачении медленно снимает бескровными руками покров с дарохранительницы или возносит сверкающую драгоценными камнями дароносицу, похожую на стеклянный фонарь с бледной облаткой внутри, — и тогда ему хотелось верить, что это в самом деле «panis caelestis»[1]. Любил Дориан и тот момент, когда священник в одеянии Страстей Господних преломляет гостию над чашей и бьет себя в грудь, сокрушаясь о грехах своих. Его пленяли дымящиеся кадильницы, которые, как большие золотые цветы, качались в руках мальчиков с торжественно-серьезными лицами, одетых в пурпур и кружева. Выходя из церкви, Дориан с интересом посматривал на темные исповедальни, а иногда подолгу сидел в их сумрачной тени, слушая, как люди шепчут сквозь ветхие решетки правду о своей жизни.

Однако Дориан понимал, что принять официально те или иные догматы или вероучение значи-

---

[1] «Манна небесная» *(лат.)*.

creed or system, or of mistaking, for a house in which to live, an inn that is but suitable for the sojourn of a night, or for a few hours of a night in which there are no stars and the moon is in travail. Mysticism, with its marvellous power of making common things strange to us, and the subtle antinomianism that always seems to accompany it, moved him for a season; and for a season he inclined to the materialistic doctrines of the Darwinismus movement in Germany, and found a curious pleasure in tracing the thoughts and passions of men to some pearly cell in the brain, or some white nerve in the body, delighting in the conception of the absolute dependence of the spirit on certain physical conditions, morbid or healthy, normal or diseased. Yet, as has been said of him before, no theory of life seemed to him to be of any importance compared with life itself. He felt keenly conscious of how barren all intellectual speculation is when separated from action and experiment. He knew that the senses, no less than the soul, have their spiritual mysteries to reveal.

And so he would now study perfumes and the secrets of their manufacture, distilling heavily scented oils and burning odorous gums from the East. He saw that there was no mood of the mind that had not its counterpart in the sensuous life, and set himself to discover their true relations, wondering what there

ло бы ставить какой-то предел своему умственному развитию, и никогда он не делал такой ошибки; он не хотел считать своим постоянным жилищем гостиницу, пригодную лишь для того, чтобы провести в ней ночь или те несколько ночных часов, когда не светят звезды и луна на ущербе. Одно время он был увлечен мистицизмом, его дивным даром делать простое таинственным и необычайным и всегда сопутствующей ему сложной парадоксальностью. В другой период своей жизни Дориан склонялся к материалистическим теориям немецкого дарвинизма, и ему доставляло своеобразное удовольствие сводить все мысли и страсти людские к функции какой-нибудь клетки серого вещества мозга или белых нервных волокон: так заманчива была идея абсолютной зависимости духа от физических условий, патологических или здоровых, нормальных или ненормальных! Однако все теории, все учения о жизни были для Дориана ничто по сравнению с самой жизнью. Он ясно видел, как бесплодны всякие отвлеченные умозаключения, не связанные с опытом и действительностью. Он знал, что чувственная жизнь человека точно так же, как духовная, имеет свои священные тайны, которые ждут открытия.

Он принялся изучать действие различных запахов, секреты изготовления ароматических веществ. Перегонял благовонные масла, жег душистые смолы Востока. Он приходил к заключению, что всякое душевное настроение человека связано с какими-то чувственными восприятиями, и задался целью от-

was in frankincense that made one mystical, and in ambergris that stirred one's passions, and in violets that woke the memory of dead romances, and in musk that troubled the brain, and in champak that stained the imagination; and seeking often to elaborate a real psychology of perfumes, and to estimate the several influences of sweet-smelling roots and scented, pollen-laden flowers; of aromatic balms and of dark and fragrant woods; of spikenard, that sickens; of hovenia, that makes men mad; and of aloes, that are said to be able to expel melancholy from the soul.

At another time he devoted himself entirely to music, and in a long latticed room, with a vermilion-and-gold ceiling and walls of olive-green lacquer, he used to give curious concerts in which mad gipsies tore wild music from little zithers, or grave, yellow-shawled Tunisians plucked at the strained strings of monstrous lutes, while grinning Negroes beat monotonously upon copper drums and, crouching upon scarlet mats, slim turbaned Indians blew through long pipes of reed or brass and charmed — or feigned to charm — great hooded snakes and horrible horned adders. The harsh intervals and shrill discords of barbaric music stirred him at times when Schubert's grace, and Chopin's beautiful sorrows, and the mighty harmonies of Beethoven himself, fell unheeded on his ear. He collected together from all parts of the world the strangest instruments that could be found, either in the tombs of dead nations or among the few savage

крыть их истинные соотношения. Почему, например, запах ладана настраивает людей мистически, а серая амбра разжигает страсти? Почему аромат фиалок будит воспоминания об умершей любви, мускус туманит мозг, а чампак развращает воображение? Мечтая создать науку о психологическом влиянии запахов, Дориан изучал действие разных пахучих корней и трав, душистых цветов в пору созревания их пыльцы, ароматных бальзамов, редких сортов душистого дерева, нарда, который расслабляет, ховении, от запаха которой можно обезуметь, алоэ, который, как говорят, исцеляет душу от меланхолии.

Был в жизни Дориана и такой период, когда он весь отдавался музыке, и тогда в его доме, в длинной зале с решетчатыми окнами, где потолок был расписан золотом и киноварью, а стены покрыты оливково-зеленым лаком, устраивались необыкновенные концерты: лихие цыгане исторгали дикие мелодии из своих маленьких цитр, величавые тунисцы в желтых шалях перебирали туго натянутые струны огромных лютней, негры, скаля зубы, монотонно ударяли в медные барабаны, а стройные, худощавые индийцы в чалмах сидели, поджав под себя ноги, на красных циновках и, наигрывая на длинных дудках, камышовых и медных, зачаровывали (или делали вид, что зачаровывают) больших ядовитых кобр и отвратительных рогатых ехидн. Резкие переходы и пронзительные диссонансы этой варварской музыки волновали Дориана в такие моменты, когда прелесть музыки Шуберта, дивные

tribes that have survived contact with Western civilizations, and loved to touch and try them.

He had the mysterious juruparis of the Rio Negro Indians, that women are not allowed to look at and that even youths may not see till they have been subjected to fasting and scourging, and the earthen jars of the Peruvians that have the shrill cries of birds, and flutes of human bones such as Alfonso de Ovalle heard in Chile, and the sonorous green jaspers that are found near Cuzco and give forth a note of singular sweetness. He had painted gourds filled with pebbles that rattled when they were shaken; the long clarin of the Mexicans, into which the performer does not blow, but through which he inhales the air; the harsh ture of the Amazon tribes, that is sounded by the sentinels who sit all day long in high trees, and can be heard, it is said, at a distance of three leagues; the teponaztli, that has two vibrating tongues of wood and is beaten with sticks that are smeared with an elastic gum obtained from the milky juice of plants; the yotl-bells of the Aztecs, that are hung in clusters like grapes; and a huge cylindrical drum, covered with the skins of great serpents, like the one that Bernal Diaz saw when he went with Cortes into the Mexican temple, and of whose doleful sound he has left us so vivid a

элегии Шопена и даже могучие симфонии Бетховена не производили на него никакого впечатления. Он собирал музыкальные инструменты всех стран света, даже самые редкие и старинные, какие можно найти только в гробницах вымерших народов или у немногих еще существующих диких племен, уцелевших при столкновении с западной цивилизацией. Он любил пробовать все эти инструменты.

В его коллекции был таинственный «джурупарис» индейцев Рио-Негро, на который женщинам смотреть запрещено, и даже юношам это дозволяется лишь после поста и бичевания плоти; были перуанские глиняные кувшины, издающие звуки, похожие на пронзительные крики птиц, и те флейты из человеческих костей, которым некогда внимал в Чили Альфонсо де Овалле, и поющая зеленая яшма, находимая близ Куско и звенящая удивительно приятно. Были в коллекции Дориана и раскрашенные тыквы, наполненные камешками, которые гремят при встряхивании, и длинный мексиканский кларнет — в него музыкант не дует, но через него во время игры втягивает в себя воздух; и резко звучащий «туре» амазонских племен — им подают сигналы часовые, сидящие весь день на высоких деревьях, и звук этого инструмента слышен за три лье; и «тепонацли» с двумя вибрирующими деревянными языками, по которому ударяют палочками, смазанными камедью из млечного сока растений; и колокольчики ацтеков, «иотли», подвешенные гроздьями наподобие винограда; и громадный барабан цилиндрической формы, обтяну-

description. The fantastic character of these instruments fascinated him, and he felt a curious delight in the thought that art, like Nature, has her monsters, things of bestial shape and with hideous voices.

Yet, after some time, he wearied of them, and would sit in his box at the opera, either alone or with Lord Henry, listening in rapt pleasure to "Tannhauser" and seeing in the prelude to that great work of art a presentation of the tragedy of his own soul.

On one occasion he took up the study of jewels, and appeared at a costume ball as Anne de Joyeuse, Admiral of France, in a dress covered with five hundred and sixty pearls. This taste enthralled him for years, and, indeed, may be said never to have left him. He would often spend a whole day settling and resettling in their cases the various stones that he had collected, such as the olive-green chrysoberyl that turns red by lamplight, the cymophane with its wirelike line of silver, the pistachio-coloured peridot, rose-pink and wine-yellow topazes, carbuncles of fiery scarlet with tremulous, four-rayed stars, flame-red cinnamon-stones, orange and violet spinels, and amethysts with their alternate layers of ruby and sapphire. He loved the red gold of the sunstone, and the moonstone's pearly whiteness, and the broken rainbow of the milky opal. He procured from Amsterdam three emeralds of extraordinary size and richness of colour, and had a

тый змеиной кожей, какой видел некогда в мексиканском храме спутник Кортеса, Берналь Диас, так живо описавший жалобные звуки этого барабана. Дориана эти инструменты интересовали своей оригинальностью, и он испытывал своеобразное удовлетворение при мысли, что Искусство, как и Природа, создает иногда уродов, оскорбляющих глаз и слух человеческий своими формами и голосами.

Однако они ему скоро надоели. И по вечерам, сидя в своей ложе в опере, один или с лордом Генри, Дориан снова с восторгом слушал «Тангейзера», и ему казалось, что в увертюре к этому великому произведению звучит трагедия его собственной души.

Затем у него появилась новая страсть: драгоценные камни. На одном бале-маскараде он появился в костюме французского адмирала Анн-де-Жуайеза, и на его камзоле было нашито пятьсот шестьдесят жемчужин. Это увлечение длилось много лет, даже, можно сказать, до конца его жизни. Он способен был целые дни перебирать и раскладывать по футлярам свою коллекцию. Здесь были оливковозеленые хризобериллы, которые при свете лампы становятся красными, кимофаны с серебристыми прожилками, фисташковые перидоты, густо-розовые и золотистые, как вино, топазы, карбункулы, пламенно-алые, с мерцающими внутри четырехконечными звездочками, огненно-красные венисы, оранжевые и фиолетовые шпинели, аметисты, отливавшие то рубином, то сапфиром. Дориана пленяло червонное золото солнечного камня, и жемчужная белизна лунного камня, и радужные пере-

turquoise de la vieille roche that was the envy of all the connoisseurs.

He discovered wonderful stories, also, about jewels. In Alphonso's Clericalis Disciplina a serpent was mentioned with eyes of real jacinth, and in the romantic history of Alexander, the Conqueror of Emathia was said to have found in the vale of Jordan snakes "with collars of real emeralds growing on their backs."

There was a gem in the brain of the dragon, Philostratus told us, and "by the exhibition of golden letters and a scarlet robe" the monster could be thrown into a magical sleep and slain.

According to the great alchemist, Pierre de Boniface, the diamond rendered a man invisible, and the agate of India made him eloquent. The cornelian appeased anger, and the hyacinth provoked sleep, and the amethyst drove away the fumes of wine. The garnet cast out demons, and the hydropicus deprived the moon of her colour. The selenite waxed and waned with the moon, and the meloceus, that discovers thieves, could be affected only by the blood of kids.

Leonardus Camillus had seen a white stone taken from the brain of a newly killed toad, that was a certain antidote against poison. The bezoar, that was

ливы в молочном опале. Он раздобыл в Амстердаме три изумруда, необыкновенно крупных и ярких, и стал обладателем бирюзы de la vieille roche[1], предмета зависти всех знатоков.

Дориан всюду разыскивал не только драгоценные камни, но и интереснейшие легенды о них. Так, например, в сочинении Альфонсо «Clericalis Disciplina»[2] упоминается о змее с глазами из настоящего гиацинта, а в романтической истории Александра рассказывается, что владыка Эмафии видел в долине Иордана змей «с выросшими на их спинах изумрудными ошейниками».

В мозгу дракона, как повествует Филострат, находится драгоценный камень, «и если показать чудовищу золотые письмена и пурпурную ткань, оно уснет волшебным сном, и его можно умертвить».

По свидетельству великого алхимика Пьера де Бонифаса, алмаз может сделать человека невидимым, а индийский агат одаряет его красноречием. Сердолик утишает гнев, гиацинт наводит сон, аметист рассеивает винные пары. Гранат изгоняет из человека бесов, а от аквамарина бледнеет луна. Селенит убывает и прибывает вместе с луной, а мелоций, изобличающий вора, теряет силу только от крови козленка.

Леонард Камилл видел извлеченный из мозга только что убитой жабы белый камень, который оказался отличным противоядием. А безоар, кото-

---

[1] Старинного происхождения *(фр.)*.

[2] «Наставления для клириков» *(лат.)*.

found in the heart of the Arabian deer, was a charm that could cure the plague. In the nests of Arabian birds was the aspilates, that, according to Democritus, kept the wearer from any danger by fire.

The King of Ceilan rode through his city with a large ruby in his hand, as the ceremony of his coronation. The gates of the palace of John the Priest were "made of sardius, with the horn of the horned snake inwrought, so that no man might bring poison within." Over the gable were "two golden apples, in which were two carbuncles," so that the gold might shine by day and the carbuncles by night. In Lodge's strange romance "A Margarite of America", it was stated that in the chamber of the queen one could behold "all the chaste ladies of the world, inchased out of silver, looking through fair mirrours of chrysolites, carbuncles, sapphires, and greene emeraults." Marco Polo had seen the inhabitants of Zipangu place rose-coloured pearls in the mouths of the dead. A sea-monster had been enamoured of the pearl that the diver brought to King Perozes, and had slain the thief, and mourned for seven moons over its loss. When the Huns lured the king into the great pit, he flung it away — Procopius tells the story — nor was it ever found again, though the Emperor Anastasius offered five hundredweight of gold pieces for it.

The King of Malabar had shown to a certain Venetian a rosary of three hundred and four pearls, one for every god that he worshipped.

рый находят в сердце аравийского оленя, — чудодейственный амулет против чумы. В гнездах каких-то аравийских птиц попадается камень аспилат, который, как утверждает Демокрит, предохраняет от огня того, кто его носит.

В день своего коронования король цейлонский проезжал по улицам столицы с большим рубином в руке. Ворота дворца пресвитера Иоанна «были из сердолика, и в них был вставлен рог ехидны — для того, чтобы никто не мог внести яда во дворец». На шпиле красовались «два золотых яблока, а в них два карбункула — для того, чтобы днем сияло золото, а ночью — карбункулы». В странном романе Лоджа «Жемчужина Америки» рассказывается, что в покоях королевы можно было увидеть «серебряные изображения всех целомудренных женщин мира, которые гляделись в красивые зеркала из хризолитов, карбункулов, сапфиров и зеленых изумрудов». Марко Поло видел, как жители Зипангу кладут в рот своим мертвецам розовые жемчужины. Существует легенда о чудище морском, влюбленном в жемчужину. Когда жемчужина эта была выловлена водолазом для короля Пероза, чудище умертвило похитителя и в течение семи лун оплакивало свою утрату. Позднее, как повествует Прокопий, гунны заманили короля Пероза в западню, и он выбросил жемчужину. Ее нигде не могли найти, хотя император Анастасий обещал за нее пятьсот фунтов золота.

А король малабарский показывал одному венецианцу четки из трехсот четырех жемчужин — по числу богов, которым этот король поклонялся.

When the Duke de Valentinois, son of Alexander VI, visited Louis XII of France, his horse was loaded with gold leaves, according to Brantome, and his cap had double rows of rubies that threw out a great light. Charles of England had ridden in stirrups hung with four hundred and twenty-one diamonds. Richard II had a coat, valued at thirty thousand marks, which was covered with balas rubies. Hall described Henry VIII, on his way to the Tower previous to his coronation, as wearing "a jacket of raised gold, the placard embroidered with diamonds and other rich stones, and a great bauderike about his neck of large balasses." The favourites of James I wore ear-rings of emeralds set in gold filigrane. Edward II gave to Piers Gaveston a suit of red-gold armour studded with jacinths, a collar of gold roses set with turquoise-stones, and a skull-cap parseme with pearls. Henry II wore jewelled gloves reaching to the elbow, and had a hawk-glove sewn with twelve rubies and fifty-two great orients. The ducal hat of Charles the Rash, the last Duke of Burgundy of his race, was hung with pear-shaped pearls and studded with sapphires.

How exquisite life had once been! How gorgeous in its pomp and decoration! Even to read of the luxury of the dead was wonderful.

Когда герцог Валентинуа, сын Александра Шестого, приехал в гости к французскому королю Людовику Двенадцатому, его конь, если верить Брантому, был весь покрыт золотыми листьями, а шляпу герцога украшал двойной ряд рубинов, излучавших ослепительное сияние. У верхового коня Карла Английского на стременах было нашито четыреста двадцать бриллиантов. У Ричарда Второго был плащ, весь покрытый лалами, — он оценивался в тридцать тысяч марок. Холл так описывает костюм Генриха Восьмого, ехавшего в Тауэр на церемонию своего коронования: «На короле был кафтан из золотой парчи, нагрудник, расшитый бриллиантами и другими драгоценными камнями, и широкая перевязь из крупных лалов». Фаворитки Якова Первого носили изумрудные серьги в филигранной золотой оправе. Эдуард Второй подарил Пирсу Гейвстону доспехи червонного золота, богато украшенные гиацинтами, колет из золотых роз, усыпанный бирюзой, и шапочку, parsemé[1] жемчугами. Генрих Второй носил перчатки, до локтя унизанные дорогими камнями, а на его охотничьей рукавице были нашиты двенадцать рубинов и пятьдесят две крупные жемчужины. Герцогская шапка Карла Смелого, последнего из этой династии бургундских герцогов, была отделана грушевидным жемчугом и сапфирами.

Как красива была когда-то жизнь! Как великолепна в своей радующей глаз пышности! Даже читать об этой отошедшей в прошлое роскоши было наслаждением.

---

[1] Усеянную *(фр.)*.

Then he turned his attention to embroideries and
to the tapestries that performed the office of frescoes
in the chill rooms of the northern nations of Europe.
As he investigated the subject — and he always had
an extraordinary faculty of becoming absolutely absorbed for the moment in whatever he took up — he
was almost saddened by the reflection of the ruin that
time brought on beautiful and wonderful things. He,
at any rate, had escaped that.

Summer followed summer, and the yellow jonquils
bloomed and died many times, and nights of horror
repeated the story of their shame, but he was unchanged. No winter marred his face or stained his
flowerlike bloom. How different it was with material
things! Where had they passed to? Where was the
great crocus-coloured robe, on which the gods fought
against the giants, that had been worked by brown
girls for the pleasure of Athena? Where the huge ve-
larium that Nero had stretched across the Colosseum
at Rome, that Titan sail of purple on which was represented the starry sky, and Apollo driving a chariot
drawn by white, gilt-reined steeds? He longed to see
the curious table-napkins wrought for the Priest of
the Sun, on which were displayed all the dainties and
viands that could be wanted for a feast; the mortuary
cloth of King Chilperic, with its three hundred golden
bees; the fantastic robes that excited the indignation
of the Bishop of Pontus and were figured with "lions,
panthers, bears, dogs, forests, rocks, hunters — all,
in fact, that a painter can copy from nature»; and the
coat that Charles of Orleans once wore, on the sleeves
of which were embroidered the verses of a song be-

Позднее Дориан заинтересовался вышивками и гобеленами, заменившими фрески в прохладных жилищах народов Северной Европы. Углубившись в их изучение, — а Дориан обладал удивительной способностью уходить целиком в то, чем занимался, — он чуть ли не с горечью замечал, как разрушает Время все прекрасное и неповторимое. Сам-то он, во всяком случае, избежал этой участи.

Проходило одно лето за другим, и много раз уже расцветали и увядали желтые жонкили, и безумные ночи вновь и вновь повторялись во всем своем ужасе и позоре, а Дориан не менялся. Никакая зима не портила его лица, не убивала его цветущей прелести. Насколько же иной была судьба вещей, созданных людьми! Куда они девались? Где дивное одеяние шафранного цвета с изображением битвы богов и титанов, сотканное смуглыми девами для Афины Паллады? Где веларием, натянутый по приказу Нерона над римским Колизеем, это громадное алое полотно, на котором было изображено звездное небо и Аполлон на своей колеснице, влекомой белыми конями в золотой упряжи? Дориан горячо жалел, что не может увидеть вышитые для жреца Солнца изумительные салфетки, на которых были изображены всевозможные лакомства и яства, какие только можно пожелать для пиров; или погребальный покров короля Хильперика, усеянный тремя сотнями золотых пчел; или возбудившие негодование епископа Понтийского фантастические одеяния — на них изображены были «львы, пантеры, медведи, собаки, леса, скалы, охотники, — сло-

ginning "Madame, je suis tout joyeux," the musical accompaniment of the words being wrought in gold thread, and each note, of square shape in those days, formed with four pearls.

He read of the room that was prepared at the palace at Rheims for the use of Queen Joan of Burgundy and was decorated with "thirteen hundred and twenty-one parrots, made in broidery, and blazoned with the king's arms, and five hundred and sixty-one butterflies, whose wings were similarly ornamented with the arms of the queen, the whole worked in gold."

Catherine de Medicis had a mourning-bed made for her of black velvet powdered with crescents and suns. Its curtains were of damask, with leafy wreaths and garlands, figured upon a gold and silver ground, and fringed along the edges with broideries of pearls, and it stood in a room hung with rows of the queen's devices in cut black velvet upon cloth of silver. Louis XIV had gold embroidered caryatides fifteen feet high in his apartment. The state bed of Sobieski, King of Poland, was made of Smyrna gold brocade embroidered in turquoises with verses from the Koran. Its supports were of silver gilt, beautifully chased, and profusely set with enamelled and jewelled medallions. It had been taken from the Turkish camp before Vienna, and the standard of Mohammed had stood beneath the tremulous gilt of its canopy.

вом, все, что художник может увидеть в природе»; или ту одежду принца Карла Орлеанского, на рукавах которой были вышиты стихи, начинавшиеся словами: «Madame, je suis tout joyeux»[1], и музыка к ним, причем нотные линейки вышиты были золотом, а каждый нотный знак (четырехугольный, как принято было тогда) — четырьмя жемчужинами.

Дориан прочел описание комнаты, приготовленной в Реймском дворце для королевы Иоанны Бургундской. На стенах были вышиты «тысяча триста двадцать один попугай и пятьсот шестьдесят одна бабочка, на крыльях у птиц красовался герб королевы, и все из чистого золота».

Траурное ложе Екатерины Медичи было обито черным бархатом, усеянным полумесяцами и солнцами. Полог был узорчатого шелка с венками и гирляндами зелени по золотому и серебряному фону и бахромой из жемчуга. Стояло это ложе в спальне, где стены были увешаны гербами королевы из черного бархата на серебряной парче. В покоях Людовика Четырнадцатого были вышиты золотом кариатиды высотой в пятнадцать футов. Парадное ложе польского короля Яна Собеского стояло под шатром из золотой смирнской парчи с вышитыми бирюзой строками из Корана. Поддерживавшие его колонки, серебряные, вызолоченные, дивной работы, были богато украшены эмалевыми медальонами и драгоценными камнями. Шатер этот поляки взяли в турецком лагере под Веной. Под его золоченым куполом прежде стояло знамя пророка Магомета.

---

[1] «Мадам, я очень счастлив» *(фр.)*.

And so, for a whole year, he sought to accumulate the most exquisite specimens that he could find of textile and embroidered work, getting the dainty Delhi muslins, finely wrought with gold-thread palmates and stitched over with iridescent beetles' wings; the Dacca gauzes, that from their transparency are known in the East as "woven air," and "running water," and "evening dew»; strange figured cloths from Java; elaborate yellow Chinese hangings; books bound in tawny satins or fair blue silks and wrought with fleurs-de-lis, birds and images; veils of lacis worked in Hungary point; Sicilian brocades and stiff Spanish velvets; Georgian work, with its gilt coins, and Japanese Foukousas, with their green-toned golds and their marvellously plumaged birds.

He had a special passion, also, for ecclesiastical vestments, as indeed he had for everything connected with the service of the Church. In the long cedar chests that lined the west gallery of his house, he had stored away many rare and beautiful specimens of what is really the raiment of the Bride of Christ, who must wear purple and jewels and fine linen that she may hide the pallid macerated body that is worn by the suffering that she seeks for and wounded by self-inflicted pain. He possessed a gorgeous cope of crimson silk and gold-thread damask, figured with a repeating pattern of golden pomegranates set in six-

В течение целого года Дориан усердно коллекционировал самые лучшие, какие только можно было найти, вышивки и ткани. У него были образцы чудесной индийской кисеи из Дели, затканной красивым узором из золотых пальмовых листьев и радужных крылышек скарабеев; газ из Дакки, за свою прозрачность получивший на Востоке названия «ткань из воздуха», «водяная струя», «вечерняя роса»; причудливо разрисованные ткани с Явы, желтые китайские драпировки тончайшей работы; книги в переплетах из атласа цвета корицы или красивого синего шелка, затканного fleurs-de-lis[1], птицами и всякими другими рисунками; вуали из венгерского кружева, сицилийская парча и жесткий испанский бархат; грузинские изделия с золотыми цехинами и японские «фукусас» золотисто-зеленых тонов с вышитыми по ним птицами чудесной окраски.

Особое пристрастие имел Дориан к церковным облачениям, как и ко всему, что связано с религиозными обрядами. В больших кедровых сундуках, стоявших на западной галерее его дома, он хранил множество редчайших и прекраснейших одежд, достойных быть одеждами невест Христовых, ибо невеста Христова должна носить пурпур, драгоценности и тонкое полотно, чтобы укрыть свое бескровное тело, истощенное добровольными лишениями, израненное самобичеваниями. Дориан был также обладателем великолепной ризы из малинового шелка и золотой парчи с повторяющимся узором — золоты-

---

[1] Лилиями *(фр.)*. Л и л и я — геральдический цветок, французский королевский герб.

petalled formal blossoms, beyond which on either side was the pine-apple device wrought in seed-pearls. The orphreys were divided into panels representing scenes from the life of the Virgin, and the coronation of the Virgin was figured in coloured silks upon the hood. This was Italian work of the fifteenth century.

Another cope was of green velvet, embroidered with heart-shaped groups of acanthus-leaves, from which spread long-stemmed white blossoms, the details of which were picked out with silver thread and coloured crystals. The morse bore a seraph's head in gold-thread raised work. The orphreys were woven in a diaper of red and gold silk, and were starred with medallions of many saints and martyrs, among whom was St. Sebastian.

He had chasubles, also, of amber-coloured silk, and blue silk and gold brocade, and yellow silk damask and cloth of gold, figured with representations of the Passion and Crucifixion of Christ, and embroidered with lions and peacocks and other emblems; dalmatics of white satin and pink silk damask, decorated with tulips and dolphins and fleurs-de-lis; altar frontals of crimson velvet and blue linen; and many corporals, chalice-veils, and sudaria. In the mystic offices to which such things were put, there was something that quickened his imagination.

For these treasures, and everything that he collected in his lovely house, were to be to him means of forgetfulness, modes by which he could escape, for a season, from the fear that seemed to him at times to be almost too great to be borne. Upon the walls of the lonely locked room where he had spent so much of his

ми плодами граната, венками из шестилепестковых цветов и вышитыми мелким жемчугом ананасами. Орарь был разделен на квадраты, и на каждом квадрате изображены сцены из жизни Пресвятой Девы, а ее венчание было вышито цветными шелками на капюшоне. Это была итальянская работа XV века.

Другая риза была из зеленого бархата, на котором листья аканта, собранные сердцевидными пучками, и белые цветы на длинных стеблях вышиты были серебряными нитями и цветным бисером; на застежке золотом вышита голова серафима, а орарь заткан ромбовидным узором, красным и золотым, и усеян медальонами с изображениями святых и великомучеников, среди них и святого Себастьяна.

Были у Дориана и другие облачения священников — из шелка янтарного цвета и голубого, золотой парчи, желтой камки и глазета, на которых были изображены Страсти Господни и распятие, вышиты львы, павлины и всякие эмблемы; были далматики из белого атласа и розового штофа с узорами из тюльпанов, дельфинов и французских лилий; были покровы для алтарей из малинового бархата и голубого полотна, священные хоругви, множество антиминсов и покровы для потиров. Мистические обряды, для которых употреблялись эти предметы, волновали воображение Дориана.

Эти сокровища, как и все, что собрал Дориан Грей в своем великолепно убранном доме, помогали ему хоть на время забыться, спастись от страха, который порой становился уже почти невыносимым. В нежилой, запертой комнате, где он провел когда-то так много дней своего детства, он сам поместил теперь

boyhood, he had hung with his own hands the terrible portrait whose changing features showed him the real degradation of his life, and in front of it had draped the purple-and-gold pall as a curtain. For weeks he would not go there, would forget the hideous painted thing, and get back his light heart, his wonderful joyousness, his passionate absorption in mere existence. Then, suddenly, some night he would creep out of the house, go down to dreadful places near Blue Gate Fields, and stay there, day after day, until he was driven away. On his return he would sit in front of the picture, sometimes loathing it and himself, but filled, at other times, with that pride of individualism that is half the fascination of sin, and smiling with secret pleasure at the misshapen shadow that had to bear the burden that should have been his own.

After a few years he could not endure to be long out of England, and gave up the villa that he had shared at Trouville with Lord Henry, as well as the little white walled-in house at Algiers where they had more than once spent the winter. He hated to be separated from the picture that was such a part of his life, and was also afraid that during his absence some one might gain access to the room, in spite of the elaborate bars that he had caused to be placed upon the door.

He was quite conscious that this would tell them nothing. It was true that the portrait still preserved, under all the foulness and ugliness of the face, its marked likeness to himself; but what could they learn from that? He would laugh at any one who tried to taunt him. He had not painted it. What was it to him

роковой портрет, в чьих изменившихся чертах читал постыдную правду о своей жизни, и закрыл его пурпурно-золотым покрывалом. По нескольку недель Дориан не заглядывал сюда и забывал отвратительное лицо на полотне. В это время к нему возвращалась прежняя беззаботность, светлая веселость, страстное упоение жизнью. Потом он вдруг ночью, тайком ускользнув из дому, отправлялся в какие-то грязные притоны близ Блу-Гэйт-Филдс и проводил там дни до тех пор, пока его оттуда не выгоняли. А воротясь домой, садился перед портретом и глядел на него, порой ненавидя его и себя, порой же — с той гордостью индивидуалиста, которая влечет его навстречу греху, и улыбался с тайным злорадством своему безобразному двойнику, который обречен был нести предназначенное ему, Дориану, бремя.

Через несколько лет Дориан уже не в силах был подолгу оставаться где-либо вне Англии. Он отказался от виллы в Трувиле, которую снимал вместе с лордом Генри, и от обнесенного белой стеной домика в Алжире, где они не раз вдвоем проводили зиму. Он не мог выносить разлуки с портретом, который занимал такое большое место в его жизни. И, кроме того, боялся, как бы в его отсутствие в комнату, где стоял портрет, кто-нибудь не забрался, несмотря на надежные засовы, сделанные по его распоряжению.

Впрочем, Дориан был вполне уверен, что если кто и увидит портрет, то ни о чем не догадается. Правда, несмотря на отталкивающие следы пороков, портрет сохранил явственное сходство с ним, но что же из этого? Дориан высмеял бы всякого, кто попытался бы его шантажировать. Не он писал пор-

how vile and full of shame it looked? Even if he told them, would they believe it?

Yet he was afraid. Sometimes when he was down at his great house in Nottinghamshire, entertaining the fashionable young men of his own rank who were his chief companions, and astounding the county by the wanton luxury and gorgeous splendour of his mode of life, he would suddenly leave his guests and rush back to town to see that the door had not been tampered with and that the picture was still there. What if it should be stolen? The mere thought made him cold with horror. Surely the world would know his secret then. Perhaps the world already suspected it.

For, while he fascinated many, there were not a few who distrusted him. He was very nearly black-balled at a West End club of which his birth and social position fully entitled him to become a member, and it was said that on one occasion, when he was brought by a friend into the smoking-room of the Churchill, the Duke of Berwick and another gentleman got up in a marked manner and went out. Curious stories became current about him after he had passed his twenty-fifth year. It was rumoured that he had been seen brawling with foreign sailors in a low den in the distant parts of Whitechapel, and that he consorted with thieves and coiners and knew the mysteries of their trade. His extraordinary absences became noto-rious, and, when he used to reappear again in society, men would whisper to each other in corners, or pass him with a sneer, or look at him with cold searching

трет, — так кто же станет винить его в этом постыдном безобразии? Да если бы он и рассказал людям правду, — разве кто поверит?

И все-таки он боялся. Порой, когда он в своем большом доме в Ноттингемшире принимал гостей, светскую молодежь своего круга, среди которой у него было много приятелей, и развлекал их, поражая все графство расточительной роскошью и великолепием этих празднеств, он внезапно, в разгаре веселья, покидал гостей и мчался в Лондон, чтобы проверить, не взломана ли дверь классной, на месте ли портрет. Что, если его уже украли? Самая мысль об этом леденила кровь Дориана. Ведь тогда свет узнает его тайну! Быть может, люди уже и так кое-что подозревают?

Да, он очаровывал многих, но немало было и таких, которые относились к нему с недоверием. Его чуть не забаллотировали в одном уэст-эндском клубе, хотя по своему рождению и положению в обществе он имел полное право стать членом этого клуба. Рассказывали также, что, когда кто-то из приятелей Дориана привел его в курительную комнату Черчилл-клуба, герцог Бервикский, а за ним и другой джентльмен встали и демонстративно вышли. Темные слухи стали ходить о нем, когда ему было уже лет двадцать пять. Говорили, что его кто-то видел в одном из грязных притонов отдаленного квартала Уайтчепла, где у него вышла стычка с иностранными матросами, что он водится с ворами и фальшивомонетчиками и посвящен в тайны их ремесла. О его странных отлучках знали уже многие, и, когда он после них снова появлялся в об-

eyes, as though they were determined to discover his secret.

Of such insolences and attempted slights he, of course, took no notice, and in the opinion of most people his frank debonair manner, his charming boyish smile, and the infinite grace of that wonderful youth that seemed never to leave him, were in themselves a sufficient answer to the calumnies, for so they termed them, that were circulated about him.

It was remarked, however, that some of those who had been most intimate with him appeared, after a time, to shun him. Women who had wildly adored him, and for his sake had braved all social censure and set convention at defiance, were seen to grow pallid with shame or horror if Dorian Gray entered the room.

Yet these whispered scandals only increased in the eyes of many his strange and dangerous charm. His great wealth was a certain element of security. Society — civilized society, at least — is never very ready to believe anything to the detriment of those who are both rich and fascinating. It feels instinctively that manners are of more importance than morals, and, in its opinion, the highest respectability is of much less value than the possession of a good chef. And, after all, it is a very poor consolation to be told that the man who has given one a bad dinner, or poor wine, is irreproachable in his private life. Even the cardinal virtues cannot atone for half-cold entrees, as Lord

ществе, мужчины шептались по углам, а проходя мимо него, презрительно усмехались или устремляли на него холодные, испытующие взгляды, словно желая узнать наконец правду о нем.

Дориан, разумеется, не обращал внимания на такие дерзости и знаки пренебрежения, а для большинства людей его открытое добродушие и приветливость, обаятельная, почти детская улыбка, невыразимое очарование его прекрасной неувядающей молодости были достаточным опровержением возводимой на него клеветы — так эти люди называли слухи, ходившие о Дориане.

Однако же в свете было замечено, что люди, которые раньше считались близкими друзьями Дориана, стали его избегать. Женщины, безумно влюбленные в него, для него пренебрегшие приличиями и бросившие вызов общественному мнению, теперь бледнели от стыда и ужаса, когда Дориан Грей входил в комнату.

Впрочем, темные слухи о Дориане только придавали ему в глазах многих еще больше очарования, странного и притягательного. Притом и его богатство до некоторой степени обеспечивало ему безопасность. Общество — по крайней мере, цивилизованное общество — не очень-то склонно верить тому, что дискредитирует людей богатых и приятных. Оно инстинктивно понимает, что хорошие манеры важнее добродетели, и самого почтенного человека ценит гораздо меньше, чем того, кто имеет хорошего повара. И, в сущности, это правильно: когда вас в каком-нибудь доме угостили плохим обедом или скверным вином, то вас очень мало утеша-

Henry remarked once, in a discussion on the subject, and there is possibly a good deal to be said for his view. For the canons of good society are, or should be, the same as the canons of art. Form is absolutely essential to it. It should have the dignity of a ceremony, as well as its unreality, and should combine the insincere character of a romantic play with the wit and beauty that make such plays delightful to us. Is insincerity such a terrible thing? I think not. It is merely a method by which we can multiply our personalities.

Such, at any rate, was Dorian Gray's opinion. He used to wonder at the shallow psychology of those who conceive the ego in man as a thing simple, permanent, reliable, and of one essence. To him, man was a being with myriad lives and myriad sensations, a complex multiform creature that bore within itself strange legacies of thought and passion, and whose very flesh was tainted with the monstrous maladies of the dead. He loved to stroll through the gaunt cold picture-gallery of his country house and look at the various portraits of those whose blood flowed in his veins. Here was Philip Herbert, described by Francis Osborne, in his Memoires on the Reigns of Queen Elizabeth and King James, as one who was "caressed by the Court for his handsome face, which kept him not long company." Was it young Herbert's life that

ет сознание, что хозяин дома в личной жизни человек безупречно нравственный. Как сказал однажды лорд Генри, когда обсуждался этот вопрос, — самые высокие добродетели не искупают вины человека, в доме которого вам подают недостаточно горячие кушанья. И в защиту такого мнения можно сказать многое. Ибо в хорошем обществе царят — или должны бы царить — те же законы, что в искусстве: форма здесь играет существенную роль. Ей должна быть придана внушительная торжественность и театральность церемонии, она должна сочетать в себе неискренность романтической пьесы с остроумием и блеском, так пленяющими нас в этих пьесах. Разве притворство — такой уж великий грех? Вряд ли. Оно — только способ придать многообразие человеческой личности.

Так, по крайней мере, думал Дориан Грей. Его поражала ограниченность тех, кто представляет себе наше «я» как нечто простое, неизменное, надежное и однородное в своей сущности. Дориан видел в человеке существо с мириадами жизней и мириадами ощущений, существо сложное и многообразное, в котором заложено непостижимое наследие мыслей и страстей, и даже плоть его заражена чудовищными недугами умерших предков. Дориан любил бродить по холодной и мрачной портретной галерее своего загородного дома и всматриваться в портреты тех, чья кровь текла в его жилах. Вот Филипп Герберт, о котором Фрэнсис Осборн в своих «Мемуарах о годах царствования королевы Елизаветы и короля Якова» рассказывает, что «он был любимцем двора за свою красоту, которая недолго

he sometimes led? Had some strange poisonous germ crept from body to body till it had reached his own? Was it some dim sense of that ruined grace that had made him so suddenly, and almost without cause, give utterance, in Basil Hallward's studio, to the mad prayer that had so changed his life?

Here, in gold-embroidered red doublet, jewelled surcoat, and gilt-edged ruff and wristbands, stood Sir Anthony Sherard, with his silver-and-black armour piled at his feet. What had this man's legacy been? Had the lover of Giovanna of Naples bequeathed him some inheritance of sin and shame? Were his own actions merely the dreams that the dead man had not dared to realize?

Here, from the fading canvas, smiled Lady Elizabeth Devereux, in her gauze hood, pearl stomacher, and pink slashed sleeves. A flower was in her right hand, and her left clasped an enamelled collar of white and damask roses. On a table by her side lay a mandolin and an apple. There were large green rosettes upon her little pointed shoes. He knew her life, and the strange stories that were told about her lovers. Had he something of her temperament in him? These oval, heavy-lidded eyes seemed to look curiously at him.

его украшала». Дориан спрашивал себя: не является ли его собственная жизнь повторением жизни молодого Герберта? Быть может, в их роду какой-то отравляющий микроб переходил от одного к другому, пока не попал в его собственное тело? Уж не подсознательное ли воспоминание о рано отцветшей красоте далекого предка побудило его, Дориана, неожиданно и почти без всякого повода высказать в мастерской Бэзила Холлуорда безумное желание, так изменившее всю его жизнь?

А вот в красном камзоле с золотым шитьем, в украшенной бриллиантами короткой мантии, в брыжах с золотым кантом и таких же манжетах стоит сэр Энтони Шерард, а у ног его сложены доспехи, серебряные с чернью. Какое наследие оставил он своему потомку? Может быть, от этого любовника Джованны Неаполитанской перешли к нему, Дориану, какие-то постыдные пороки? И не являются ли его поступки только осуществленными желаниями этого давно умершего человека, при жизни не дерзнувшего их осуществить?

Дальше с уже выцветающего полотна улыбалась Дориану леди Елизавета Девере в кружевном чепце и расшитом жемчугом корсаже с разрезными розовыми рукавами. В правой руке цветок, а в левой — эмалевое ожерелье из белых и красных роз. На столике около нее лежат мандолина и яблоко, на ее остроносых башмачках — пышные зеленые розетки. Дориану была известна жизнь этой женщины и странные истории, которые рассказывались о ее любовниках. Не унаследовал ли он и какие-то свойства ее темперамента? Ее удлиненные глаза с тяжелыми веками, казалось, глядели на него с любопытством.

What of George Willoughby, with his powdered hair and fantastic patches? How evil he looked! The face was saturnine and swarthy, and the sensual lips seemed to be twisted with disdain. Delicate lace ruffles fell over the lean yellow hands that were so overladen with rings. He had been a macaroni of the eighteenth century, and the friend, in his youth, of Lord Ferrars.

What of the second Lord Beckenham, the companion of the Prince Regent in his wildest days, and one of the witnesses at the secret marriage with Mrs. Fitzherbert? How proud and handsome he was, with his chestnut curls and insolent pose! What passions had he bequeathed? The world had looked upon him as infamous. He had led the orgies at Carlton House. The star of the Garter glittered upon his breast.

Beside him hung the portrait of his wife, a pallid, thin-lipped woman in black. Her blood, also, stirred within him. How curious it all seemed!

And his mother with her Lady Hamilton face and her moist, wine-dashed lips — he knew what he had got from her. He had got from her his beauty, and his passion for the beauty of others. She laughed at him in her loose Bacchante dress. There were vine leaves in her hair. The purple spilled from the cup she was holding. The carnations of the painting had withered, but the eyes were still wonderful in their depth and brilliancy of colour. They seemed to follow him wherever he went.

Ну а что досталось ему от Джорджа Уиллоуби, мужчины в напудренном парике и с забавными мушками на лице? Какое недоброе лицо, смуглое, мрачное, с ртом сладострастно-жестоким, в складке которого чувствуется надменное презрение. Желтые костлявые руки сплошь унизаны перстнями и полуприкрыты тонкими кружевами манжет. Этот щеголь восемнадцатого века в молодости был другом лорда Феррарса.

А второй лорд Бекингем, товарищ принца-регента в дни его самых отчаянных сумасбродств и один из свидетелей его тайного брака с миссис Фицгерберт? Какой гордый вид у этого красавца с каштановыми кудрями, сколько дерзкого высокомерия в его позе! Какие страсти оставил он в наследство потомку? Современники считали его человеком без чести. Он первенствовал на знаменитых оргиях в Карлтон-Хаусе. На груди его сверкает орден Подвязки...

Рядом висит портрет его жены, узкогубой и бледной женщины в черном. «И ее кровь тоже течет в моих жилах, — думал Дориан. — Как все это любопытно!»

А вот мать. Женщина с лицом леди Гамильтон и влажными, словно омоченными в вине губами... Дориан хорошо знал, что он унаследовал от нее: свою красоту и страстную влюбленность в красоту других. Она улыбается ему с портрета, на котором художник изобразил ее вакханкой. В волосах ее виноградные листья. Из чаши, которую она держит в руках, льется пурпурная влага. Краски лица на портрете потускнели, но глаза сохранили удивительную глубину и яркость. Дориану казалось, что они следуют за ним, куда бы он ни шел.

Yet one had ancestors in literature as well as in one's own race, nearer perhaps in type and temperament, many of them, and certainly with an influence of which one was more absolutely conscious. There were times when it appeared to Dorian Gray that the whole of history was merely the record of his own life, not as he had lived it in act and circumstance, but as his imagination had created it for him, as it had been in his brain and in his passions. He felt that he had known them all, those strange terrible figures that had passed across the stage of the world and made sin so marvellous and evil so full of subtlety. It seemed to him that in some mysterious way their lives had been his own.

The hero of the wonderful novel that had so influenced his life had himself known this curious fancy. In the seventh chapter he tells how, crowned with laurel, lest lightning might strike him, he had sat, as Tiberius, in a garden at Capri, reading the shameful books of Elephantis, while dwarfs and peacocks strutted round him and the flute-player mocked the swinger of the censer; and, as Caligula, had caroused with the green-shirted jockeys in their stables and supped in an ivory manger with a jewel-frontleted horse; and, as Domitian, had wandered through a corridor lined with marble mirrors, looking round with haggard eyes for the reflection of the dagger that was to end his days, and sick with that ennui, that terrible taedium vitae, that comes on those to whom life denies nothing; and had peered through a clear em-

А ведь у человека есть предки не только в роду: они у него есть и в литературе. И многие из этих литературных предков, пожалуй, ближе ему по типу и темпераменту, а влияние их, конечно, ощущается им сильнее. В иные минуты Дориану Грею казалось, что вся история человечества — лишь летопись его собственной жизни, не той действительной, созданной обстоятельствами, а той, которой он жил в своем воображении, покорный требованиям мозга и влечениям страстей. Ему были близки и понятны все те странные и страшные образы, что прошли на арене мира и сделали грех столь соблазнительным, зло — столь утонченным. Казалось, жизнь их каким-то таинственным образом связана с его жизнью.

Герой увлекательной книги, которая оказала на Дориана столь большое влияние, тоже был одержим такой фантазией. В седьмой главе он рассказывает, как он в обличье Тиберия, увенчанный лаврами, предохраняющими от молнии, сиживал в саду на Капри и читал бесстыдные книги Элефантиды, а вокруг него важно прохаживались павлины и карлики, и флейтист дразнил кадильщика фимиама. Он был и Калигулой, бражничал в конюшнях с наездниками в зеленых туниках и ужинал из яслей слоновой кости вместе со своей лошадью, украшенной бриллиантовой повязкой на лбу. Он был Домицианом и, бродя по коридору, облицованному плитами полированного мрамора, угасшим взором искал в них отражения кинжала, которому суждено пресечь его дни, и томился тоской, taedium vitae[1], страшным не-

---

[1] Отвращением к жизни, пресыщенностью *(лат.)*.

erald at the red shambles of the circus and then, in a litter of pearl and purple drawn by silver-shod mules, been carried through the Street of Pomegranates to a House of Gold and heard men cry on Nero Caesar as he passed by; and, as Elagabalus, had painted his face with colours, and plied the distaff among the women, and brought the Moon from Carthage and given her in mystic marriage to the Sun.

Over and over again Dorian used to read this fantastic chapter, and the two chapters immediately following, in which, as in some curious tapestries or cunningly wrought enamels, were pictured the awful and beautiful forms of those whom vice and blood and weariness had made monstrous or mad: Filippo, Duke of Milan, who slew his wife and painted her lips with a scarlet poison that her lover might suck death from the dead thing he fondled; Pietro Barbi, the Venetian, known as Paul the Second, who sought in his vanity to assume the title of Formosus, and whose tiara, valued at two hundred thousand florins, was bought at the price of a terrible sin; Gian Maria Visconti, who used hounds to chase living men and whose murdered body was covered with roses by a harlot who had loved him; the Borgia on his white horse, with Fratricide riding beside him and his mantle stained with the blood of Perotto; Pietro Riario, the young Cardinal Archbishop of Florence, child and minion of Sixtus IV, whose

дугом тех, кому жизнь ни в чем не отказывала. Сидя в цирке, он сквозь прозрачный изумруд любовался кровавой резней на арене, а потом на носилках, украшенных жемчугом и пурпуром, влекомых мулами с серебряными подковами, возвращался в свой Золотой дворец Гранатовой аллеей, провожаемый криками толпы, проклинавшей его, цезаря Нерона. Он был и Гелиогабалом, который, раскрасив себе лицо, сидел за прялкой вместе с женщинами и приказал доставить богиню Луны из Карфагена, чтобы сочетать ее мистическим браком с Солнцем.

Вновь и вновь перечитывал Дориан эту фантастическую главу и две следующие, в которых, как на каких-то удивительных гобеленах или эмалях искусной работы, запечатлены были прекрасные и жуткие лики тех, кого Пресыщенность, Порок и Кровожадность превратили в чудовищ или безумцев. Филиппо, герцог Миланский, который убил свою жену и намазал ей губы алым ядом, чтобы ее любовник вкусил смерть с мертвых уст той, кого он ласкал. Венецианец Пьетро Барби, известный под именем Павла Второго и в своем тщеславии добившийся, чтобы его величали Formosus[1]; его тиара, стоившая двести тысяч флоринов, была приобретена ценой страшного преступления. Джан Мария Висконти, травивший людей собаками; когда он был убит, труп его усыпала розами любившая его гетера. Чезаре Борджиа на белом коне — с ним рядом скакало братоубийство, и на плаще его была кровь Перотто. Молодой кардинал, архиепископ Флоренции, сын

---

[1] Прекрасный *(лат.)*.

beauty was equalled only by his debauchery, and who received Leonora of Aragon in a pavilion of white and crimson silk, filled with nymphs and centaurs, and gilded a boy that he might serve at the feast as Ganymede or Hylas; Ezzelin, whose melancholy could be cured only by the spectacle of death, and who had a passion for red blood, as other men have for red wine — the son of the Fiend, as was reported, and one who had cheated his father at dice when gambling with him for his own soul; Giambattista Cibo, who in mockery took the name of Innocent and into whose torpid veins the blood of three lads was infused by a Jewish doctor; Sigismondo Malatesta, the lover of Isotta and the lord of Rimini, whose effigy was burned at Rome as the enemy of God and man, who strangled Polyssena with a napkin, and gave poison to Ginevra d'Este in a cup of emerald, and in honour of a shameful passion built a pagan church for Christian worship; Charles VI, who had so wildly adored his brother's wife that a leper had warned him of the insanity that was coming on him, and who, when his brain had sickened and grown strange, could only be soothed by Saracen cards painted with the images of love and death and madness; and, in his trimmed jerkin and jewelled cap and acanthuslike curls, Grifonetto Baglioni, who slew Astorre with his bride, and Simonetto with his page, and whose comeliness was such that, as he lay dying in the yellow piazza of Perugia, those who had hated him could not choose but weep, and Atalanta, who had cursed him, blessed him.

и фаворит папы Сикста Четвертого, Пьетро Риарио, чья красота равнялась только его развращенности; он принимал Леонору Арагонскую в шатре из белого и алого шелка, украшенном нимфами и кентаврами, и велел позолотить мальчика, который должен был на пиру изображать Ганимеда или Гиласа. Эззелино, чью меланхолию рассеивало только зрелище смерти, — он был одержим страстью к крови, как другие одержимы страстью к красному вину; по преданию, он был сыном дьявола и обманул своего отца, играя с ним в кости на собственную душу. Джамбаттиста Чибо, в насмешку именовавший себя Невинным, тот Чибо, в чьи истощенные жилы еврей-лекарь влил кровь трех юношей. Сиджизмондо Малатеста, любовник Изотты и сюзеренный властитель Римини, который задушил салфеткой Поликсену, а Джиневре д'Эсте поднес яд в изумрудном кубке; он для культа постыдной страсти воздвиг языческий храм, где совершались христианские богослужения. Изображение этого врага Бога и людей сожгли в Риме. Карл Шестой, который так страстно любил жену брата, что один прокаженный предсказал ему безумие от любви; когда ум его помутился, его успокаивали только сарацинские карты с изображениями Любви, Смерти и Безумия. И наконец, Грифонетто Бальони в нарядном камзоле и усаженной алмазами шляпе на акантоподобных кудрях, убийца Асторре и его невесты, а также Симонетто и его пажа, столь прекрасный, что, когда он умирал на желтой piazza[1] Перуджи, даже ненавидевшие его

---

[1] Площади (ит.).

There was a horrible fascination in them all. He saw them at night, and they troubled his imagination in the day. The Renaissance knew of strange manners of poisoning — poisoning by a helmet and a lighted torch, by an embroidered glove and a jewelled fan, by a gilded pomander and by an amber chain. Dorian Gray had been poisoned by a book. There were moments when he looked on evil simply as a mode through which he could realize his conception of the beautiful.

Chapter XII

It was on the ninth of November, the eve of his own thirty-eighth birthday, as he often remembered afterwards.

He was walking home about eleven o'clock from Lord Henry's, where he had been dining, and was wrapped in heavy furs, as the night was cold and foggy. At the corner of Grosvenor Square and South Audley Street, a man passed him in the mist, walking very fast and with the collar of his grey ulster turned up. He had a bag in his hand. Dorian recognized him. It was Basil Hallward. A strange sense of fear, for which he could not account, came over him. He made no sign of recognition and went on quickly in the direction of his own house.

But Hallward had seen him. Dorian heard him first stopping on the pavement and then hurrying after him. In a few moments, his hand was on his arm.

не могли удержаться от слез, а проклявшая его Аталанта благословила его.

Все они таили в себе какую-то страшную притягательную силу. Они снились Дориану по ночам, тревожили его воображение днем. Эпоха Возрождения знала необычайные способы отравления: отравляла с помощью шлема или зажженного факела, вышитой перчатки или драгоценного веера, раззолоченных мускусных шариков и янтарного ожерелья. А Дориан Грей был отравлен книгой. И в иные минуты Зло было для него лишь одним из средств осуществления того, что он считал красотой жизни.

Глава XII

Было это девятого ноября и (как часто вспоминал потом Дориан) накануне дня его рождения, когда ему исполнилось тридцать восемь лет.

Часов в одиннадцать вечера он возвращался домой от лорда Генри, у которого обедал. Он шел пешком, до глаз закутанный в шубу, так как ночь была холодная и туманная. На углу Гровенор-сквер и Саут-Одли-стрит мимо него во мгле промелькнул человек, шедший очень быстро с саквояжем в руке. Воротник его серого пальто был поднят, но Дориан узнал Бэзила Холлуорда. Неизвестно почему, его вдруг охватил какой-то безотчетный страх. Он и виду не подал, что узнал Бэзила, и торопливо зашагал дальше.

Но Холлуорд успел его заметить. Дориан слышал, как он остановился и затем стал его догонять. Через минуту рука Бэзила легла на его плечо.

"Dorian! What an extraordinary piece of luck! I have been waiting for you in your library ever since nine o'clock. Finally I took pity on your tired servant and told him to go to bed, as he let me out. I am off to Paris by the midnight train, and I particularly wanted to see you before I left. I thought it was you, or rather your fur coat, as you passed me. But I wasn't quite sure. Didn't you recognize me?"

"In this fog, my dear Basil? Why, I can't even recognize Grosvenor Square. I believe my house is somewhere about here, but I don't feel at all certain about it. I am sorry you are going away, as I have not seen you for ages. But I suppose you will be back soon?"

"No: I am going to be out of England for six months. I intend to take a studio in Paris and shut myself up till I have finished a great picture I have in my head. However, it wasn't about myself I wanted to talk. Here we are at your door. Let me come in for a moment. I have something to say to you."

"I shall be charmed. But won't you miss your train?" said Dorian Gray languidly as he passed up the steps and opened the door with his latch-key.

The lamplight struggled out through the fog, and Hallward looked at his watch.

"I have heaps of time," he answered. "The train doesn't go till twelve-fifteen, and it is only just eleven. In fact, I was on my way to the club to look for you, when I met you. You see, I shan't have any delay about luggage, as I have sent on my heavy things. All I have with me is in this bag, and I can easily get to Victoria in twenty minutes."

— Дориан! Какая удача! Я ведь дожидался у вас в библиотеке с девяти часов. Потом наконец сжалился над вашим усталым лакеем и сказал ему, чтобы он выпустил меня и шел спать. Ждал я вас потому, что сегодня двенадцатичасовым уезжаю в Париж, и мне очень нужно перед отъездом с вами потолковать. Когда вы прошли мимо, я узнал вас, или, вернее, вашу шубу, но все же сомневался... А вы-то разве не узнали меня?

— В таком тумане, милый мой Бэзил? Я даже Гровенор-сквер не узнаю. Думаю, что мой дом где-то здесь близко, но и в этом вовсе не уверен... Очень жаль, что вы уезжаете, я вас не видел целую вечность. Надеюсь, вы скоро вернетесь?

— Нет, я пробуду за границей месяцев шесть. Хочу снять в Париже мастерскую и запереться в ней, пока не окончу одну задуманную мною большую вещь. Ну, да я не о своих делах хотел говорить с вами. А вот и ваш подъезд. Позвольте мне войти на минуту.

— Пожалуйста, я очень рад. Но вы не опоздаете на поезд? — небрежно бросил Дориан Грей, взойдя по ступеням и отпирая дверь своим ключом.

При свете фонаря, пробивавшемся сквозь туман, Холлуорд посмотрел на часы.

— У меня еще уйма времени, — сказал он. — Поезд отходит в четверть первого, а сейчас только одиннадцать. Я ведь все равно шел в клуб, когда мы встретились, — рассчитывал застать вас там. С багажом возиться мне не придется — я уже раньше отправил все тяжелые вещи. Со мной только этот саквояж, и за двадцать минут я доберусь до вокзала Виктории.

Dorian looked at him and smiled.

"What a way for a fashionable painter to travel! A Gladstone bag and an ulster! Come in, or the fog will get into the house. And mind you don't talk about anything serious. Nothing is serious nowadays. At least nothing should be."

Hallward shook his head, as he entered, and followed Dorian into the library. There was a bright wood fire blazing in the large open hearth. The lamps were lit, and an open Dutch silver spirit-case stood, with some siphons of soda-water and large cut-glass tumblers, on a little marqueterie table.

"You see your servant made me quite at home, Dorian. He gave me everything I wanted, including your best gold-tipped cigarettes. He is a most hospitable creature. I like him much better than the Frenchman you used to have. What has become of the Frenchman, by the bye?"

Dorian shrugged his shoulders.

"I believe he married Lady Radley's maid, and has established her in Paris as an English dressmaker. Anglomania is very fashionable over there now, I hear. It seems silly of the French, doesn't it? But — do you know?—he was not at all a bad servant. I never liked him, but I had nothing to complain about. One often imagines things that are quite absurd. He was really very devoted to me and seemed quite sorry when he went away. Have another brandy-and-soda? Or would you like hock-and-seltzer? I always take hock-and-seltzer myself. There is sure to be some in the next room."

Дориан посмотрел на него с улыбкой.

— Вот как путешествует известный художник! Ручной саквояж и осеннее пальтишко! Ну, входите же скорее, а то туман заберется в дом. И, пожалуйста, не затевайте серьезных разговоров. В наш век ничего серьезного не происходит. Во всяком случае, не должно происходить.

Холлуорд только головой покачал и прошел вслед за Дорианом в его библиотеку. В большом камине ярко пылали дрова, лампы были зажжены, а на столике маркетри стоял открытый серебряный погребец с напитками, сифон с содовой водой и высокие хрустальные бокалы.

— Видите, ваш слуга постарался, чтобы я чувствовал себя как дома. Принес все, что нужно человеку, в том числе и самые лучшие ваши папиросы. Он очень гостеприимный малый и нравится мне гораздо больше, чем тот француз, прежний ваш камердинер. Кстати, куда он девался?

Дориан пожал плечами.

— Кажется, женился на горничной леди Рэдли и увез ее в Париж, где она подвизается в качестве английской портнихи. Там теперь, говорят, англомания в моде. Довольно глупая мода, не правда ли?.. А Виктор, между прочим, был хороший слуга, я не мог на него пожаловаться. Он был мне искренне предан и, кажется, очень горевал, когда я его уволил. Но я его почему-то невзлюбил... Знаете, иногда придет в голову какой-нибудь вздор... Еще стакан бренди с содовой? Или вы предпочитаете рейнское с сельтерской? Я всегда пью рейнское. Наверное, в соседней комнате найдется бутылка.

"Thanks, I won't have anything more," said the painter, taking his cap and coat off and throwing them on the bag that he had placed in the corner. "And now, my dear fellow, I want to speak to you seriously. Don't frown like that. You make it so much more difficult for me."

"What is it all about?" cried Dorian in his petulant way, flinging himself down on the sofa. "I hope it is not about myself. I am tired of myself to-night. I should like to be somebody else."

"It is about yourself," answered Hallward in his grave deep voice, "and I must say it to you. I shall only keep you half an hour."

Dorian sighed and lit a cigarette. "Half an hour!" he murmured.

"It is not much to ask of you, Dorian, and it is entirely for your own sake that I am speaking. I think it right that you should know that the most dreadful things are being said against you in London."

"I don't wish to know anything about them. I love scandals about other people, but scandals about myself don't interest me. They have not got the charm of novelty."

"They must interest you, Dorian. Every gentleman is interested in his good name. You don't want people to talk of you as something vile and degraded. Of course, you have your position, and your wealth, and all that kind of thing. But position and wealth are not everything. Mind you, I don't believe these rumours at all. At least, I can't believe them when I see you. Sin is a thing that writes itself across a man's face. It cannot be concealed. People talk some-

— Спасибо, я ничего больше не буду пить, — отозвался художник. Он снял пальто и шляпу, бросил их на саквояж, который еще раньше поставил в углу. — Так вот, Дориан мой милый, у нас будет серьезный разговор. Не хмурьтесь, пожалуйста, — этак мне очень трудно будет говорить.

— Ну, в чем же дело? — воскликнул Дориан нетерпеливо, с размаху садясь на диван. — Надеюсь, речь будет не обо мне? Я сегодня устал от себя и рад бы превратиться в кого-нибудь другого.

— Нет, именно о вас, — сказал Холлуорд суровым тоном. — Это необходимо. Я отниму у вас каких-нибудь полчаса, не больше.

— Полчаса! — пробормотал Дориан со вздохом и закурил папиросу.

— Не так уж это много, Дориан, и разговор этот в ваших интересах. Мне думается, вам следует узнать, что о вас в Лондоне говорят ужасные вещи.

— А я об этом ничего знать не хочу. Я люблю слушать сплетни о других, а сплетни обо мне меня не интересуют. В них нет прелести новизны.

— Они должны вас интересовать, Дориан. Каждый порядочный человек дорожит своей репутацией. Ведь вы же не хотите, чтобы люди считали вас развратным и бесчестным? Конечно, у вас положение в обществе, большое состояние и все прочее. Но богатство и высокое положение — еще не все. Поймите, я вовсе не верю этим слухам. Во всяком случае, я не могу им верить, когда на вас смотрю. Ведь порок всегда накладывает свою печать на лицо

times of secret vices. There are no such things. If a wretched man has a vice, it shows itself in the lines of his mouth, the droop of his eyelids, the moulding of his hands even. Somebody — I won't mention his name, but you know him — came to me last year to have his portrait done. I had never seen him before, and had never heard anything about him at the time, though I have heard a good deal since. He offered an extravagant price. I refused him. There was something in the shape of his fingers that I hated. I know now that I was quite right in what I fancied about him. His life is dreadful.

But you, Dorian, with your pure, bright, innocent face, and your marvellous untroubled youth — I can't believe anything against you. And yet I see you very seldom, and you never come down to the studio now, and when I am away from you, and I hear all these hideous things that people are whispering about you, I don't know what to say. Why is it, Dorian, that a man like the Duke of Berwick leaves the room of a club when you enter it? Why is it that so many gentlemen in London will neither go to your house or invite you to theirs? You used to be a friend of Lord Staveley. I met him at dinner last week. Your name happened to come up in conversation, in connection with the miniatures you have lent to the exhibition at the Dudley. Staveley curled his lip and said that you might have the most artistic tastes, but that you were a man whom no pure-minded girl should be allowed to know, and whom no chaste woman should sit in the same room with. I reminded him that I was a friend of

человека. Его не скроешь. У нас принято говорить о тайных пороках. Но тайных пороков не бывает. Они сказываются в линиях рта, в отяжелевших веках, даже в форме рук. В прошлом году один человек — вы его знаете, но называть его не буду — пришел ко мне заказать свой портрет. Я его раньше никогда не встречал, и в то время мне ничего о нем не было известно — наслышался я о нем немало только позднее. Он предложил мне за портрет бешеную цену, но я отказался писать его: в форме его пальцев было что-то глубоко мне противное. И теперь я знаю, что чутье меня не обмануло — у этого господина ужасная биография.

Но вы, Дориан... Ваше честное, открытое и светлое лицо, ваша чудесная, ничем не омраченная молодость мне порукой, что дурная молва о вас — клевета, и я не могу ей верить. Однако я теперь вижу вас очень редко, вы никогда больше не заглядываете ко мне в мастерскую, и оттого, что вы далеки от меня, я теряюсь, когда слышу все те мерзости, какие о вас говорят, не знаю, что отвечать на них. Объясните мне, Дориан, почему такой человек, как герцог Бервикский, встретив вас в клубе, уходит из комнаты, как только вы в нее входите? Почему многие почтенные люди лондонского света не хотят бывать у вас в доме и не приглашают вас к себе? Вы были дружны с лордом Стэйвли. На прошлой неделе я встретился с ним на званом обеде... За столом кто-то упомянул о вас — речь шла о миниатюрах, которые вы одолжили для выставки Дадли. Услышав ваше имя, лорд Стэйвли с презрительной гримасой сказал, что вы, быть может, очень тонкий знаток

yours, and asked him what he meant. He told me. He told me right out before everybody. It was horrible! Why is your friendship so fatal to young men? There was that wretched boy in the Guards who committed suicide. You were his great friend. There was Sir Henry Ashton, who had to leave England with a tarnished name. You and he were inseparable. What about Adrian Singleton and his dreadful end? What about Lord Kent's only son and his career? I met his father yesterday in St. James's Street. He seemed broken with shame and sorrow. What about the young Duke of Perth? What sort of life has he got now? What gentleman would associate with him?"

"Stop, Basil. You are talking about things of which you know nothing," said Dorian Gray, biting his lip, and with a note of infinite contempt in his voice. "You ask me why Berwick leaves a room when I enter it. It is because I know everything about his life, not because he knows anything about mine. With such blood as he has in his veins, how could his record be clean? You ask me about Henry Ashton and young Perth. Did I teach the one his vices, and the other his debauchery? If Kent's silly son takes his wife from the streets, what is that to me? If Adrian Singleton writes his friend's name across a bill, am I his keeper? I know how people chatter in England. The middle classes air their moral prejudices over their gross dinner-tables, and whisper about what they call the

искусства, но с таким человеком, как вы, нельзя знакомить ни одну чистую девушку, а порядочной женщине неприлично даже находиться с вами в одной комнате. Я напомнил ему, что вы — мой друг, и потребовал объяснений. И он дал их мне. Дал напрямик, при всех! Какой это был ужас! Почему дружба с вами губительна для молодых людей? Этот несчастный мальчик, гвардеец, что недавно покончил с собой, — ведь он был ваш близкий друг. С Генри Эштоном вы были неразлучны, — а он запятнал свое имя и вынужден был покинуть Англию... Почему так низко пал Адриан Синглтон? А единственный сын лорда Кента почему сбился с пути? Вчера я встретил его отца на Сент-Джеймс-стрит. Сразу видно, что он убит стыдом и горем. А молодой герцог Пертский? Что за жизнь он ведет! Какой порядочный человек захочет теперь с ним знаться?

— Довольно, Бэзил! Не говорите о том, чего не знаете! — перебил Дориан Грей, кусая губы. В тоне его слышалось глубочайшее презрение. — Вы спрашиваете, почему Бервик выходит из комнаты, когда я вхожу в нее? Да потому, что мне о нем все известно, а вовсе не потому, что ему известно что-то обо мне. Как может быть чистой жизнь человека, в жилах которого течет такая кровь? Вы ставите мне в вину поведение Генри Эштона и молодого герцога Пертского. Я, что ли, привил Эштону его пороки и развратил герцога? Если этот глупец, сын Кента, женился на уличной девке — при чем тут я? Адриан Синглтон подделал подпись своего знакомого на векселе — так и это тоже моя вина? Что же, я обязан надзирать за ним? Знаю я, как у нас в Англии лю-

profligacies of their betters in order to try and pretend that they are in smart society and on intimate terms with the people they slander. In this country, it is enough for a man to have distinction and brains for every common tongue to wag against him. And what sort of lives do these people, who pose as being moral, lead themselves? My dear fellow, you forget that we are in the native land of the hypocrite."

"Dorian," cried Hallward, "that is not the question. England is bad enough I know, and English society is all wrong. That is the reason why I want you to be fine. You have not been fine. One has a right to judge of a man by the effect he has over his friends. Yours seem to lose all sense of honour, of goodness, of purity. You have filled them with a madness for pleasure. They have gone down into the depths. You led them there. Yes: you led them there, and yet you can smile, as you are smiling now. And there is worse behind. I know you and Harry are inseparable. Surely for that reason, if for none other, you should not have made his sister's name a by-word."

"Take care, Basil. You go too far."

"I must speak, and you must listen. You shall listen. When you met Lady Gwendolen, not a breath of scandal had ever touched her. Is there a single decent woman in London now who would drive with her in the

бят сплетничать. Мещане кичатся своими предрассудками и показной добродетелью и, обжираясь за обеденным столом, шушукаются о так называемой распущенности знати, стараясь показать этим, что и они вращаются в высшем обществе и близко знакомы с теми, кого они чернят. В нашей стране достаточно человеку выдвинуться благодаря уму или другим качествам, как о нем начинают болтать злые языки. А те, кто щеголяет своей мнимой добродетелью, — они-то сами как ведут себя? Дорогой мой, вы забываете, что мы живем в стране лицемеров.

— Ах, Дориан, не в этом дело! — горячо возразил Холлуорд. — Знаю, что в Англии у нас не все благополучно, что общество наше никуда не годится. Оттого-то я и хочу, чтобы вы были на высоте. А вы оказались не на высоте. Мы вправе судить о человеке по тому влиянию, какое он оказывает на других. А ваши друзья, видимо, утратили всякое понятие о чести, о добре, о чистоте. Вы заразили их безумной жаждой наслаждений. И они скатились на дно. Это вы их туда столкнули! Да, вы их туда столкнули, и вы еще можете улыбаться как ни в чем не бывало, — вот как улыбаетесь сейчас... Я знаю и кое-что похуже. Вы с Гарри — неразлучные друзья. Уже хотя бы поэтому не следовало вам позорить имя его сестры, делать его предметом сплетен и насмешек.

— Довольно, Бэзил! Вы слишком много себе позволяете!

— Я должен сказать все, — и вы меня выслушаете. Да, выслушаете! До вашего знакомства с леди Гвендолен никто не смел сказать о ней худого слова, даже тень сплетни не касалась ее. А теперь?.. Раз-

park? Why, even her children are not allowed to live with her. Then there are other stories — stories that you have been seen creeping at dawn out of dreadful houses and slinking in disguise into the foulest dens in London. Are they true? Can they be true? When I first heard them, I laughed. I hear them now, and they make me shudder. What about your country-house and the life that is led there? Dorian, you don't know what is said about you. I won't tell you that I don't want to preach to you. I remember Harry saying once that every man who turned himself into an amateur curate for the moment always began by saying that, and then proceeded to break his word. I do want to preach to you. I want you to lead such a life as will make the world respect you. I want you to have a clean name and a fair record. I want you to get rid of the dreadful people you associate with. Don't shrug your shoulders like that. Don't be so indifferent. You have a wonderful influence. Let it be for good, not for evil. They say that you corrupt every one with whom you become intimate, and that it is quite sufficient for you to enter a house for shame of some kind to follow after. I don't know whether it is so or not. How should I know? But it is said of you. I am told things that it seems impossible to doubt. Lord Gloucester was one of my greatest friends at Oxford. He showed me a letter that his wife had written to him when she was dying alone in her villa at Mentone. Your name was implicated in the most terrible confession I ever read. I told him that it was absurd — that I knew you thoroughly and that you were incapable of anything of the kind. Know you? I wonder do I know you? Be-

ве хоть одна приличная женщина в Лондоне рискнет показаться с нею вместе в Парке? Даже ее детям не позволили жить с нею... И это еще не все. Много еще о вас рассказывают, — например, люди видели, как вы, крадучись, выходите на рассвете из грязных притонов, как переодетым пробираетесь тайком в самые отвратительные трущобы Лондона. Неужели это правда? Неужели это возможно? Когда я в первый раз услышал такие толки, я расхохотался. Но я их теперь слышу постоянно — и они меня приводят в ужас. А что творится в вашем загородном доме? Дориан, если бы вы знали, какие мерзости говорят о вас! Вы скажете, что я беру на себя роль проповедника, — что ж, пусть так! Помню, Гарри утверждал как-то, что каждый, кто любит поучать других, начинает с обещания, что это будет в первый и последний раз, а потом беспрестанно нарушает свое обещание. Да, я намерен отчитать вас. Я хочу, чтобы вы вели такую жизнь, за которую люди уважали бы вас. Хочу, чтобы у вас была не только незапятнанная, но и хорошая репутация. Чтобы вы перестали водиться со всякой мразью. Нечего пожимать плечами и притворяться равнодушным! Вы имеете на людей удивительное влияние, так пусть же оно будет не вредным, а благотворным. Про вас говорят, что вы развращаете всех, с кем близки и, входя к человеку в дом, навлекаете на этот дом позор. Не знаю, верно это или нет, — как я могу это знать? — но так про вас говорят. И кое-чему из того, что я слышал, я не могу не верить. Лорд Глостер — мой старый университетский товарищ, мы были с ним очень дружны в Оксфорде. И он показал мне письмо, которое перед

fore I could answer that, I should have to see your soul."

"To see my soul!" muttered Dorian Gray, starting up from the sofa and turning almost white from fear.

"Yes," answered Hallward gravely, and with deep-toned sorrow in his voice, "to see your soul. But only God can do that."

A bitter laugh of mockery broke from the lips of the younger man.

"You shall see it yourself, to-night!" he cried, seizing a lamp from the table. "Come: it is your own handiwork. Why shouldn't you look at it? You can tell the world all about it afterwards, if you choose. Nobody would believe you. If they did believe you, they would like me all the better for it. I know the age better than you do, though you will prate about it so tediously. Come, I tell you. You have chattered enough about corruption. Now you shall look on it face to face."

There was the madness of pride in every word he uttered. He stamped his foot upon the ground in his boyish insolent manner. He felt a terrible joy at the thought that some one else was to share his secret, and that the man who had painted the portrait that was the origin of all his shame was to be burdened for

смертью написала ему жена, умиравшая в одиночестве на своей вилле в Ментоне. Это страшная исповедь — ничего подобного я никогда не слышал. И она обвиняет вас. Я сказал Глостеру, что это невероятно, что я вас хорошо знаю и вы не способны на подобные гнусности. А действительно ли я вас знаю? Я уже задаю себе такой вопрос. Но чтобы ответить на него, я должен был бы увидеть вашу душу...

— Увидеть мою душу! — повторил вполголоса Дориан Грей и встал с дивана, бледный от страха.

— Да, — сказал Холлуорд серьезно, с глубокой печалью в голосе. — Увидеть вашу душу. Но это может один только Господь Бог.

У Дориана вдруг вырвался горький смех.

— Можете и вы. Сегодня же вечером вы ее увидите собственными глазами! — крикнул он и рывком поднял со стола лампу. — Пойдемте. Ведь это ваших рук дело, так почему бы вам и не взглянуть на него? А после этого можете, если хотите, все поведать миру. Никто вам не поверит. Да если бы и поверили, так только еще больше восхищались бы мною. Я знаю наш век лучше, чем вы, хотя вы так утомительно много о нем болтаете. Идемте же! Довольно вам рассуждать о нравственном разложении. Сейчас вы увидите его воочию.

Какая-то дикая гордость звучала в каждом его слове. Он топал ногой капризно и дерзко, как мальчишка. Им овладела злобная радость при мысли, что теперь бремя его тайны с ним разделит другой, тот, кто написал этот портрет, виновный в его грехах и позоре, и этого человека всю жизнь будут те-

the rest of his life with the hideous memory of what he had done.

"Yes," he continued, coming closer to him and looking steadfastly into his stern eyes, "I shall show you my soul. You shall see the thing that you fancy only God can see."

Hallward started back.

"This is blasphemy, Dorian!" he cried. "You must not say things like that. They are horrible, and they don't mean anything."

"You think so?" He laughed again.

"I know so. As for what I said to you to-night, I said it for your good. You know I have been always a stanch friend to you."

"Don't touch me. Finish what you have to say."

A twisted flash of pain shot across the painter's face. He paused for a moment, and a wild feeling of pity came over him. After all, what right had he to pry into the life of Dorian Gray? If he had done a tithe of what was rumoured about him, how much he must have suffered!

Then he straightened himself up, and walked over to the fire-place, and stood there, looking at the burning logs with their frostlike ashes and their throbbing cores of flame.

"I am waiting, Basil," said the young man in a hard clear voice.

He turned round.

"What I have to say is this," he cried. "You must give me some answer to these horrible charges that are made against you. If you tell me that they are ab-

перь мучить отвратительные воспоминания о том, что он сделал.

— Да, — продолжал он, подходя ближе и пристально глядя в суровые глаза Холлуорда. — Я покажу вам свою душу. Вы увидите то, что, по-вашему, может видеть только Господь Бог.

Холлуорд вздрогнул и отшатнулся.

— Это кощунство, Дориан, не смейте так говорить! Какие ужасные и бессмысленные слова!

— Вы так думаете? — Дориан снова рассмеялся.

— Конечно! А все, что я вам говорил сегодня, я сказал для вашего же блага. Вы знаете, что я ваш верный друг.

— Не трогайте меня! Договаривайте то, что еще имеете сказать.

Судорога боли пробежала по лицу художника. Одну минуту он стоял молча, весь во власти острого чувства сострадания. В сущности, какое он имеет право вмешиваться в жизнь Дориана Грея? Если Дориан совершил хотя бы десятую долю того, в чем его обвиняла молва, — как он, должно быть, страдает!

Холлуорд подошел к камину и долго смотрел на горящие поленья. Языки пламени метались среди белого, как иней, пепла.

— Я жду, Бэзил, — сказал Дориан, резко отчеканивая слова.

Художник обернулся.

— Мне осталось вам сказать вот что: вы должны ответить на мой вопрос. Если ответите, что все эти страшные обвинения ложны от начала до кон-

solutely untrue from beginning to end, I shall believe you. Deny them, Dorian, deny them! Can't you see what I am going through? My God! don't tell me that you are bad, and corrupt, and shameful."

Dorian Gray smiled. There was a curl of contempt in his lips.

"Come upstairs, Basil," he said quietly. "I keep a diary of my life from day to day, and it never leaves the room in which it is written. I shall show it to you if you come with me."

"I shall come with you, Dorian, if you wish it. I see I have missed my train. That makes no matter. I can go to-morrow. But don't ask me to read anything to-night. All I want is a plain answer to my question."

"That shall be given to you upstairs. I could not give it here. You will not have to read long."

Chapter XIII

He passed out of the room and began the ascent, Basil Hallward following close behind. They walked softly, as men do instinctively at night. The lamp cast fantastic shadows on the wall and staircase. A rising wind made some of the windows rattle.

When they reached the top landing, Dorian set the lamp down on the floor, and taking out the key, turned it in the lock.

"You insist on knowing, Basil?" he asked in a low voice.

ца, — я вам поверю. Скажите это, Дориан! Разве вы не видите, какую муку я терплю? Боже мой! Я не хочу думать, что вы дурной, развратный, погибший человек!

Дориан Грей презрительно усмехнулся.

— Поднимитесь со мной наверх, Бэзил, — промолвил он спокойно. — Я веду дневник, в нем отражен каждый день моей жизни. Но этот дневник я никогда не выношу из той комнаты, где он пишется. Если вы пойдете со мной, я вам его покажу.

— Ладно, пойдемте, Дориан, раз вы этого хотите. Я уже все равно опоздал на поезд. Ну, не беда, поеду завтра. Но не заставляйте меня сегодня читать этот дневник. Мне нужен только прямой ответ на мой вопрос.

— Вы его получите наверху. Здесь это невозможно. И вам не придется долго читать.

Глава XIII

Дориан вышел из комнаты и стал подниматься по лестнице, а Бэзил Холлуорд шел за ним. Оба ступали осторожно, как люди всегда ходят ночью, инстинктивно стараясь не шуметь. Лампа отбрасывала на стены и ступеньки причудливые тени. От порыва ветра где-то в окнах задребезжали стекла.

На верхней площадке Дориан поставил лампу на пол и, вынув из кармана ключ, вставил его в замочную скважину.

— Так вы непременно хотите узнать правду, Бэзил? — спросил он, понизив голос.

Оскар Уайльд

"Yes."

"I am delighted," he answered, smiling. Then he added, somewhat harshly, "You are the one man in the world who is entitled to know everything about me. You have had more to do with my life than you think"; and, taking up the lamp, he opened the door and went in. A cold current of air passed them, and the light shot up for a moment in a flame of murky orange. He shuddered.

"Shut the door behind you," he whispered, as he placed the lamp on the table.

Hallward glanced round him with a puzzled expression. The room looked as if it had not been lived in for years. A faded Flemish tapestry, a curtained picture, an old Italian cassone, and an almost empty book-case — that was all that it seemed to contain, besides a chair and a table. As Dorian Gray was lighting a half-burned candle that was standing on the mantelshelf, he saw that the whole place was covered with dust and that the carpet was in holes. A mouse ran scuffling behind the wainscoting. There was a damp odour of mildew.

"So you think that it is only God who sees the soul, Basil? Draw that curtain back, and you will see mine."

The voice that spoke was cold and cruel.

"You are mad, Dorian, or playing a part," muttered Hallward, frowning.

"You won't? Then I must do it myself," said the young man, and he tore the curtain from its rod and flung it on the ground.

An exclamation of horror broke from the painter's lips as he saw in the dim light the hideous face on

— Да.

— Отлично. — Дориан улыбнулся и добавил уже другим, жестким тоном: — Вы — единственный человек, имеющий право знать обо мне все. Вы и не подозреваете, Бэзил, какую большую роль сыграли в моей жизни.Он поднял лампу и, открыв дверь, вошел в комнату. Оттуда повеяло холодом, от струи воздуха огонь в лампе вспыхнул на миг густо-оранжевым светом. Дориан дрожал.

— Закройте дверь! — шепотом сказал он Холлуорду, ставя лампу на стол.

Холлуорд в недоумении оглядывал комнату. Видно было, что здесь уже много лет никто не жил. Вылинявший фламандский гобелен, какая-то занавешенная картина, старый итальянский сундук и почти пустой книжный шкаф, да еще стол и стул — вот и все, что в ней находилось. Пока Дориан зажигал огарок свечи на каминной полке, Холлуорд успел заметить, что все здесь покрыто густой пылью, а ковер дырявый. За панелью быстро пробежала мышь. В комнате стоял сырой запах плесени.

— Значит, вы полагаете, Бэзил, что один только Бог видит душу человека? Снимите это покрывало, и вы увидите мою душу.

В голосе его звучала холодная горечь.

— Вы сошли с ума, Дориан. Или ломаете комедию? — буркнул Холлуорд, нахмурившись.

— Не хотите? Ну, так я сам это сделаю. — Дориан сорвал покрывало с железного прута и бросил его на пол.

Крик ужаса вырвался у художника, когда он в полумраке увидел жуткое лицо, насмешливо ух-

the canvas grinning at him. There was something in its expression that filled him with disgust and loathing. Good heavens! it was Dorian Gray's own face that he was looking at! The horror, whatever it was, had not yet entirely spoiled that marvellous beauty. There was still some gold in the thinning hair and some scarlet on the sensual mouth. The sodden eyes had kept something of the loveliness of their blue, the noble curves had not yet completely passed away from chiselled nostrils and from plastic throat. Yes, it was Dorian himself. But who had done it? He seemed to recognize his own brushwork, and the frame was his own design. The idea was monstrous, yet he felt afraid. He seized the lighted candle, and held it to the picture. In the left-hand corner was his own name, traced in long letters of bright vermilion.

It was some foul parody, some infamous ignoble satire. He had never done that.

Still, it was his own picture. He knew it, and he felt as if his blood had changed in a moment from fire to sluggish ice. His own picture! What did it mean? Why had it altered?

He turned and looked at Dorian Gray with the eyes of a sick man. His mouth twitched, and his parched tongue seemed unable to articulate. He passed his hand across his forehead. It was dank with clammy sweat.

The young man was leaning against the mantelshelf, watching him with that strange expression

мылявшееся ему с полотна. В выражении этого лица было что-то возмущавшее душу, наполнявшее ее омерзением. Силы небесные, да ведь это лицо Дориана! Как ни ужасна была перемена, она не совсем еще уничтожила его дивную красоту. В поредевших волосах еще блестело золото, чувственные губы были по-прежнему алы. Бессмысленные глаза пропойцы сохранили в себе что-то от прежней чудесной синевы, и не совсем еще исчезли благородные линии тонко вырезанных ноздрей и стройной шеи... Да, это Дориан. Но кто же написал его таким? Бэзил Холлуорд как будто узнавал свою работу, да и рама была та самая, заказанная по его рисунку. Догадка эта казалась чудовищно невероятной, но на Бэзила напал страх. Схватив горящую свечу, он поднес ее к картине. В левом углу стояла его подпись, выведенная киноварью, длинными красными буквами.

Но этот портрет — мерзкая карикатура, подлое, бессовестное издевательство! Никогда он, Холлуорд, этого не писал...

И все-таки перед ним стоял тот самый портрет его работы. Он его узнал — и в то же мгновение почувствовал, что кровь словно заледенела в его жилах. Его картина! Что же это значит? Почему она так страшно изменилась?

Холлуорд обернулся к Дориану и посмотрел на него как безумный. Губы его судорожно дергались, пересохший язык не слушался, и он не мог выговорить ни слова. Он провел рукой по лбу — лоб был влажен от липкого пота.

А Дориан стоял, прислонясь к каминной полке, и наблюдал за ним с тем сосредоточенным выраже-

that one sees on the faces of those who are absorbed in a play when some great artist is acting. There was neither real sorrow in it nor real joy. There was simply the passion of the spectator, with perhaps a flicker of triumph in his eyes. He had taken the flower out of his coat, and was smelling it, or pretending to do so.

"What does this mean?" cried Hallward, at last. His own voice sounded shrill and curious in his ears.

"Years ago, when I was a boy," said Dorian Gray, crushing the flower in his hand, "you met me, flattered me, and taught me to be vain of my good looks. One day you introduced me to a friend of yours, who explained to me the wonder of youth, and you finished a portrait of me that revealed to me the wonder of beauty. In a mad moment that, even now, I don't know whether I regret or not, I made a wish, perhaps you would call it a prayer..."

"I remember it! Oh, how well I remember it! No! the thing is impossible. The room is damp. Mildew has got into the canvas. The paints I used had some wretched mineral poison in them. I tell you the thing is impossible."

"Ah, what is impossible?" murmured the young man, going over to the window and leaning his forehead against the cold, mist-stained glass.

"You told me you had destroyed it."

"I was wrong. It has destroyed me."

"I don't believe it is my picture."

"Can't you see your ideal in it?" said Dorian bitterly.

нием, какое бывает у людей, увлеченных игрой великого артиста. Ни горя, ни радости не выражало его лицо — только напряженный интерес зрителя. И, пожалуй, во взгляде мелькала искорка торжества. Он вынул цветок из петлицы и нюхал его или делал вид, что нюхает.

— Что же это? — вскрикнул Холлуорд и сам не узнал своего голоса — так резко и странно он прозвучал.

— Много лет назад, когда я был еще почти мальчик, — сказал Дориан Грей, смяв цветок в руке, — мы встретились, и вы тогда льстили мне, вы научили меня гордиться моей красотой. Потом вы меня познакомили с вашим другом, и он объяснил мне, какой чудесный дар — молодость, а вы написали с меня портрет, который открыл мне великую силу красоты. И в миг безумия, — я и сейчас еще не знаю, сожалеть мне об этом или нет, — я высказал желание... или, пожалуй, это была молитва...

— Помню! Ох, как хорошо я это помню! Но не может быть... Нет, это ваша фантазия. Портрет стоит в сырой комнате, и в полотно проникла плесень. Или, может быть, в красках, которыми я писал, оказалось какое-то едкое минеральное вещество... Да, да! А то, что вы вообразили, невозможно.

— Ах, разве есть в мире что-нибудь невозможное? — пробормотал Дориан, подойдя к окну и припав лбом к холодному запотевшему стеклу.

— Вы же говорили мне, что уничтожили портрет!

— Это неправда. Он уничтожил меня.

— Не могу поверить, что это моя картина.

— А разве вы не узнаете в ней свой идеал? — спросил Дориан с горечью.

"My ideal, as you call it..."

"As you called it."

"There was nothing evil in it, nothing shameful. You were to me such an ideal as I shall never meet again. This is the face of a satyr."

"It is the face of my soul."

"Christ! what a thing I must have worshipped! It has the eyes of a devil."

"Each of us has heaven and hell in him, Basil," cried Dorian with a wild gesture of despair.

Hallward turned again to the portrait and gazed at it.

"My God! If it is true," he exclaimed, "and this is what you have done with your life, why, you must be worse even than those who talk against you fancy you to be!"

He held the light up again to the canvas and examined it. The surface seemed to be quite undisturbed and as he had left it. It was from within, apparently, that the foulness and horror had come. Through some strange quickening of inner life the leprosies of sin were slowly eating the thing away. The rotting of a corpse in a watery grave was not so fearful.

His hand shook, and the candle fell from its socket on the floor and lay there sputtering. He placed his foot on it and put it out. Then he flung himself into the rickety chair that was standing by the table and buried his face in his hands.

"Good God, Dorian, what a lesson! What an awful lesson!"

— Мой идеал, как вы это называете...

— Нет, это вы меня так называли!

— Так что же? Тут не было ничего дурного, и я не стыжусь этого. Я видел в вас идеал, какого никогда больше не встречу в жизни. А это — лицо сатира.

— Это — лицо моей души.

— Боже, чему я поклонялся! У него глаза дьявола!..

— Каждый из нас носит в себе и ад и небо, Бэзил! — воскликнул Дориан в бурном порыве отчаяния.

Холлуорд снова повернулся к портрету и долго смотрел на него.

— Так вот что вы сделали со своей жизнью! Боже, если это правда, то вы, наверное, еще хуже, чем думают ваши враги!

Он поднес свечу к портрету и стал внимательно его рассматривать. Полотно на вид было нетронуто, осталось таким, каким вышло из его рук. Очевидно, ужасная порча проникла изнутри. Под влиянием какой-то неестественно напряженной скрытой жизни портрета проказа порока постепенно разъедала его. Это было страшнее, чем разложение тела в сырой могиле.

Рука Холлуорда так тряслась, что свеча выпала из подсвечника и потрескивала на полу. Он потушил ее каблуком и, тяжело опустившись на расшатанный стул, стоявший у стола, закрыл лицо руками.

— Дориан, Дориан, какой урок, какой страшный урок!

There was no answer, but he could hear the young man sobbing at the window.

"Pray, Dorian, pray," he murmured. "What is it that one was taught to say in one's boyhood? "Lead us not into temptation. Forgive us our sins. Wash away our iniquities." Let us say that together. The prayer of your pride has been answered. The prayer of your repentance will be answered also. I worshipped you too much. I am punished for it. You worshipped yourself too much. We are both punished."

Dorian Gray turned slowly around and looked at him with tear-dimmed eyes.

"It is too late, Basil," he faltered.

"It is never too late, Dorian. Let us kneel down and try if we cannot remember a prayer. Isn't there a verse somewhere, Though your sins be as scarlet, yet I will make them as white as snow'?"

"Those words mean nothing to me now."

"Hush! Don't say that. You have done enough evil in your life. My God! Don't you see that accursed thing leering at us?"

Dorian Gray glanced at the picture, and suddenly an uncontrollable feeling of hatred for Basil Hallward came over him, as though it had been suggested to him by the image on the canvas, whispered into his ear by those grinning lips. The mad passions of a hunted animal stirred within him, and he loathed the man who was seated at the table, more than in his whole life he had ever loathed anything.

Ответа не было, от окна донеслись только рыдания Дориана.

— Молитесь, Дориан, молитесь! Как это нас учили молиться в детстве? «Не введи нас во искушение... Отпусти нам грехи наши... Очисти нас от скверны...» Помолимся вместе! Молитва, подсказанная вам тщеславием, была услышана. Будет услышана и молитва раскаяния. Я слишком боготворил вас — и за это наказан. Вы тоже слишком любили себя. Оба мы наказаны.

Дориан медленно обернулся к Холлуорду и посмотрел на него полными слез глазами.

— Поздно молиться, Бэзил, — с трудом выговорил он.

— Нет, никогда не поздно, Дориан. Станем на колени и постараемся припомнить слова какой-нибудь молитвы... Кажется, в Писании где-то сказано: «Хотя бы грехи ваши были как кровь, я сделаю их белыми как снег».

— Теперь это для меня уже пустые слова.

— Молчите, не надо так говорить! Вы и без того достаточно нагрешили в жизни. О господи, разве вы не видите, как этот проклятый портрет подмигивает нам?

Дориан взглянул на портрет — и вдруг в нем вспыхнула неукротимая злоба против Бэзила Холлуорда, словно внушенная тем Дорианом на портрете, нашептанная его усмехающимися губами. В нем проснулось бешенство загнанного зверя, и в эту минуту он ненавидел человека, сидевшего у стола, так, как никогда никого в жизни.

He glanced wildly around. Something glimmered on the top of the painted chest that faced him. His eye fell on it. He knew what it was. It was a knife that he had brought up, some days before, to cut a piece of cord, and had forgotten to take away with him.

He moved slowly towards it, passing Hallward as he did so. As soon as he got behind him, he seized it and turned round. Hallward stirred in his chair as if he was going to rise. He rushed at him and dug the knife into the great vein that is behind the ear, crushing the man's head down on the table and stabbing again and again.

There was a stifled groan and the horrible sound of some one choking with blood. Three times the outstretched arms shot up convulsively, waving grotesque, stiff-fingered hands in the air. He stabbed him twice more, but the man did not move. Something began to trickle on the floor. He waited for a moment, still pressing the head down. Then he threw the knife on the table, and listened.

He could hear nothing, but the drip, drip on the threadbare carpet. He opened the door and went out on the landing. The house was absolutely quiet. No one was about. For a few seconds he stood bending over the balustrade and peering down into the black seething well of darkness. Then he took out the key and returned to the room, locking himself in as he did so.

The thing was still seated in the chair, straining over the table with bowed head, and humped back, and long fantastic arms. Had it not been for the red

Он блуждающим взглядом окинул комнату. На раскрашенной крышке стоявшего неподалеку сундука что-то блеснуло и привлекло его внимание. Он сразу сообразил, что это нож, он сам принес его сюда несколько дней назад, чтобы обрезать веревку, и позабыл унести.

Обходя стол, Дориан медленно направился к сундуку. Очутившись за спиной Холлуорда, он схватил нож и повернулся. Холлуорд сделал движение, словно собираясь встать. В тот же миг Дориан подскочил к нему, вонзил ему нож в артерию за ухом и, прижав голову Бэзила к столу, стал наносить удар за ударом.

Раздался глухой стон и ужасный хрип человека, захлебывающегося кровью. Три раза судорожно взметнулись протянутые вперед руки, странно двигая в воздухе скрюченными пальцами. Дориан еще дважды всадил нож... Холлуорд больше не шевелился. Что-то капало на пол. Дориан подождал минуту, все еще прижимая голову убитого к столу. Потом бросил нож и прислушался.

Нигде ни звука, только шелест капель, падающих на вытертый ковер. Дориан открыл дверь и вышел на площадку. В доме царила глубокая тишина. Видно, все спали. Несколько секунд он стоял, перегнувшись через перила, и смотрел вниз, пытаясь что-нибудь различить в черном колодце мрака. Потом вынул ключ из замка и, вернувшись в комнату, запер дверь изнутри.

Мертвец по-прежнему сидел, согнувшись и упав головой на стол; его неестественно вытянутые руки казались очень длинными. Если бы не красная рва-

jagged tear in the neck and the clotted black pool that was slowly widening on the table, one would have said that the man was simply asleep.

How quickly it had all been done! He felt strangely calm, and walking over to the window, opened it and stepped out on the balcony. The wind had blown the fog away, and the sky was like a monstrous peacock's tail, starred with myriads of golden eyes. He looked down and saw the policeman going his rounds and flashing the long beam of his lantern on the doors of the silent houses. The crimson spot of a prowling hansom gleamed at the corner and then vanished. A woman in a fluttering shawl was creeping slowly by the railings, staggering as she went. Now and then she stopped and peered back. Once, she began to sing in a hoarse voice. The policeman strolled over and said something to her. She stumbled away, laughing.

A bitter blast swept across the square. The gaslamps flickered and became blue, and the leafless trees shook their black iron branches to and fro. He shivered and went back, closing the window behind him.

Having reached the door, he turned the key and opened it. He did not even glance at the murdered man. He felt that the secret of the whole thing was not to realize the situation. The friend who had painted the fatal portrait to which all his misery had been due had gone out of his life. That was enough.

Then he remembered the lamp. It was a rather curious one of Moorish workmanship, made of dull silver inlaid with arabesques of burnished steel, and studded with coarse turquoises. Perhaps it might be

ная рана на затылке и медленно разливавшаяся по столу темная лужа, можно было бы подумать, что человек просто заснул.

Как быстро все свершилось! Дориан был странно спокоен. Он открыл окно, вышел на балкон. Ветер разогнал туман, и небо было похоже на огромный павлиний хвост, усеянный мириадами золотых глаз. Внизу, на улице, Дориан увидел полисмена, который обходил участок, направляя длинный луч своего фонаря на двери спящих домов. На углу мелькнул и скрылся красный свет проезжавшего кеба. Какая-то женщина, пошатываясь, медленно брела вдоль решетки сквера, и ветер трепал шаль на ее плечах. По временам она останавливалась, оглядывалась, а раз даже запела хриплым голосом, и тогда полисмен, подойдя, что-то сказал ей. Она засмеялась и нетвердыми шагами поплелась дальше.

Налетел резкий ветер, газовые фонари на площади замигали синим пламенем, а голые деревья закачали черными, как чугун, сучьями. Дрожа от холода, Дориан вернулся с балкона в комнату и закрыл окно.

Подойдя к двери на лестнице, он отпер ее. На убитого он даже не взглянул. Он инстинктивно понимал, что главное теперь — не думать о случившемся. Друг, написавший роковой портрет, виновник всех его несчастий, ушел из его жизни. Вот и все.

Выходя, Дориан вспомнил о лампе. Это была довольно редкая вещь мавританской работы, из темного серебра, инкрустированная арабесками вороненой стали и усаженная крупной бирюзой. Ее

missed by his servant, and questions would be asked. He hesitated for a moment, then he turned back and took it from the table. He could not help seeing the dead thing. How still it was! How horribly white the long hands looked! It was like a dreadful wax image.

Having locked the door behind him, he crept quietly downstairs. The woodwork creaked and seemed to cry out as if in pain. He stopped several times and waited. No: everything was still. It was merely the sound of his own footsteps.

When he reached the library, he saw the bag and coat in the corner. They must be hidden away somewhere. He unlocked a secret press that was in the wainscoting, a press in which he kept his own curious disguises, and put them into it. He could easily burn them afterwards. Then he pulled out his watch. It was twenty minutes to two.

He sat down and began to think. Every year — every month, almost — men were strangled in England for what he had done. There had been a madness of murder in the air. Some red star had come too close to the earth...

And yet, what evidence was there against him? Basil Hallward had left the house at eleven. No one had seen him come in again. Most of the servants were at Selby Royal. His valet had gone to bed...

Paris! Yes. It was to Paris that Basil had gone, and by the midnight train, as he had intended. With his

исчезновение из библиотеки могло быть замечено лакеем, вызвать вопросы... Дориан на миг остановился в нерешительности, затем вернулся и взял лампу со стола. При этом он невольно посмотрел на труп. Как он неподвижен! Как страшна мертвенная белизна его длинных рук! Он напоминал жуткие восковые фигуры паноптикума.

Заперев за собой дверь, Дориан, крадучись, пошел вниз. По временам ступени под его ногами скрипели, словно стонали от боли. Тогда он замирал на месте и выжидал... Нет, в доме все спокойно, это только отзвук его шагов.

Когда он вошел в библиотеку, ему бросились в глаза саквояж и пальто в углу. Их надо было куда-нибудь спрятать. Он открыл потайной шкаф в стене, где лежал костюм, в который он переодевался для своих ночных похождений, и спрятал туда вещи Бэзила, подумав, что их потом можно будет просто сжечь. Затем посмотрел на часы. Было сорок минут второго.

Он сел и принялся размышлять. Каждый год, чуть не каждый месяц в Англии вешают людей за такие преступления, какое он только что совершил. В воздухе словно носится заразительная мания убийства. Должно быть, какая-то кровавая звезда подошла слишком близко к земле...

Однако какие против него улики? Бэзил Холлуорд ушел из его дома в одиннадцать часов. Никто не видел, как он вернулся: почти вся прислуга сейчас в Селби, а камердинер спит...

Париж!.. Да, да, все будут считать, что Бэзил уехал в Париж двенадцатичасовым поездом, как

curious reserved habits, it would be months before any suspicions would be roused. Months! Everything could be destroyed long before then.

A sudden thought struck him. He put on his fur coat and hat and went out into the hall. There he paused, hearing the slow heavy tread of the policeman on the pavement outside and seeing the flash of the bull's-eye reflected in the window. He waited and held his breath.

After a few moments he drew back the latch and slipped out, shutting the door very gently behind him. Then he began ringing the bell.

In about five minutes his valet appeared, half-dressed and looking very drowsy.

"I am sorry to have had to wake you up, Francis," he said, stepping in; "but I had forgotten my latch-key. What time is it?"

"Ten minutes past two, sir," answered the man, looking at the clock and blinking.

"Ten minutes past two? How horribly late! You must wake me at nine to-morrow. I have some work to do."

"All right, sir."

"Did any one call this evening?"

"Mr. Hallward, sir. He stayed here till eleven, and then he went away to catch his train."

"Oh! I am sorry I didn't see him. Did he leave any message?"

"No, sir, except that he would write to you from Paris, if he did not find you at the club."

он и намеревался. Он вел замкнутый образ жизни, был до странности скрытен, так что пройдут месяцы, прежде чем его хватятся и возникнут какие-либо подозрения. Месяцы! А следы можно будет уничтожить гораздо раньше.

Вдруг его осенила новая мысль. Надев шубу и шапку, он вышел в переднюю. Здесь постоял, прислушиваясь к медленным и тяжелым шагам полисмена на улице и следя за отблесками его фонаря в окне. Притаив дыхание, он ждал.

Через несколько минут он отодвинул засов и тихонько вышел, бесшумно закрыв за собой дверь. Потом начал звонить.

Через пять минут появился заспанный и полуодетый лакей.

— Извините, Фрэнсис, что разбудил вас, — сказал Дориан, входя, — я забыл дома ключ. Который час?

— Десять минут третьего, сэр, — ответил слуга, сонно щурясь на часы.

— Третьего? Ох, как поздно! Завтра разбудите меня в девять, у меня с утра есть дело.

— Слушаю, сэр.

— Заходил вечером кто-нибудь?

— Мистер Холлуорд был, сэр. Ждал вас до одиннадцати, потом ушел. Он спешил на поезд.

— Вот как? Жаль, что он меня не застал! Он что-нибудь велел передать?

— Ничего, сэр. Сказал только, что напишет вам из Парижа, если не увидит еще сегодня в клубе.

"That will do, Francis. Don't forget to call me at nine to-morrow."

"No, sir."

The man shambled down the passage in his slippers.

Dorian Gray threw his hat and coat upon the table and passed into the library. For a quarter of an hour he walked up and down the room, biting his lip and thinking. Then he took down the Blue Book from one of the shelves and began to turn over the leaves. "Alan Campbell, 152, Hertford Street, Mayfair." Yes; that was the man he wanted.

Chapter XIV

At nine o'clock the next morning his servant came in with a cup of chocolate on a tray and opened the shutters. Dorian was sleeping quite peacefully, lying on his right side, with one hand underneath his cheek. He looked like a boy who had been tired out with play, or study.

The man had to touch him twice on the shoulder before he woke, and as he opened his eyes a faint smile passed across his lips, as though he had been lost in some delightful dream. Yet he had not dreamed at all. His night had been untroubled by any images of pleasure or of pain. But youth smiles without any reason. It is one of its chiefest charms.

He turned round, and leaning upon his elbow, began to sip his chocolate. The mellow November sun came streaming into the room. The sky was bright,

— Ладно, Фрэнсис. Не забудьте же разбудить меня в девять.

— Не забуду, сэр.

Слуга зашагал по коридору, шлепая ночными туфлями.

Дориан бросил пальто и шляпу на столик и пошел к себе в библиотеку. Минут пятнадцать он шагал из угла в угол и размышлял о чем-то, кусая губы. Потом снял с полки Синюю книгу и стал ее перелистывать. Ага, нашел! «Алан Кэмпбел — Мэйфер, Хертфорд-стрит, 152». Да, вот кто ему нужен сейчас!

Глава XIV

На другое утро слуга в девять часов вошел в спальню с чашкой шоколада на подносе и открыл ставни. Дориан спал мирным сном, лежа на правом боку и положив ладонь под щеку. Спал, как ребенок, уставший от игр или занятий.

Чтобы разбудить его, слуге пришлось дважды потрогать за плечо, и наконец Дориан открыл глаза с легкой улыбкой, словно еще не совсем очнувшись от какого-то приятного сна. Однако ему ровно ничего не снилось этой ночью. Сон его не тревожили никакие светлые или мрачные видения. А улыбался он потому, что молодость весела без причин, — в этом ее главное очарование.

Дориан повернулся и, опершись на локоть, стал маленькими глотками пить шоколад. В окна смотрело ласковое ноябрьское солнце. Небо было ясно,

and there was a genial warmth in the air. It was almost like a morning in May.

Gradually the events of the preceding night crept with silent, blood-stained feet into his brain and reconstructed themselves there with terrible distinctness. He winced at the memory of all that he had suffered, and for a moment the same curious feeling of loathing for Basil Hallward that had made him kill him as he sat in the chair came back to him, and he grew cold with passion.

The dead man was still sitting there, too, and in the sunlight now. How horrible that was! Such hideous things were for the darkness, not for the day.

He felt that if he brooded on what he had gone through he would sicken or grow mad. There were sins whose fascination was more in the memory than in the doing of them, strange triumphs that gratified the pride more than the passions, and gave to the intellect a quickened sense of joy, greater than any joy they brought, or could ever bring, to the senses. But this was not one of them. It was a thing to be driven out of the mind, to be drugged with poppies, to be strangled lest it might strangle one itself.

When the half-hour struck, he passed his hand across his forehead, and then got up hastily and dressed himself with even more than his usual care, giving a good deal of attention to the choice of his necktie and scarf-pin and changing his rings more than once. He spent a long time also over breakfast, tasting the various dishes, talking to his valet about some new liveries that he was thinking of getting

и в воздухе чувствовалась живительная теплота, почти как в мае.

Постепенно события прошедшей ночи бесшумной и кровавой чередой с ужасающей отчетливостью стали проходить в мозгу Дориана. Он с дрожью вспоминал все, что пережито, и на мгновение снова проснулась в нем та необъяснимая ненависть к Бэзилу Холлуорду, которая заставила его схватиться за нож. Он даже похолодел от бешенства.

А ведь мертвец все еще сидит там, наверху! И теперь, при ярком солнечном свете. Это ужасно! Такое отвратительное зрелище терпимо еще под покровом ночи, но не днем...

Дориан почувствовал, что заболеет или сойдет с ума, если еще долго будет раздумывать об этом. Есть грехи, которые вспоминать сладостнее, чем совершать, — своеобразные победы, которые утоляют не столько страсть, сколько гордость, и тешат душу сильнее, чем они когда-либо тешили и способны тешить чувственность. Но этот грех был не таков, его надо было изгнать из памяти, усыпить маковыми зернами, задушить поскорее, раньше, чем он задушит того, кто его совершил.

Часы пробили половину десятого. Дориан провел рукой по лбу и поспешно встал с постели. Он оделся даже тщательнее обычного, с особой заботливостью выбрал галстук и булавку к нему, несколько раз переменил кольца. За завтраком сидел долго, отдавая честь разнообразным блюдам и беседуя с лакеем относительно новых ливрей, которые намеревался заказать для всей прислуги в Селби.

made for the servants at Selby, and going through his correspondence. At some of the letters, he smiled. Three of them bored him. One he read several times over and then tore up with a slight look of annoyance in his face. "That awful thing, a woman's memory!" as Lord Henry had once said.

After he had drunk his cup of black coffee, he wiped his lips slowly with a napkin, motioned to his servant to wait, and going over to the table, sat down and wrote two letters. One he put in his pocket, the other he handed to the valet.

"Take this round to 152, Hertford Street, Francis, and if Mr. Campbell is out of town, get his address."

As soon as he was alone, he lit a cigarette and began sketching upon a piece of paper, drawing first flowers and bits of architecture, and then human faces. Suddenly he remarked that every face that he drew seemed to have a fantastic likeness to Basil Hallward. He frowned, and getting up, went over to the book-case and took out a volume at hazard. He was determined that he would not think about what had happened until it became absolutely necessary that he should do so.

When he had stretched himself on the sofa, he looked at the title-page of the book. It was Gautier's Emaux et Camees, Charpentier's Japanese-paper edition, with the Jacquemart etching. The binding was of citron-green leather, with a design of gilt trellis-work and dotted pomegranates. It had been given to him by Adrian Singleton. As he turned over the pages,

Просмотрел утреннюю почту. Некоторые письма он читал с улыбкой, три его раздосадовали, а одно он перечел несколько раз со скучающей и недовольной миной, потом разорвал. «Убийственная вещь эта женская память!» — вспомнились ему слова лорда Генри.

Напившись черного кофе, он не спеша утер рот салфеткой, жестом остановил выходившего из комнаты лакея и, сев за письменный стол, написал два письма. Одно сунул в карман, другое отдал лакею.

— Снесите это, Фрэнсис, на Хертфорд-стрит, сто пятьдесят два. А если мистера Кэмпбела нет в Лондоне, узнайте его адрес.

Оставшись один, Дориан закурил папиросу и в ожидании принялся рисовать на клочке бумаги сперва цветы и всякие архитектурные орнаменты, потом человеческие лица. Вдруг он заметил, что все лица, которые он рисовал, имели удивительное сходство с Бэзилом Холлуордом. Он нахмурился, бросил рисовать и, подойдя к шкафу, взял с полки первую попавшуюся книгу. Он твердо решил не думать о том, что случилось, пока в этом нет крайней необходимости.

Дориан прилег на кушетку и раскрыл книгу. Это были «Эмали и камеи» Готье в роскошном издании Шарпантье на японской бумаге с гравюрами Жакмара. На переплете из лимонно-желтой кожи был вытиснен узор — золотая решетка и нарисованные пунктиром гранаты. Книгу эту подарил ему Адриан Синглтон. Перелистывая ее, Дориан остановил

his eye fell on the poem about the hand of Lacenaire,
the cold yellow hand "du supplice encore mal lavee,"
with its downy red hairs and its "doigts de faune."
He glanced at his own white taper fingers, shuddering slightly in spite of himself, and passed on, till he
came to those lovely stanzas upon Venice:

> Sur une gamme chromatique,
> Le sein de peries ruisselant,
> La Venus de l'Adriatique
> Sort de l'eau son corps rose et blanc.
> Les dômes, sur l'azur des ondes
> Suivant la phrase au pur contour,
> S'enflent comme des gorges rondes
> Que souleve un soupir d'amour.
> L'esquif aborde et me dépose,
> Jetant son amarre au pilier,
> Devant une façade rose,
> Sur le marbre d'un escalier.

взгляд на поэме о руке Ласнера, холодной желтой руке du supplice encore mal lavée, руке с рыжим пушком и doigts de faune[1]. Дориан с невольной дрожью глянул на свои тонкие белые пальцы — и продолжал читать, пока не дошел до прелестных строф о Венеции:

Sur une gamme chromatique,
Le sein de perles ruisselant,
La Venus de l'Adriatique
Sort de l'eau son corps rose et blanc.
Les dômes, sur l'azur des ondes
Suivant la phrase au pur contour,
S'enflent comme des gorges rondes
Que souleve un soupir d'amour.
L'esquif aborde et me dépose,
Jetant son amarre au pilier,
Devant une façade rose,
Sur le marbre d'un escalier[2].

---

[1] С которой еще не смыт след преступления... пальцами фавна *(фр.)*.

[2] В волненье легкого размера
Лагун я вижу зеркала,
Где Адриатики Венера
Смеется, розово-бела.
Соборы средь морских безлюдий
В теченье музыкальных фраз
Поднялись, как девичьи груди,
Когда волнует их экстаз.
Челнок пристал с колонной рядом,
Закинув за нее канат.
Пред розовеющим фасадом
Я прохожу ступеней ряд.
(Перевод с фр. Н. Гумилева.)

How exquisite they were! As one read them, one seemed to be floating down the green water-ways of the pink and pearl city, seated in a black gondola with silver prow and trailing curtains. The mere lines looked to him like those straight lines of turquoise-blue that follow one as one pushes out to the Lido. The sudden flashes of colour reminded him of the gleam of the opal-and-iris-throated birds that flutter round the tall honeycombed Campanile, or stalk, with such stately grace, through the dim, dust-stained arcades. Leaning back with half-closed eyes, he kept saying over and over to himself:

"Devant une façade rose,
Sur le marbre d'un escalier."

The whole of Venice was in those two lines. He remembered the autumn that he had passed there, and a wonderful love that had stirred him to mad delightful follies. There was romance in every place. But Venice, like Oxford, had kept the background for romance, and, to the true romantic, background was everything, or almost everything.

Basil had been with him part of the time, and had gone wild over Tintoret. Poor Basil! What a horrible way for a man to die!

He sighed, and took up the volume again, and tried to forget. He read of the swallows that fly in and out of the little café at Smyrna where the Hadjis sit counting their amber beads and the turbaned merchants smoke their long tasselled pipes and talk gravely to each other; he read of the Obelisk in the Place de la Concorde

Какие чудные стихи! Читаешь их, и кажется, будто плывешь по зеленым водам розово-жемчужного города в черной гондоле с серебряным носом и вьющимися на ветру занавесками. Даже самые строки в этой книге напоминали Дориану те бирюзовые полосы, что тянутся по воде за лодкой, когда вы плывете к Лидо. Неожиданные вспышки красок в стихах поэта приводили на память птиц, с опалово-радужными шейками, что летают вокруг высокой, золотистой, как мед, кампанилы или с величавой грацией прохаживаются под пыльными сводами сумрачных аркад... Откинув голову на подушки и полузакрыв глаза, Дориан твердил про себя:

Пред розовеющим фасадом
Я прохожу ступеней ряд.

Вся Венеция была в этих двух строчках. Ему вспомнилась осень, проведенная в этом городе, и чудесная любовь, толкавшая его на всякие безумства. Романтика вездесуща. Но Венеция, как и Оксфорд, создает ей подходящий фон, а для подлинной романтики фон — это все или почти все...

В Венеции тогда некоторое время жил и Бэзил. Он был без ума от Тинторетто. Бедный Бэзил! Какая ужасная смерть!

Дориан вздохнул и, чтобы отвлечься от этих мыслей, снова принялся перечитывать Готье. Он читал о маленьком кафе в Смирне, где в окна то и дело влетают ласточки, где сидят хаджи, перебирая янтарные четки, где купцы в чалмах курят длинные трубки с кисточками и ведут между собой

that weeps tears of granite in its lonely sunless exile and longs to be back by the hot, lotus-covered Nile, where there are Sphinxes, and rose-red ibises, and white vultures with gilded claws, and crocodiles with small beryl eyes that crawl over the green steaming mud; he began to brood over those verses which, drawing music from kiss-stained marble, tell of that curious statue that Gautier compares to a contralto voice, the "monstre charmant" that couches in the porphyry-room of the Louvre. But after a time the book fell from his hand. He grew nervous, and a horrible fit of terror came over him. What if Alan Campbell should be out of England? Days would elapse before he could come back. Perhaps he might refuse to come. What could he do then? Every moment was of vital importance.

They had been great friends once, five years before — almost inseparable, indeed. Then the intimacy had come suddenly to an end. When they met in society now, it was only Dorian Gray who smiled: Alan Campbell never did.

He was an extremely clever young man, though he had no real appreciation of the visible arts, and whatever little sense of the beauty of poetry he possessed he had gained entirely from Dorian. His dominant intellectual passion was for science. At Cambridge he had spent a great deal of his time working in the laboratory, and had taken a good class in the Natural Science Tripos of his year. Indeed, he was still devoted to the study of chemistry, and had a laboratory of

степенную и важную беседу. Читал об Обелиске на площади Согласия, который в своем одиноком изгнании льет гранитные слезы, тоскуя по солнцу и знойному, покрытому лотосами Нилу, стремясь туда, в страну сфинксов, где живут розовые ибисы и белые грифы с золочеными когтями, где крокодилы с маленькими берилловыми глазками барахтаются в зеленом дымящемся иле... Потом Дориан задумался над теми стихами, что, извлекая музыку из зацелованного мрамора, поют о необыкновенной статуе, которую Готье сравнивал с голосом контральто, о monstre charmant[1], которое покоится в порфировом зале Лувра.

Но вскоре книга выпала из рук Дориана. Им овладело беспокойство, потом приступ дикого страха. Что, если Алан Кэмпбел уехал из Англии? До его возвращения может пройти много дней. Или вдруг Алан не захочет прийти к нему в дом? Что тогда делать? Ведь каждая минута дорога!

Пять лет назад они с Аланом были очень дружны, почти неразлучны. Потом дружба их внезапно оборвалась. И когда они встречались в свете, улыбался только Дориан Грей, Алан Кэмпбел — никогда. Кэмпбел был высокоодаренный молодой человек, но ничего не понимал в изобразительном искусстве, и если немного научился понимать красоты поэзии, то этим был целиком обязан Дориану. Единственной страстью Алана была наука. В Кембридже он

---

[1] Дивном чудовище *(фр.)*.

Оскар Уайльд

his own in which he used to shut himself up all day long, greatly to the annoyance of his mother, who had set her heart on his standing for Parliament and had a vague idea that a chemist was a person who made up prescriptions. He was an excellent musician, however, as well, and played both the violin and the piano better than most amateurs. In fact, it was music that had first brought him and Dorian Gray together — music and that indefinable attraction that Dorian seemed to be able to exercise whenever he wished — and, indeed, exercised often without being conscious of it. They had met at Lady Berkshire's the night that Rubinstein played there, and after that used to be always seen together at the opera and wherever good music was going on.

For eighteen months their intimacy lasted. Campbell was always either at Selby Royal or in Grosvenor Square. To him, as to many others, Dorian Gray was the type of everything that is wonderful and fascinating in life. Whether or not a quarrel had taken place between them no one ever knew. But suddenly people remarked that they scarcely spoke when they met and that Campbell seemed always to go away early from any party at which Dorian Gray was present. He had changed, too — was strangely melancholy at times, appeared almost to dislike hearing music, and would never himself play, giving as his excuse, when he was called upon, that he was so absorbed in science that he had no time left in which to practise. And this was certainly true. Every day he seemed to become more

478

проводил много времени в лабораториях и с отличием окончил курс естественных наук. Он и теперь увлекался химией, у него была собственная лаборатория, где он просиживал целые дни, к великому неудовольствию матери, которая жаждала для сына парламентской карьеры, о химии же имела представление весьма смутное и полагала, что химик — это что-то вроде аптекаря. Впрочем, химия не мешала Алану быть превосходным музыкантом. Он играл на скрипке и на рояле лучше, чем большинство дилетантов. Музыка-то и сблизила его с Дорианом Греем, музыка и то неизъяснимое обаяние, которое Дориан умел пускать в ход, когда хотел, а часто даже бессознательно. Они впервые встретились у леди Беркшир однажды вечером, когда там играл Рубинштейн, и потом постоянно бывали вместе в опере и повсюду, где можно было услышать хорошую музыку.

Полтора года длилась эта дружба. Кэмпбела постоянно можно было встретить то в Селби, то в доме на Гровенор-сквер. Он, как и многие другие, видел в Дориане Грее воплощение всего прекрасного и замечательного в жизни. О какой-либо ссоре между Дорианом и Аланом не слыхал никто. Но вдруг люди стали замечать, что они при встречах почти не разговаривают друг с другом и Кэмпбел всегда уезжает раньше времени с вечеров, на которых появляется Дориан Грей. Потом Алан сильно переменился, по временам впадал в странную меланхолию и, казалось, разлюбил музыку: на концерты не ходил и сам никогда не соглашался играть, оправдываясь тем, что научная работа не оставляет ему времени для занятий музыкой. Этому легко было поверить: Алан

interested in biology, and his name appeared once or twice in some of the scientific reviews in connection with certain curious experiments.

This was the man Dorian Gray was waiting for. Every second he kept glancing at the clock. As the minutes went by he became horribly agitated. At last he got up and began to pace up and down the room, looking like a beautiful caged thing. He took long stealthy strides. His hands were curiously cold.

The suspense became unbearable. Time seemed to him to be crawling with feet of lead, while he by monstrous winds was being swept towards the jagged edge of some black cleft of precipice. He knew what was waiting for him there; saw it, indeed, and, shuddering, crushed with dank hands his burning lids as though he would have robbed the very brain of sight and driven the eyeballs back into their cave. It was useless. The brain had its own food on which it battened, and the imagination, made grotesque by terror, twisted and distorted as a living thing by pain, danced like some foul puppet on a stand and grinned through moving masks. Then, suddenly, time stopped for him. Yes: that blind, slow-breathing thing crawled no more, and horrible thoughts, time being dead, raced nimbly on in front, and dragged a hideous future from its grave, and showed it to him. He stared at it. Its very horror made him stone.

At last the door opened and his servant entered. He turned glazed eyes upon him.

"Mr. Campbell, sir," said the man.

A sigh of relief broke from his parched lips, and the colour came back to his cheeks.

с каждым днем все больше увлекался биологией, и его фамилия уже несколько раз упоминалась в научных журналах в связи с его интересными опытами.

Этого-то человека и ожидал Дориан Грей, каждую секунду поглядывая на часы. Время шло, и он все сильнее волновался. Наконец встал и начал ходить по комнате, напоминая красивого зверя, который мечется в клетке. Он ходил большими бесшумными шагами. Руки его были холодными как лед.

Ожидание становилось невыносимым. Время не шло, а ползло, как будто у него были свинцовые ноги, а Дориан чувствовал себя, как человек, которого бешеный вихрь мчит на край черной бездны. Он знал, что его там ждет, он это ясно видел и, содрогаясь, зажимал холодными и влажными руками пылающие веки, словно хотел вдавить глаза в череп и лишить зрения даже и мозг. Но тщетно. Мозг питался своими запасами и работал усиленно, фантазия, изощренная страхом, корчилась и металась, как живое существо от сильной боли, плясала подобно уродливой марионетке на подмостках, скалила зубы из-под меняющейся маски. Затем Время внезапно остановилось. Да, это слепое медлительное существо уже перестало и ползти. И как только замерло Время, страшные мысли стремительно побежали вперед, вытащили жуткое будущее из его могилы и показали Дориану. А он смотрел, смотрел во все глаза, окаменев от ужаса.

Наконец дверь отворилась, и вошел его слуга. Дориан уставился на него мутными глазами.

— Мистер Кэмпбел, сэр, — доложил слуга.

Вздох облегчения сорвался с запекшихся губ Дориана, и кровь снова прилила к лицу.

"Ask him to come in at once, Francis."

He felt that he was himself again. His mood of cowardice had passed away.

The man bowed and retired. In a few moments, Alan Campbell walked in, looking very stern and rather pale, his pallor being intensified by his coal-black hair and dark eyebrows.

"Alan! This is kind of you. I thank you for coming."

"I had intended never to enter your house again, Gray. But you said it was a matter of life and death."

His voice was hard and cold. He spoke with slow deliberation. There was a look of contempt in the steady searching gaze that he turned on Dorian. He kept his hands in the pockets of his Astrakhan coat, and seemed not to have noticed the gesture with which he had been greeted.

"Yes: it is a matter of life and death, Alan, and to more than one person. Sit down."

Campbell took a chair by the table, and Dorian sat opposite to him. The two men's eyes met. In Dorian's there was infinite pity. He knew that what he was going to do was dreadful.

After a strained moment of silence, he leaned across and said, very quietly, but watching the effect of each word upon the face of him he had sent for,

"Alan, in a locked room at the top of this house, a room to which nobody but myself has access, a dead man is seated at a table. He has been dead ten hours now. Don't stir, and don't look at me like that. Who the man is, why he died, how he died, are matters that do not concern you. What you have to do is this—"

— Просите сейчас же, Фрэнсис!

Дориан уже приходил в себя. Приступ малодушия миновал.

Слуга с поклоном вышел. Через минуту появился Алан Кэмпбел, суровый и бледный. Бледность лица еще резче подчеркивали его черные как смоль волосы и темные брови.

— Алан, спасибо вам, что пришли. Вы очень добры.

— Грей, я дал себе слово никогда больше не переступать порог вашего дома. Но вы написали, что дело идет о жизни или смерти...

Алан говорил с расстановкой, холодным и жестким тоном. В его пристальном, испытующем взгляде, обращенном на Дориана, сквозило презрение. Руки он держал в карманах и как будто не заметил протянутой руки Дориана.

— Да, Алан, дело идет о жизни или смерти — и не одного человека. Садитесь.

Кэмпбел сел у стола. Дориан — напротив. Глаза их встретились. Во взгляде Дориана светилось глубокое сожаление: он понимал, как ужасно то, что он собирается сделать.

После напряженной паузы он наклонился через стол и сказал очень тихо, стараясь по лицу Кэмпбела угадать, какое впечатление производят его слова:

— Алан, наверху, в запертой комнате, куда, кроме меня, никто не может войти, сидит у стола мертвец. Он умер десять часов тому назад... Сидите спокойно и не смотрите на меня так! Кто этот человек, отчего и как он умер — это вас не касается. Вам только придется сделать вот что...

"Stop, Gray. I don't want to know anything further. Whether what you have told me is true or not true doesn't concern me. I entirely decline to be mixed up in your life. Keep your horrible secrets to yourself. They don't interest me any more."

"Alan, they will have to interest you. This one will have to interest you. I am awfully sorry for you, Alan. But I can't help myself. You are the one man who is able to save me. I am forced to bring you into the matter. I have no option. Alan, you are scientific. You know about chemistry and things of that kind. You have made experiments. What you have got to do is to destroy the thing that is upstairs — to destroy it so that not a vestige of it will be left. Nobody saw this person come into the house. Indeed, at the present moment he is supposed to be in Paris. He will not be missed for months. When he is missed, there must be no trace of him found here. You, Alan, you must change him, and everything that belongs to him, into a handful of ashes that I may scatter in the air."

"You are mad, Dorian."

"Ah! I was waiting for you to call me Dorian."

"You are mad, I tell you — mad to imagine that I would raise a finger to help you, mad to make this monstrous confession. I will have nothing to do with this matter, whatever it is. Do you think I am going to peril my reputation for you? What is it to me what devil's work you are up to?"

"It was suicide, Alan."

"I am glad of that. But who drove him to it? You, I should fancy."

— Замолчите, Грей! Я ничего не хочу больше слышать. Правду вы сказали или нет, — мне это безразлично. Я решительно отказываюсь иметь с вами дело. Храните про себя свои отвратительные тайны, они меня больше не интересуют.

— Алан, эту тайну вам придется узнать. Мне вас очень жаль, но ничего не поделаешь. Только вы можете меня спасти. Я вынужден посвятить вас в это дело — у меня нет иного выхода, Алан! Вы человек ученый, специалист по химии и другим наукам. Вы должны уничтожить то, что заперто наверху, — так уничтожить, чтобы следа от него не осталось. Никто не видел, как этот человек вошел в мой дом. Сейчас все уверены, что он в Париже. Несколько месяцев его отсутствие никого не будет удивлять. А когда его хватятся, — нужно, чтобы здесь не осталось и следа от него. Вы, Алан, и только вы, должны превратить его и все, что на нем, в горсточку пепла, которую можно развеять по ветру.

— Вы с ума сошли, Дориан!

— Ага, наконец-то вы назвали меня «Дориан»! Я этого только и ждал.

— Повторяю — вы сумасшедший, иначе не сделали бы мне этого страшного признания. Уж не воображаете ли вы, что я хоть пальцем шевельну для вас? Не желаю я вмешиваться в это! Неужели вы думаете, что я ради вас соглашусь погубить свою репутацию?.. Знать ничего не хочу о ваших дьявольских затеях!

— Алан, это было самоубийство.

— В таком случае я рад за вас. Но кто его довел до самоубийства? Вы, конечно?

"Do you still refuse to do this for me?"

"Of course I refuse. I will have absolutely nothing to do with it. I don't care what shame comes on you. You deserve it all. I should not be sorry to see you disgraced, publicly disgraced. How dare you ask me, of all men in the world, to mix myself up in this horror? I should have thought you knew more about people's characters. Your friend Lord Henry Wotton can't have taught you much about psychology, whatever else he has taught you. Nothing will induce me to stir a step to help you. You have come to the wrong man. Go to some of your friends. Don't come to me."

"Alan, it was murder. I killed him. You don't know what he had made me suffer. Whatever my life is, he had more to do with the making or the marring of it than poor Harry has had. He may not have intended it, the result was the same."

"Murder! Good God, Dorian, is that what you have come to? I shall not inform upon you. It is not my business. Besides, without my stirring in the matter, you are certain to be arrested. Nobody ever commits a crime without doing something stupid. But I will have nothing to do with it."

"You must have something to do with it. Wait, wait a moment; listen to me. Only listen, Alan. All I ask of you is to perform a certain scientific experiment. You go to hospitals and dead-houses, and the horrors that you do there don't affect you. If in some hideous dissecting-room or fetid laboratory you found this man lying on a leaden table with red gutters scooped out in it for the blood to flow through, you would simply look upon him as an admirable subject. You would not turn

— Так вы все-таки отказываетесь мне помочь?

— Конечно, отказываюсь. Не хочу иметь с вами ничего общего. Пусть вы будете обесчещены — мне все равно. Поделом вам! Я даже буду рад вашему позору. Как вы смеете просить меня, особенно меня, впутаться в такое ужасное дело? Я думал, что вы лучше знаете людей. Ваш друг, лорд Генри Уоттон, многому научил вас, но психологии он вас, видно, плохо учил. Я палец о палец для вас не ударю. Ничто меня не заставит вам помочь. Вы обратились не по адресу, Грей. Обращайтесь за помощью к своим друзьям, но не ко мне!

— Алан, это убийство. Я убил его. Вы не знаете, сколько я выстрадал из-за него. В том, что жизнь моя сложилась так, а не иначе, этот человек виноват больше, чем бедный Гарри. Может, он и не хотел этого, но так вышло.

— Убийство?! Боже мой, так вы уже и до этого дошли, Дориан? Я не донесу на вас — не мое это дело. Но вас все равно, наверное, арестуют. Всякий преступник непременно делает какую-нибудь оплошность и выдает себя. Я же, во всяком случае, не стану в это вмешиваться.

— Вы должны вмешаться. Постойте, постойте, выслушайте меня, выслушайте, Алан. Я вас прошу только проделать научный опыт. Вы же бываете в больницах, в моргах, и то, что вы там делаете, уже не волнует вас. Если бы вы где-нибудь в анатомическом театре или зловонной лаборатории увидели этого человека на обитом жестью столе с желобами для стока крови, он для вас был бы просто интересным объектом для опытов. Вы занялись бы им, не

a hair. You would not believe that you were doing any-thing wrong. On the contrary, you would probably feel that you were benefiting the human race, or increasing the sum of knowledge in the world, or gratifying intellectual curiosity, or something of that kind. What I want you to do is merely what you have often done before. Indeed, to destroy a body must be far less horrible than what you are accustomed to work at. And, remember, it is the only piece of evidence against me. If it is discovered, I am lost; and it is sure to be discovered unless you help me."

"I have no desire to help you. You forget that. I am simply indifferent to the whole thing. It has nothing to do with me."

"Alan, I entreat you. Think of the position I am in. Just before you came I almost fainted with terror. You may know terror yourself some day. No! don't think of that. Look at the matter purely from the scientific point of view. You don't inquire where the dead things on which you experiment come from. Don't inquire now. I have told you too much as it is. But I beg of you to do this. We were friends once, Alan."

"Don't speak about those days, Dorian — they are dead."

"The dead linger sometimes. The man upstairs will not go away. He is sitting at the table with bowed head and outstretched arms. Alan! Alan! If you don't come to my assistance, I am ruined. Why, they will hang me, Alan! Don't you understand? They will hang me for what I have done."

поморщившись. Вам и в голову бы не пришло, что вы делаете что-то дурное. Напротив, вы бы, вероятно, считали, что работаете на благо человечества, обогащаете науку, удовлетворяете похвальную любознательность, и так далее. То, о чем я вас прошу, вы делали много раз. И, уж конечно, уничтожить труп гораздо менее противно, чем делать то, что вы привыкли делать в секционных залах. Поймите, этот труп — единственная улика против меня. Если его обнаружат, я погиб. А его, несомненно, обнаружат, если вы меня не спасете.

— Вы забыли, что я вам сказал? Я не имею ни малейшего желания спасать вас. Вся эта история меня совершенно не касается.

— Алан, умоляю вас! Подумайте, в каком я положении! Вот только что перед вашим приходом я умирал от ужаса. Быть может, и вам когда-нибудь придется испытать подобный страх... Нет, нет, я не то хотел сказать!.. Взгляните на это дело с чисто научной точки зрения. Ведь вы же не спрашиваете, откуда те трупы, которые служат вам для опытов? Так не спрашивайте и сейчас ни о чем. Я и так уже сказал вам больше, чем следовало. Я вас прошу сделать это. Мы были друзьями, Алан!

— О прошлом вы не поминайте, Дориан. Оно умерло.

— Иногда то, что мы считаем мертвым, долго еще не хочет умирать. Тот человек наверху не уходит. Он сидит у стола, нагнув голову и вытянув руки. Алан, Алан! Если вы не придете мне на помощь, я погиб. Меня повесят, Алан! Понимаете? Меня повесят за то, что я сделал...

"There is no good in prolonging this scene. I absolutely refuse to do anything in the matter. It is insane of you to ask me."

"You refuse?"

"Yes."

"I entreat you, Alan."

"It is useless."

The same look of pity came into Dorian Gray's eyes. Then he stretched out his hand, took a piece of paper, and wrote something on it. He read it over twice, folded it carefully, and pushed it across the table. Having done this, he got up and went over to the window.

Campbell looked at him in surprise, and then took up the paper, and opened it. As he read it, his face became ghastly pale and he fell back in his chair. A horrible sense of sickness came over him. He felt as if his heart was beating itself to death in some empty hollow.

After two or three minutes of terrible silence, Dorian turned round and came and stood behind him, putting his hand upon his shoulder.

"I am so sorry for you, Alan," he murmured, "but you leave me no alternative. I have a letter written already. Here it is. You see the address. If you don't help me, I must send it. If you don't help me, I will send it. You know what the result will be. But you are going to help me. It is impossible for you to refuse now. I tried to spare you. You will do me the justice to admit that. You were stern, harsh, offensive. You treated me as no man has ever dared to treat me — no living man, at any rate. I bore it all. Now it is for me to dictate terms."

— Незачем продолжать этот разговор. Я решительно отказываюсь вам помогать. Вы, видно, помешались от страха, иначе не посмели бы обратиться ко мне с такой просьбой.

— Так вы не согласны?

— Нет.

— Алан, я вас умоляю!

— Это бесполезно.

Снова сожаление мелькнуло в глазах Дориана. Он протянул руку и, взяв со стола листок бумаги, что-то написал на нем. Дважды перечел написанное, старательно сложил листок и бросил его через стол Алану. Потом встал и отошел к окну.

Кэмпбел удивленно посмотрел на него и развернул записку. Читая ее, он побледнел как смерть и съежился на стуле. Он ощутил ужасную слабость, а сердце билось, билось, словно в пустоте. Казалось, оно готово разорваться.

Прошло две-три минуты в тягостном молчании. Наконец Дориан обернулся и, подойдя к Алану, положил ему руку на плечо.

— Мне вас очень жаль, Алан, — сказал он шепотом, — но другого выхода у меня нет. Вы сами меня к этому вынудили. Письмо уже написано — вот оно. Видите адрес? Если вы меня не выручите, я отошлю его. А что за этим последует, вы сами понимаете. Теперь вы не можете отказаться. Я долго пытался вас щадить — вы должны это признать. Ни один человек до сих пор не смел так говорить со мной, — а если бы посмел, его бы уже не было на свете. Я все стерпел. Теперь моя очередь диктовать условия.

Campbell buried his face in his hands, and a shudder passed through him.

"Yes, it is my turn to dictate terms, Alan. You know what they are. The thing is quite simple. Come, don't work yourself into this fever. The thing has to be done. Face it, and do it."

A groan broke from Campbell's lips and he shivered all over. The ticking of the clock on the mantelpiece seemed to him to be dividing time into separate atoms of agony, each of which was too terrible to be borne. He felt as if an iron ring was being slowly tightened round his forehead, as if the disgrace with which he was threatened had already come upon him. The hand upon his shoulder weighed like a hand of lead. It was intolerable. It seemed to crush him.

"Come, Alan, you must decide at once."

"I cannot do it," he said, mechanically, as though words could alter things.

"You must. You have no choice. Don't delay."

He hesitated a moment.

"Is there a fire in the room upstairs?"

"Yes, there is a gas-fire with asbestos."

"I shall have to go home and get some things from the laboratory."

"No, Alan, you must not leave the house. Write out on a sheet of notepaper what you want and my servant will take a cab and bring the things back to you."

Campbell scrawled a few lines, blotted them, and addressed an envelope to his assistant. Dorian took the note up and read it carefully. Then he rang the bell and gave it to his valet, with orders to return as soon as possible and to bring the things with him.

Кэмпбел закрыл лицо руками. Видно было, как он дрожит.

— Да, Алан, теперь я буду ставить условия. Они вам уже известны. Ну, ну, не впадайте в истерику! Дело совсем простое и должно быть сделано. Решайтесь — и скорее приступайте к нему!

У Кэмпбела вырвался стон. Его бил озноб. Тиканье часов на камине словно разбивало время на отдельные атомы муки, один невыносимее другого. Голову Алана все туже и туже сжимал железный обруч — как будто позор, которым ему угрожали, уже обрушился на него. Рука Дориана на его плече была тяжелее свинца, — казалось, сейчас она раздавит его. Это было невыносимо.

— Ну же, Алан, решайтесь скорее!

— Не могу, — машинально возразил Кэмпбел, точно эти слова могли изменить что-нибудь.

— Вы должны. У вас нет выбора. Не медлите!
Кэмпбел с минуту еще колебался. Потом спросил:

— В той комнате, наверху, есть камин?

— Да, газовый, с асбестом.

— Мне придется съездить домой, взять кое-что в лаборатории.

— Нет, Алан, я вас отсюда не выпущу. Напишите, что вам нужно, а мой лакей съездит к вам и привезет.

Кэмпбел нацарапал несколько строк, промокнул, а на конверте написал фамилию своего помощника. Дориан взял у него из рук записку и внимательно прочитал. Потом позвонил, отдал ее пришедшему на звонок слуге, наказав ему вернуться как можно скорее и все привезти.

493

As the hall door shut, Campbell started nervously, and having got up from the chair, went over to the chimney-piece. He was shivering with a kind of ague. For nearly twenty minutes, neither of the men spoke. A fly buzzed noisily about the room, and the ticking of the clock was like the beat of a hammer.

As the chime struck one, Campbell turned round, and looking at Dorian Gray, saw that his eyes were filled with tears. There was something in the purity and refinement of that sad face that seemed to enrage him.

"You are infamous, absolutely infamous!" he muttered.

"Hush, Alan. You have saved my life," said Dorian.

"Your life? Good heavens! what a life that is! You have gone from corruption to corruption, and now you have culminated in crime. In doing what I am going to do — what you force me to do — it is not of your life that I am thinking."

"Ah, Alan," murmured Dorian with a sigh, "I wish you had a thousandth part of the pity for me that I have for you." He turned away as he spoke and stood looking out at the garden.

Campbell made no answer.

After about ten minutes a knock came to the door, and the servant entered, carrying a large mahogany chest of chemicals, with a long coil of steel and platinum wire and two rather curiously shaped iron clamps.

"Shall I leave the things here, sir?" he asked Campbell.

"Yes," said Dorian. "And I am afraid, Francis, that I have another errand for you. What is the name

Стук двери, захлопнувшейся за лакеем, заставил Кэмпбела нервно вздрогнуть. Встав из-за стола, он подошел к камину. Его трясло как в лихорадке. Минут двадцать он и Дориан молчали. В комнате слышно было только жужжание мухи да тиканье часов, отдававшееся в мозгу Алана, как стук молотка.

Куранты пробили час. Кэмпбел обернулся и, взглянув на Дориана, увидел, что глаза его полны слез. В чистоте и тонкости этого печального лица было что-то, взбесившее Алана.

— Вы подлец, гнусный подлец! — сказал он тихо.

— Не надо, Алан! Вы спасли мне жизнь.

— Вашу жизнь? Силы небесные, что это за жизнь? Вы шли от порока к пороку и вот дошли до преступления. Не ради спасения вашей позорной жизни я сделаю то, чего вы от меня требуете.

— Ах, Алан. — Дориан вздохнул. — Хотел бы я, чтобы вы питали ко мне хоть тысячную долю того сострадания, какое я питаю к вам. Он сказал это, отвернувшись и глядя через окно в сад.

Кэмпбел ничего не ответил.

Минут через десять раздался стук в дверь, и вошел слуга, неся большой ящик красного дерева с химическими препаратами, длинный моток стальной и платиновой проволоки и две железных скобы очень странной формы.

— Оставить все здесь, сэр? — спросил он, обращаясь к Кэмпбелу.

— Да, — ответил за Кэмпбела Дориан. — И, к сожалению, Фрэнсис, мне придется дать вам еще

of the man at Richmond who supplies Selby with orchids?"

"Harden, sir."

"Yes — Harden. You must go down to Richmond at once, see Harden personally, and tell him to send twice as many orchids as I ordered, and to have as few white ones as possible. In fact, I don't want any white ones. It is a lovely day, Francis, and Richmond is a very pretty place — otherwise I wouldn't bother you about it."

"No trouble, sir. At what time shall I be back?"

Dorian looked at Campbell.

"How long will your experiment take, Alan?" he said in a calm indifferent voice. The presence of a third person in the room seemed to give him extraordinary courage.

Campbell frowned and bit his lip.

"It will take about five hours," he answered.

"It will be time enough, then, if you are back at half-past seven, Francis. Or stay: just leave my things out for dressing. You can have the evening to yourself. I am not dining at home, so I shall not want you."

"Thank you, sir," said the man, leaving the room.

"Now, Alan, there is not a moment to be lost. How heavy this chest is! I'll take it for you. You bring the other things."

He spoke rapidly and in an authoritative manner.

Campbell felt dominated by him. They left the room together.

одно поручение. Как зовут того садовода в Ричмонде, что поставляет нам в Селби орхидеи?

— Харден, сэр.

— Да, да, Харден. Так вот, надо сейчас же съездить к нему в Ричмонд и сказать, чтобы он прислал вдвое больше орхидей, чем я заказал, и как можно меньше белых... нет, пожалуй, белых совсем не нужно. Погода сегодня отличная, а Ричмонд — прелестное местечко, иначе я не стал бы вас утруждать.

— Помилуйте, какой же это труд, сэр! Когда прикажете вернуться?

Дориан посмотрел на Кэмпбела.

— Сколько времени займет ваш опыт, Алан? — спросил он самым естественным и спокойным тоном. Видимо, присутствие третьего лица придавало ему смелости.

Кэмпбел нахмурился, прикусил губу.

— Часов пять, — ответил он.

— Значит, можете не возвращаться до половины восьмого, Фрэнсис... А впрочем, знаете что: приготовьте перед уходом все, что мне нужно надеть, и тогда я могу отпустить вас на весь вечер. Я обедаю не дома, так что вы мне не нужны.

— Благодарю вас, сэр, — сказал лакей и вышел.

— Ну, Алан, теперь за дело, нельзя терять ни минуты. Ого, какой тяжелый ящик! Я понесу его, а вы все остальное.

Дориан говорил быстро и повелительным тоном.

Кэмпбел покорился. Они вместе вышли в переднюю.

When they reached the top landing, Dorian took out the key and turned it in the lock. Then he stopped, and a troubled look came into his eyes. He shuddered.

"I don't think I can go in, Alan," he murmured.

"It is nothing to me. I don't require you," said Campbell coldly.

Dorian half opened the door. As he did so, he saw the face of his portrait leering in the sunlight. On the floor in front of it the torn curtain was lying. He remembered that the night before he had forgotten, for the first time in his life, to hide the fatal canvas, and was about to rush forward, when he drew back with a shudder.

What was that loathsome red dew that gleamed, wet and glistening, on one of the hands, as though the canvas had sweated blood? How horrible it was!— more horrible, it seemed to him for the moment, than the silent thing that he knew was stretched across the table, the thing whose grotesque misshapen shadow on the spotted carpet showed him that it had not stirred, but was still there, as he had left it.

He heaved a deep breath, opened the door a little wider, and with half-closed eyes and averted head, walked quickly in, determined that he would not look even once upon the dead man. Then, stooping down and taking up the gold-and-purple hanging, he flung it right over the picture.

There he stopped, feeling afraid to turn round, and his eyes fixed themselves on the intricacies of the pattern before him. He heard Campbell bringing in the heavy chest, and the irons, and the other things

На верхней площадке Дориан достал из кармана ключ и отпер дверь. Но тут он словно прирос к месту, глаза его тревожно забегали, руки тряслись.

— Алан, я, кажется, не в силах туда войти, — пробормотал он.

— Так не входите. Вы мне вовсе не нужны, — холодно отозвался Кэмпбел.

Дориан приоткрыл дверь, и ему бросилось в глаза освещенное солнцем ухмыляющееся лицо портрета. На полу валялось разорванное покрывало. Он вспомнил, что прошлой ночью, впервые за все эти годы, забыл укрыть портрет, и уже хотел было броситься к нему, поскорее его завесить, но вдруг в ужасе отпрянул.

Что это за отвратительная влага, красная и блестящая, выступила на одной руке портрета, как будто полотно покрылось кровавым потом? Какой ужас! Это показалось ему даже страшнее, чем неподвижная фигура, которая, как он знал, сидит тут же в комнате, навалившись на стол, — ее уродливая тень на залитом кровью ковре свидетельствовала, что она на том же месте, где была вчера.

Дориан тяжело перевел дух и, шире открыв дверь, быстро вошел в комнату. Опустив глаза и отворачиваясь от мертвеца, в твердой решимости ни разу не взглянуть на него, он нагнулся, подобрал пурпурно-золотое покрывало и набросил его на портрет.

Боясь оглянуться, он стоял и смотрел неподвижно на сложный узор вышитой ткани. Он слышал, как Кэмпбел внес тяжелый ящик, потом все остальные вещи, нужные ему. И Дориан неожиданно

that he had required for his dreadful work. He began to wonder if he and Basil Hallward had ever met, and, if so, what they had thought of each other.

"Leave me now," said a stern voice behind him.

He turned and hurried out, just conscious that the dead man had been thrust back into the chair and that Campbell was gazing into a glistening yellow face. As he was going downstairs, he heard the key being turned in the lock.

It was long after seven when Campbell came back into the library. He was pale, but absolutely calm.

"I have done what you asked me to do," he muttered "And now, good-bye. Let us never see each other again."

"You have saved me from ruin, Alan. I cannot forget that," said Dorian simply.

As soon as Campbell had left, he went upstairs. There was a horrible smell of nitric acid in the room. But the thing that had been sitting at the table was gone.

Chapter XV

That evening, at eight-thirty, exquisitely dressed and wearing a large button-hole of Parma violets, Dorian Gray was ushered into Lady Narborough's drawing-room by bowing servants. His forehead was throbbing with maddened nerves, and he felt wildly excited, but his manner as he bent over his hostess's hand was as easy and graceful as ever. Perhaps one

спросил себя, был ли Алан знаком с Бэзилом Холлуордом, и если да, то что они думали друг о друге?

— Теперь уходите, — произнес за его спиной суровый голос.

Он повернулся и поспешно вышел. Успел только заметить, что мертвец теперь посажен прямо, прислонен к спинке стула и Кэмпбел смотрит в его желтое, лоснящееся лицо. Сходя вниз, он услышал, как щелкнул ключ в замке.

Было уже гораздо позднее семи, когда Кэмпбел вернулся в библиотеку. Он был бледен, но совершенно спокоен.

— Я сделал то, чего вы требовали. А теперь прощайте навсегда. Больше я не хочу с вами встречаться.

— Вы спасли мне жизнь, Алан. Этого я никогда не забуду, — сказал Дориан просто.

Как только Кэмпбел ушел, Дориан побежал наверх. В комнате стоял резкий запах азотной кислоты. Мертвый человек, сидевший у стола, исчез.

Глава XV

В тот же вечер, в половине девятого, Дориан Грей, прекрасно одетый, с большой бутоньеркой пармских фиалок в петлице, вошел в гостиную леди Нарборо, куда его с поклонами проводили лакеи. В висках у него бешено стучала кровь, нервы были взвинчены до крайности, но он поцеловал руку хозяйки дома с обычной своей непринужденной грацией. Пожа-

never seems so much at one's ease as when one has to play a part. Certainly no one looking at Dorian Gray that night could have believed that he had passed through a tragedy as horrible as any tragedy of our age. Those finely shaped fingers could never have clutched a knife for sin, nor those smiling lips have cried out on God and goodness. He himself could not help wondering at the calm of his demeanour, and for a moment felt keenly the terrible pleasure of a double life.

It was a small party, got up rather in a hurry by Lady Narborough, who was a very clever woman with what Lord Henry used to describe as the remains of really remarkable ugliness. She had proved an excellent wife to one of our most tedious ambassadors, and having buried her husband properly in a marble mausoleum, which she had herself designed, and married off her daughters to some rich, rather elderly men, she devoted herself now to the pleasures of French fiction, French cookery, and French esprit when she could get it.

Dorian was one of her especial favourites, and she always told him that she was extremely glad she had not met him in early life.

"I know, my dear, I should have fallen madly in love with you," she used to say, "and thrown my bonnet right over the mills for your sake. It is most fortunate that you were not thought of at the time. As

луй, спокойствие и непринужденность кажутся более всего естественными тогда, когда человек вынужден притворяться. И, конечно, никто из тех, кто видел Дориана Грея в этот вечер, ни за что бы не поверил, что он пережил трагедию, страшнее которой не бывает в наше время. Не могли эти тонкие, изящные пальцы сжимать разящий нож, эти улыбающиеся губы оскорблять Бога и все, что священно для человека! Дориан и сам удивлялся своему внешнему спокойствию. И бывали минуты, когда он, думая о своей двойной жизни, испытывал острое наслаждение.

В этот вечер у леди Нарборо гостей было немного — только те, кого она наспех успела созвать. Леди Нарборо была умная женщина, сохранившая, как говаривал лорд Генри, остатки поистине замечательной некрасивости. Долгие годы она была примерной женой одного из наших послов, скучнейшего человека, а по смерти супруга похоронила его с подобающей пышностью в мраморном мавзолее, сооруженном по ее собственному рисунку, выдала дочерей замуж за богатых, но довольно пожилых людей, и теперь на свободе наслаждалась французскими романами, французской кухней и французским остроумием, когда ей удавалось где-нибудь обнаружить его.

Дориан был одним из ее особенных любимцев, и в разговорах с ним она постоянно выражала величайшее удовольствие по поводу того, что не встретилась с ним, когда была еще молода.

«Я уверена, что влюбилась бы в вас до безумия, мой милый, — говаривала она, — и ради вас забросила бы свой чепец за мельницу. Какое счастье, что вас тогда еще и на свете не было! Впрочем, в мое

it was, our bonnets were so unbecoming, and the mills were so occupied in trying to raise the wind, that I never had even a flirtation with anybody. However, that was all Narborough's fault. He was dreadfully short-sighted, and there is no pleasure in taking in a husband who never sees anything."

Her guests this evening were rather tedious. The fact was, as she explained to Dorian, behind a very shabby fan, one of her married daughters had come up quite suddenly to stay with her, and, to make matters worse, had actually brought her husband with her.

"I think it is most unkind of her, my dear," she whispered. "Of course I go and stay with them every summer after I come from Homburg, but then an old woman like me must have fresh air sometimes, and besides, I really wake them up. You don't know what an existence they lead down there. It is pure unadulterated country life. They get up early, because they have so much to do, and go to bed early, because they have so little to think about. There has not been a scandal in the neighbourhood since the time of Queen Elizabeth, and consequently they all fall asleep after dinner. You shan't sit next either of them. You shall sit by me and amuse me."

Dorian murmured a graceful compliment and looked round the room. Yes: it was certainly a tedious party. Two of the people he had never seen before, and the others consisted of Ernest Harrowden, one of those middle-aged mediocrities so common in London

время дамские чепцы были так уродливы, а мельницы так заняты своим прозаическим делом, что мне не пришлось даже ни с кем пофлиртовать. И, конечно, больше всего в этом виноват был Нарборо. Он был ужасно близорук, а что за удовольствие обманывать мужа, который ничего не видит?»

В этот вечер в гостиной леди Нарборо было довольно скучно. К ней, — как она тихонько пояснила Дориану, закрываясь весьма потрепанным веером, — совершенно неожиданно приехала погостить одна из ее замужних дочерей и, что всего хуже, привезла с собой своего супруга.

— Я считаю, что это очень неделикатно с ее стороны, — шепотом жаловалась леди Нарборо. — Правда, я тоже у них гощу каждое лето по возвращении из Гамбурга, — но ведь в моем возрасте необходимо время от времени подышать свежим воздухом. И кроме того, когда я приезжаю, я стараюсь расшевелить их, а им это необходимо. Если бы вы знали, какое они там ведут существование! Настоящие провинциалы! Встают чуть свет, потому что у них очень много дел, и ложатся рано, потому что им думать совершенно не о чем. Со времен королевы Елизаветы во всей округе не было ни одной скандальной истории, и им остается только спать после обеда. Но вы не бойтесь, за столом вы не будете сидеть рядом с ними! Я вас посажу подле себя, и вы будете меня занимать.

Дориан в ответ сказал ей какую-то любезность и обвел глазами гостиную. Общество собралось явно неинтересное. Двоих он видел в первый раз, а кроме них, здесь были Эрнест Хорроуден, бесцветная личность средних лет, каких много среди завсегдатаев

clubs who have no enemies, but are thoroughly dis-
liked by their friends; Lady Ruxton, an overdressed
woman of forty-seven, with a hooked nose, who was
always trying to get herself compromised, but was so
peculiarly plain that to her great disappointment no
one would ever believe anything against her; Mrs. Er-
lynne, a pushing nobody, with a delightful lisp and
Venetian-red hair; Lady Alice Chapman, his hostess's daughter, a dowdy dull girl, with one of those
characteristic British faces that, once seen, are never
remembered; and her husband, a red-cheeked, white-
whiskered creature who, like so many of his class, was
under the impression that inordinate joviality can
atone for an entire lack of ideas.

He was rather sorry he had come, till Lady Narborough, looking at the great ormolu gilt clock that
sprawled in gaudy curves on the mauve-draped mantelshelf, exclaimed:

"How horrid of Henry Wotton to be so late! I sent
round to him this morning on chance and he promised
faithfully not to disappoint me."

It was some consolation that Harry was to be there,
and when the door opened and he heard his slow musical voice lending charm to some insincere apology, he
ceased to feel bored.

But at dinner he could not eat anything. Plate
after plate went away untasted. Lady Narborough
kept scolding him for what she called "an insult to

лондонских клубов, человек, у которого нет врагов, но их с успехом заменяют тайно ненавидящие его друзья; леди Рэкстон, чересчур разряженная сорокасемилетняя дама с крючковатым носом, которая жаждала быть скомпрометированной, но была настолько дурна собой, что, к великому ее огорчению, никто не верил в ее безнравственное поведение; миссис Эрлин, дама без положения в обществе, но весьма энергично стремившаяся его завоевать, рыжая, как венецианка, и премило картавившая; дочь леди Нарборо, леди Элис Чэпмен, безвкусно одетая молодая женщина с типично английским незапоминающимся лицом; и муж ее, краснощекий джентльмен с белоснежными бакенбардами, который, подобно большинству людей этого типа, воображал, что избытком жизнерадостности можно искупить полнейшую неспособность мыслить.

Дориан уже жалел, что приехал сюда, но вдруг леди Нарборо взглянула на большие часы из золоченой бронзы, стоявшие на камине, и воскликнула:

— Генри Уоттон непозволительно опаздывает! А ведь я нарочно посылала к нему сегодня утром, и он клятвенно обещал прийти.

Известие, что придет лорд Генри, несколько утешило Дориана, и, когда дверь открылась и он услышал протяжный и мелодичный голос, придававший очарование неискреннему извинению, его скуку и досаду как рукой сняло.

Но за обедом он ничего не мог есть. Тарелку за тарелкой уносили нетронутыми. Леди Нарборо все время бранила его за то, что он обижает бедного

poor Adolphe, who invented the menu specially for you," and now and then Lord Henry looked across at him, wondering at his silence and abstracted manner. From time to time the butler filled his glass with champagne. He drank eagerly, and his thirst seemed to increase.

"Dorian," said Lord Henry at last, as the chaud-froid was being handed round, "what is the matter with you to-night? You are quite out of sorts."

"I believe he is in love," cried Lady Narborough, "and that he is afraid to tell me for fear I should be jealous. He is quite right. I certainly should."

"Dear Lady Narborough," murmured Dorian, smiling, "I have not been in love for a whole week — not, in fact, since Madame de Ferrol left town."

"How you men can fall in love with that woman!" exclaimed the old lady. "I really cannot understand it."

"It is simply because she remembers you when you were a little girl, Lady Narborough," said Lord Henry. "She is the one link between us and your short frocks."

"She does not remember my short frocks at all, Lord Henry. But I remember her very well at Vienna thirty years ago, and how décolletée she was then."

Адольфа, который придумал меню специально по его вкусу, а лорд Генри издали поглядывал на своего друга, удивленный его молчаливостью и рассеянностью. Дворецкий время от времени наливал Дориану шампанского, и Дориан выпивал его залпом, — жажда мучила его все сильнее.

— Дориан, — сказал наконец лорд Генри, когда подали chaud-froid[1]. — Что с вами сегодня? Вы на себя не похожи.

— Влюблен, наверное! — воскликнула леди Нарборо. — И боится, как бы я его не приревновала, если узнаю об этом. И он совершенно прав. Конечно, я буду ревновать!

— Дорогая леди Нарборо, — сказал Дориан с улыбкой, — я не влюблен ни в кого вот уже целую неделю — с тех пор как госпожа де Феррол уехала из Лондона.

— Как это вы, мужчины, можете увлекаться такой женщиной! Это для меня загадка, право, — заметила старая дама.

— Мы ее любим за то, леди Нарборо, что она помнит вас маленькой девочкой, — вмешался лорд Генри. — Она единственное звено между нами и вашими короткими платьицами.

— Она вовсе не помнит моих коротких платьиц, лорд Генри. Зато я помню очень хорошо, какой она была тридцать лет назад, когда мы встретились в Вене, и как она тогда была décolletée[2].

---

[1] Заливное из дичи *(фр.)*.

[2] Декольтирована *(фр.)*.

"She is still décolletée," he answered, taking an olive in his long fingers; "and when she is in a very smart gown she looks like an edition de luxe of a bad French novel. She is really wonderful, and full of surprises. Her capacity for family affection is extraordinary. When her third husband died, her hair turned quite gold from grief."

"How can you, Harry!" cried Dorian.

"It is a most romantic explanation," laughed the hostess. "But her third husband, Lord Henry! You don't mean to say Ferrol is the fourth?"

"Certainly, Lady Narborough."
"I don't believe a word of it."
"Well, ask Mr. Gray. He is one of her most intimate friends."
"Is it true, Mr. Gray?"
"She assures me so, Lady Narborough," said Dorian. "I asked her whether, like Marguerite de Navarre, she had their hearts embalmed and hung at her girdle. She told me she didn't, because none of them had had any hearts at all."
"Four husbands! Upon my word that is trop de zèle."
"Trop d'audace, I tell her," said Dorian.

— Она и теперь появляется в обществе не менее décolletée, — отозвался лорд Генри, беря длинными пальцами маслину. — И когда разоденется, то напоминает édition de luxe[1] плохого французского романа. Но она занятная женщина, от нее всегда можно ожидать какого-нибудь сюрприза. А какое у нее любвеобильное сердце, какая склонность к семейной жизни! Когда умер ее третий муж, у нее от горя волосы стали совсем золотые.

— Гарри, как вам не стыдно! — воскликнул Дориан.

— В высшей степени поэтическое объяснение! — воскликнула леди Нарборо со смехом. — Вы говорите — третий муж? Неужели же Феррол у нее четвертый?

— Именно так, леди Нарборо!

— Ни за что не поверю.

— Ну, спросите у мистера Грея, ее близкого друга.

— Мистер Грей, это правда?

— По крайней мере, так она утверждает, леди Нарборо. Я спросил у нее, не бальзамирует ли она сердца своих мужей и не носит ли их на поясе, как Маргарита Наваррская. Она ответила, что это невозможно, потому что ни у одного из них не было сердца.

— Четыре мужа! Вот уж можно сказать — trop de zèle![2]

— Вернее — trop d'audace![3] Я так и сказал ей, — отозвался Дориан.

---

[1] Роскошное издание (фр.).

[2] Слишком большое рвение (фр.).

[3] Слишком большая смелость (фр.).

"Oh! she is audacious enough for anything, my dear. And what is Ferrol like? I don't know him."

"The husbands of very beautiful women belong to the criminal classes," said Lord Henry, sipping his wine.

Lady Narborough hit him with her fan.

"Lord Henry, I am not at all surprised that the world says that you are extremely wicked."

"But what world says that?" asked Lord Henry, elevating his eyebrows. "It can only be the next world. This world and I are on excellent terms."

"Everybody I know says you are very wicked," cried the old lady, shaking her head.

Lord Henry looked serious for some moments.

"It is perfectly monstrous," he said, at last, "the way people go about nowadays saying things against one behind one's back that are absolutely and entirely true."

"Isn't he incorrigible?" cried Dorian, leaning forward in his chair.

"I hope so," said his hostess, laughing. "But really, if you all worship Madame de Ferrol in this ridiculous way, I shall have to marry again so as to be in the fashion."

"You will never marry again, Lady Narborough," broke in Lord Henry. "You were far too happy. When a woman marries again, it is because she detested her first husband. When a man marries again, it is be-

— О, смелости у нее хватит на все, не сомневайтесь, милый мой! А что собой представляет этот Феррол? Я его не знаю.

— Мужей очень красивых женщин я отношу к разряду преступников, — объявил лорд Генри, отхлебнув глоток вина.

Леди Нарборо ударила его веером.

— Лорд Генри, меня ничуть не удивляет, что свет считает вас в высшей степени безнравственным человеком.

— Неужели? — спросил лорд Генри, поднимая брови. — Вероятно, вы имеете в виду тот свет? С этим светом я в прекрасных отношениях.

— Нет, все, кого я только знаю, говорят, что вы опасный человек, — настаивала леди Нарборо, качая головой.

Лорд Генри на минутку стал серьезен.

— Просто возмутительно, — сказал он, — что в наше время принято за спиной у человека говорить о нем вещи, которые... безусловно верны.

— Честное слово, он неисправим! — воскликнул Дориан, наклоняясь через стол.

— Надеюсь, что это так, — воскликнула, смеясь, леди Нарборо. — И послушайте — раз все вы до смешного восторгаетесь мадам де Феррол, придется, видно, и мне выйти замуж второй раз, чтобы не отстать от моды.

— Вы никогда больше не выйдете замуж, леди Нарборо, — возразил лорд Генри. — Потому что вы были счастливы в браке. Женщина выходит замуж вторично только в том случае, если первый муж был

cause he adored his first wife. Women try their luck; men risk theirs."

"Narborough wasn't perfect," cried the old lady.

"If he had been, you would not have loved him, my dear lady," was the rejoinder. "Women love us for our defects. If we have enough of them, they will forgive us everything, even our intellects. You will never ask me to dinner again after saying this, I am afraid, Lady Narborough, but it is quite true."

"Of course it is true, Lord Henry. If we women did not love you for your defects, where would you all be? Not one of you would ever be married. You would be a set of unfortunate bachelors. Not, however, that that would alter you much. Nowadays all the married men live like bachelors, and all the bachelors like married men."

"Fin de siècle," murmured Lord Henry.

"Fin du globe," answered his hostess.

"I wish it were fin du globe," said Dorian with a sigh. "Life is a great disappointment."

"Ah, my dear," cried Lady Narborough, putting on her gloves, "don't tell me that you have exhausted life. When a man says that one knows that life has exhausted him. Lord Henry is very wicked, and I sometimes wish that I had been; but you are made to be good — you look so good. I must find you a nice wife.

ei противен. А мужчина женится опять только потому, что очень любил первую жену. Женщины ищут в браке счастья, мужчины ставят свое на карту.

— Нарборо был не так уж безупречен, — заметила старая леди.

— Если бы он был совершенством, вы бы его не любили, дорогая. Женщины любят нас за наши недостатки. Если этих недостатков изрядное количество, они готовы все нам простить, даже ум... Боюсь, что за такие речи вы перестанете приглашать меня к обеду, леди Нарборо, но что поделаешь — это истинная правда.

— Конечно, это верно, лорд Генри. Если бы женщины не любили вас, мужчин, за ваши недостатки, что было бы с вами? Ни одному мужчине не удалось бы жениться, все вы остались бы несчастными холостяками. Правда, и это не заставило бы вас перемениться. Теперь все женатые мужчины живут как холостяки, а все холостые — как женатые.

— Fin de siècle![1] — проронил лорд Генри.

— Fin du globe![2] — подхватила леди Нарборо.

— Если бы поскорее fin du globe! — вздохнул Дориан. — Жизнь — сплошное разочарование.

— Ах, дружок, не говорите мне, что вы исчерпали жизнь! — воскликнула леди Нарборо, натягивая перчатки. — Когда человек так говорит, знайте, что жизнь исчерпала его. Лорд Генри — человек безнравственный, а я порой жалею, что была добродетельна. Но вы — другое дело. Вы не можете быть

[1] Конец века *(фр.)*.
[2] Конец света *(фр.)*.

Lord Henry, don't you think that Mr. Gray should get married?"

"I am always telling him so, Lady Narborough," said Lord Henry with a bow.

"Well, we must look out for a suitable match for him. I shall go through Debrett carefully to-night and draw out a list of all the eligible young ladies."

"With their ages, Lady Narborough?" asked Dorian.

"Of course, with their ages, slightly edited. But nothing must be done in a hurry. I want it to be what The Morning Post calls a suitable alliance, and I want you both to be happy."

"What nonsense people talk about happy marriages!" exclaimed Lord Henry. "A man can be happy with any woman, as long as he does not love her."

"Ah! what a cynic you are!" cried the old lady, pushing back her chair and nodding to Lady Ruxton. "You must come and dine with me soon again. You are really an admirable tonic, much better than what Sir Andrew prescribes for me. You must tell me what people you would like to meet, though. I want it to be a delightful gathering."

"I like men who have a future and women who have a past," he answered. "Or do you think that would make it a petticoat party?"

дурным — это видно по вашему лицу. Я непременно подыщу вам хорошую жену. Лорд Генри, вы не находите, что мистеру Грею пора жениться?

— Я ему всегда это твержу, леди Нарборо, — сказал лорд Генри с поклоном.

— Ну, значит, надо найти ему подходящую партию. Сегодня же внимательно просмотрю Дебретта и составлю список всех невест, достойных мистера Грея.

— И укажете их возраст, леди Нарборо? — спросил Дориан.

— Обязательно укажу, — конечно, с некоторыми поправками. Однако в таком деле спешка не годится. Я хочу, чтобы это был, как выражается «Морнинг пост», подобающий брак и чтобы вы и жена были счастливы.

— Сколько ерунды у нас говорится о счастливых браках! — возмутился лорд Генри. — Мужчина может быть счастлив с какой угодно женщиной, если только он ее не любит.

— Какой же вы циник! — воскликнула леди Нарборо, отодвинув свой стул от стола и кивнув леди Рэкстон. — Навещайте меня почаще, лорд Генри. Вы на меня действуете гораздо лучше, чем все тонические средства, которые мне прописывает сэр Эндрью. И скажите заранее, кого вам хотелось бы встретить у меня. Я постараюсь подобрать как можно более интересную компанию.

— Я люблю мужчин с будущим и женщин с прошлым, — ответил лорд Генри. — Только, пожалуй, тогда вам удастся собрать исключительно дамское общество.

"I fear so," she said, laughing, as she stood up.

"A thousand pardons, my dear Lady Ruxton," she added,
"I didn't see you hadn't finished your cigarette."

"Never mind, Lady Narborough. I smoke a great deal too much. I am going to limit myself, for the future."
"Pray don't, Lady Ruxton," said Lord Henry. "Moderation is a fatal thing. Enough is as bad as a meal. More than enough is as good as a feast."

Lady Ruxton glanced at him curiously.

"You must come and explain that to me some afternoon, Lord Henry. It sounds a fascinating theory," she murmured, as she swept out of the room.

"Now, mind you don't stay too long over your politics and scandal," cried Lady Narborough from the door. "If you do, we are sure to squabble upstairs."

The men laughed, and Mr. Chapman got up solemnly from the foot of the table and came up to the top. Dorian Gray changed his seat and went and sat by Lord Henry. Mr. Chapman began to talk in a loud voice about the situation in the House of Commons. He guffawed at his adversaries. The word doctrinaire — word full of terror to the British mind — reappeared from time to time between his explosions.

— Боюсь, что да! — со смехом согласилась леди Нарборо.

Она встала из-за стола и обратилась к леди Рэкстон:

— Ради бога, извините, моя дорогая, я не видела, что вы еще не докурили папиросу.

— Не беда, леди Нарборо, я слишком много курю. Я и то уже решила быть умереннее.

— Ради бога, не надо, леди Рэкстон, — сказал лорд Генри. — Воздержание — в высшей степени пагубная привычка. Умеренность — это все равно что обыкновенный скучный обед, а неумеренность — праздничный пир.

Леди Рэкстон с любопытством посмотрела на него.

— Непременно приезжайте как-нибудь ко мне, лорд Генри, и разъясните мне это подробнее. Ваша теория очень увлекательна, — сказала она, выплывая из столовой.

— Ну-с, мы уходим наверх, а вы тоже не занимайтесь тут слишком долго политикой и сплетнями, приходите поскорее, иначе мы там все перессоримся, — крикнула леди Нарборо с порога.

Все засмеялись. Когда дамы вышли, мистер Чэпмен, сидевший в конце стола, величественно встал и занял почетное место. Дориан Грей тоже пересел — поближе к лорду Генри. Мистер Чэпмен немедленно стал разглагольствовать о положении дел в палате общин, высмеивая своих противников. Слово «доктринер», столь страшное для англичанина, слышалось по временам среди взрывов

An alliterative prefix served as an ornament of oratory. He hoisted the Union Jack on the pinnacles of thought. The inherited stupidity of the race — sound English common sense he jovially termed it — was shown to be the proper bulwark for society.

A smile curved Lord Henry's lips, and he turned round and looked at Dorian.

"Are you better, my dear fellow?" he asked. "You seemed rather out of sorts at dinner."

"I am quite well, Harry. I am tired. That is all."

"You were charming last night. The little duchess is quite devoted to you. She tells me she is going down to Selby."

"She has promised to come on the twentieth."

"Is Monmouth to be there, too?"

"Oh, yes, Harry."

"He bores me dreadfully, almost as much as he bores her. She is very clever, too clever for a woman. She lacks the indefinable charm of weakness. It is the feet of clay that make the gold of the image precious. Her feet are very pretty, but they are not feet of clay. White porcelain feet, if you like. They have been through the fire, and what fire does not destroy, it hardens. She has had experiences."

"How long has she been married?" asked Dorian.

"An eternity, she tells me. I believe, according to the peerage, it is ten years, but ten years with Monmouth must have been like eternity, with time thrown in. Who else is coming?"

смеха. Мистер Чэпмен поднимал британский флаг на башнях Мысли и доказывал, что наследственная тупость британской нации (этот оптимист, конечно, именовал ее «английским здравым смыслом») есть подлинный оплот нашего общества.

Лорд Генри слушал его с усмешкой. Наконец он повернулся и взглянул на Дориана.

— Ну, что, мой друг, вы уже чувствуете себя лучше? За обедом вам как будто было не по себе?

— Нет, я совершенно здоров, Генри. Немного устал, вот и все.

— Вчера вы были в ударе и совсем пленили маленькую герцогиню. Она мне сказала, что собирается в Селби.

— Да, она обещала приехать двадцатого.

— И Монмаут приедет с нею?

— Ну конечно, Гарри.

— Он мне ужасно надоел, почти так же, как ей. Она умница, умнее, чем следует быть женщине. Ей не хватает несравненного очарования женской слабости. Ведь не будь у золотого идола глиняных ног, мы ценили бы его меньше. Ножки герцогини очень красивы, но они не глиняные. Скорее можно сказать, что они из белого фарфора. Ее ножки прошли через огонь, а то, что огонь не уничтожает, он закаляет. Эта маленькая женщина уже много испытала в жизни.

— Давно она замужем? — спросил Дориан.

— По ее словам, целую вечность. А в книге пэров, насколько я помню, указано десять лет. Но десять лет жизни с Монмаутом могут показаться вечностью... А кто еще приедет в Селби?

"Oh, the Willoughbys, Lord Rugby and his wife, our hostess, Geoffrey Clouston, the usual set. I have asked Lord Grotrian."

"I like him," said Lord Henry. "A great many people don't, but I find him charming. He atones for being occasionally somewhat overdressed by being always absolutely over-educated. He is a very modern type."

"I don't know if he will be able to come, Harry. He may have to go to Monte Carlo with his father."

"Ah! what a nuisance people's people are! Try and make him come. By the way, Dorian, you ran off very early last night. You left before eleven. What did you do afterwards? Did you go straight home?"

Dorian glanced at him hurriedly and frowned.

"No, Harry," he said at last, "I did not get home till nearly three."

"Did you go to the club?"

"Yes," he answered. Then he bit his lip. "No, I don't mean that. I didn't go to the club. I walked about. I forget what I did... How inquisitive you are, Harry! You always want to know what one has been doing. I always want to forget what I have been doing. I came in at half-past two, if you wish to know the exact time. I had left my latch-key at home, and my servant had to let me in. If you want any corroborative evidence on the subject, you can ask him."

Lord Henry shrugged his shoulders.

— Виллоуби и лорд Рэгби — оба с женами, потом леди Нарборо, Джеффри, Глостон, — словом, все та же обычная компания. Я пригласил еще лорда Гротриана.

— А, вот это хорошо! Он мне нравится. Многие его не любят, а я нахожу, что он очень мил. Если иной раз чересчур франтит, то этот грех искупается его замечательной образованностью. Он вполне современный человек.

— Погодите радоваться, Гарри, — еще неизвестно, сможет ли он приехать. Возможно, что ему придется везти отца в Монте-Карло.

— Ох, что за несносный народ эти родители! Все-таки постарайтесь, чтобы он приехал, уговорите его... Кстати, Дориан, вы очень рано сбежали от меня вчера, — еще и одиннадцати не было. Что вы делали потом? Неужели отправились прямо домой?

Дориан метнул на него быстрый взгляд и нахмурился.

— Нет, Гарри, — не сразу ответил он. — Домой я вернулся только около трех.

— Были в клубе?

— Да... То есть нет! — Дориан прикусил губу. — В клубе я не был. Так, гулял... Не помню, где был... Как вы любопытны, Гарри! Непременно вам нужно знать, что человек делает. А я всегда стараюсь забыть, что я делал. Если уж хотите знать точно, я пришел домой в половине третьего. Я забыл взять с собою ключ, и моему лакею пришлось открыть мне. Если вам нужно подтверждение, можете спросить у него.

Лорд Генри пожал плечами.

"My dear fellow, as if I cared! Let us go up to the drawing-room. No sherry, thank you, Mr. Chapman. Something has happened to you, Dorian. Tell me what it is. You are not yourself to-night."

"Don't mind me, Harry. I am irritable, and out of temper. I shall come round and see you to-morrow, or next day. Make my excuses to Lady Narborough. I shan't go upstairs. I shall go home. I must go home."

"All right, Dorian. I dare say I shall see you to-morrow at tea-time. The duchess is coming."

"I will try to be there, Harry," he said, leaving the room.

As he drove back to his own house, he was conscious that the sense of terror he thought he had strangled had come back to him. Lord Henry's casual questioning had made him lose his nerve for the moment, and he wanted his nerve still. Things that were dangerous had to be destroyed. He winced. He hated the idea of even touching them.

Yet it had to be done. He realized that, and when he had locked the door of his library, he opened the secret press into which he had thrust Basil Hallward's coat and bag. A huge fire was blazing. He piled another log on it. The smell of the singeing clothes and burning leather was horrible. It took him three-quarters of an hour to consume everything. At the end he felt faint and sick, and having lit some Algerian pastilles in a pierced copper brazier, he bathed his hands and forehead with a cool musk-scented vinegar.

— Полноте, мой милый, на что мне это нужно! Пойдемте в гостиную к дамам... Нет, спасибо, мистер Чэпмен, я не пью хереса... С вами что-то случилось, Дориан! Скажите мне, что? Вы сегодня сам не свой.

— Ах, Гарри, не обращайте на это внимания. Я сегодня в дурном настроении, и все меня раздражает. Завтра или послезавтра я загляну к вам. В гостиную я не пойду, мне надо ехать домой. Передайте леди Нарборо мои извинения.

— Ладно, Дориан. Жду вас завтра к чаю. Герцогиня тоже будет.

— Постараюсь, — сказал Дориан, уходя.

Он ехал домой, чувствуя, что страх, который он, казалось, уже подавил в себе, снова вернулся. Случайный вопрос лорда Генри вывел его из равновесия, а ему сейчас очень нужно было сохранить самообладание и мужество. Предстояло уничтожить опасные улики, и он содрогался при одной мысли об этом. Ему даже дотронуться до них было страшно.

Но это было необходимо. И, войдя к себе в библиотеку, Дориан запер дверь изнутри, затем открыл тайник в стене, куда спрятал пальто и саквояж Бэзила. В камине пылал яркий огонь. Дориан подбросил еще поленьев... Запах паленого сукна и горящей кожи был невыносим. Чтобы все уничтожить, пришлось провозиться целых три четверти часа. Под конец Дориана даже начало тошнить, кружилась голова. Он зажег несколько алжирских курительных свечек на медной жаровне, потом смочил руки и лоб освежающим ароматным уксусом...

Suddenly he started. His eyes grew strangely bright, and he gnawed nervously at his underlip. Between two of the windows stood a large Florentine cabinet, made out of ebony and inlaid with ivory and blue lapis. He watched it as though it were a thing that could fascinate and make afraid, as though it held something that he longed for and yet almost loathed. His breath quickened. A mad craving came over him. He lit a cigarette and then threw it away. His eyelids drooped till the long fringed lashes almost touched his cheek. But he still watched the cabinet.

At last he got up from the sofa on which he had been lying, went over to it, and having unlocked it, touched some hidden spring. A triangular drawer passed slowly out. His fingers moved instinctively towards it, dipped in, and closed on something. It was a small Chinese box of black and gold-dust lacquer, elaborately wrought, the sides patterned with curved waves, and the silken cords hung with round crystals and tasselled in plaited metal threads. He opened it. Inside was a green paste, waxy in lustre, the odour curiously heavy and persistent.

He hesitated for some moments, with a strangely immobile smile upon his face. Then shivering, though the atmosphere of the room was terribly hot, he drew himself up and glanced at the clock. It was twenty minutes to twelve. He put the box back, shutting the cabinet doors as he did so, and went into his bedroom.

As midnight was striking bronze blows upon the dusky air, Dorian Gray, dressed commonly, and with a muffler wrapped round his throat, crept quietly out

Вдруг зрачки его расширились, в глазах появился странный блеск. Он нервно закусил нижнюю губу. Между окнами стоял флорентийский шкаф черного дерева с инкрустацией из слоновой кости и ляпис-лазури. Дориан уставился на него как завороженный, — казалось, шкаф его и привлекал и пугал, словно в нем хранилось что-то, чего он жаждал и что вместе с тем почти ненавидел. Он задыхался от неистового желания... Закурил папиросу — и бросил. Веки его опустились так низко, что длинные пушистые ресницы почти касались щек. Но он все еще не двигался и не отрывал глаз от шкафа.

Наконец он встал с дивана, подошел к шкафу и, отперев, нажал секретную пружину. Медленно выдвинулся трехугольный ящичек. Пальцы Дориана инстинктивно потянулись к нему, проникли внутрь и вынули китайскую лакированную шкатулку, черную с золотом, тончайшей отделки, с волнистым орнаментом на стенках, с шелковыми шнурками, которые были унизаны хрустальными бусами и кончались металлическими кисточками. Дориан открыл шкатулку. Внутри лежала зеленая паста, похожая на воск, со странно-тяжелым запахом.

Минуту-другую он медлил с застывшей на губах улыбкой. В комнате было очень жарко, а его знобило. Он потянулся, глянул на часы... Было без двадцати двенадцать. Он поставил шкатулку на место, захлопнул дверцы шкафа и пошел в спальню.

Когда бронзовый бой часов во мраке возвестил полночь, Дориан Грей в одежде простолюдина, обмотав шарфом шею, крадучись, вышел из дому. На

of his house. In Bond Street he found a hansom with a good horse. He hailed it and in a low voice gave the driver an address.

The man shook his head.

"It is too far for me," he muttered.

"Here is a sovereign for you," said Dorian. "You shall have another if you drive fast."

"All right, sir," answered the man, "you will be there in an hour,"
and after his fare had got in he turned his horse round and drove rapidly towards the river.

Chapter XVI

A cold rain began to fall, and the blurred street-lamps looked ghastly in the dripping mist. The public-houses were just closing, and dim men and women were clustering in broken groups round their doors. From some of the bars came the sound of horrible laughter. In others, drunkards brawled and screamed.

Lying back in the hansom, with his hat pulled over his forehead, Dorian Gray watched with listless eyes the sordid shame of the great city, and now and then he repeated to himself the words that Lord Henry had said to him on the first day they had met, "To cure the soul by means of the senses, and the senses by means of the soul." Yes, that was the secret. He had often tried it, and would try it again now. There were opium dens where one could buy oblivion, dens of horror where the memory of old sins could be destroyed by the madness of sins that were new.

Бонд-стрит он встретил кеб с хорошей лошадью. Он подозвал его и вполголоса сказал кучеру адрес.

Тот покачал головой.

— Это слишком далеко.

— Вот вам соверен, — сказал Дориан. — И получите еще один, если поедете быстро.

— Ладно, сэр, — отозвался кучер. — Через час будете на месте.

Дориан сел в кеб, а кучер, спрятав деньги, повернул лошадь и помчался по направлению к Темзе.

Глава XVI

Полил холодный дождь, и сквозь его туманную завесу тусклый свет уличных фонарей казался жутко-мертвенным. Все трактиры уже закрывались, у дверей их стояли кучками мужчины и женщины, неясно видные в темноте. Из одних кабаков вылетали на улицу взрывы грубого хохота, в других пьяные визжали и переругивались.

Полулежа в кебе и низко надвинув на лоб шляпу, Дориан Грей равнодушно наблюдал отвратительную изнанку жизни большого города и время от времени повторял про себя слова, сказанные ему лордом Генри в первый день их знакомства: «Лечите душу ощущениями, а ощущения пусть лечит душа». Да, в этом весь секрет! Он, Дориан, часто старался это делать, будет стараться и впредь. Есть притоны для курильщиков опиума, где можно купить забвение. Есть ужасные вертепы, где память о старых грехах можно утопить в безумии новых.

The moon hung low in the sky like a yellow skull. From time to time a huge misshapen cloud stretched a long arm across and hid it. The gas-lamps grew fewer, and the streets more narrow and gloomy. Once the man lost his way and had to drive back half a mile. A steam rose from the horse as it splashed up the puddles. The sidewindows of the hansom were clogged with a grey-flannel mist.

"To cure the soul by means of the senses, and the senses by means of the soul!" How the words rang in his ears! His soul, certainly, was sick to death. Was it true that the senses could cure it? Innocent blood had been spilled. What could atone for that? Ah! for that there was no atonement; but though forgiveness was impossible, forgetfulness was possible still, and he was determined to forget, to stamp the thing out, to crush it as one would crush the adder that had stung one. Indeed, what right had Basil to have spoken to him as he had done? Who had made him a judge over others? He had said things that were dreadful, horrible, not to be endured.

On and on plodded the hansom, going slower, it seemed to him, at each step. He thrust up the trap and called to the man to drive faster. The hideous hunger for opium began to gnaw at him. His throat burned and his delicate hands twitched nervously together. He struck at the horse madly with his stick. The driver laughed and whipped up. He laughed in answer, and the man was silent.

Луна, низко висевшая в небе, была похожа на желтый череп. Порой большущая безобразная туча протягивала длинные щупальца и закрывала ее. Все реже встречались фонари, и улицы, которыми проезжал теперь кеб, становились все более узкими и мрачными. Кучер даже раз сбился с дороги, и пришлось ехать обратно с полмили. Лошадь уморилась, шлепая по лужам, от нее валил пар. Боковые стекла кеба были снаружи плотно укрыты серой фланелью тумана.

«Лечите душу ощущениями, а ощущения пусть лечит душа». Как настойчиво звучали эти слова в ушах Дориана. Да, душа его больна смертельно. Но вправду ли ощущения могут исцелить ее? Ведь он пролил невинную кровь. Чем можно это искупить? Нет, этому нет прощения!.. Ну что ж, если нельзя себе этого простить, так можно забыть. И Дориан твердо решил забыть, вычеркнуть все из памяти, убить прошлое, как убивают гадюку, ужалившую человека. В самом деле, какое право имел Бэзил говорить с ним так? Кто его поставил судьей над другими людьми? Он сказал ужасные слова, слова, которые невозможно было стерпеть.

Кеб тащился все дальше и, казалось, с каждым шагом все медленнее. Дориан опустил стекло и крикнул кучеру, чтобы он ехал быстрее. Его томила мучительная жажда опиума, в горле пересохло, холеные руки конвульсивно сжимались. Он в бешенстве ударил лошадь своей тростью. Кучер рассмеялся и, в свою очередь, подстегнул ее кнутом. Дориан тоже засмеялся — и кучер почему-то притих.

The way seemed interminable, and the streets like the black web of some sprawling spider. The monotony became unbearable, and as the mist thickened, he felt afraid.

Then they passed by lonely brickfields. The fog was lighter here, and he could see the strange, bottle-shaped kilns with their orange, fanlike tongues of fire. A dog barked as they went by, and far away in the darkness some wandering sea-gull screamed. The horse stumbled in a rut, then swerved aside and broke into a gallop.

After some time they left the clay road and rattled again over rough-paven streets. Most of the windows were dark, but now and then fantastic shadows were silhouetted against some lamplit blind. He watched them curiously. They moved like monstrous marionettes and made gestures like live things. He hated them. A dull rage was in his heart. As they turned a corner, a woman yelled something at them from an open door, and two men ran after the hansom for about a hundred yards. The driver beat at them with his whip.

It is said that passion makes one think in a circle. Certainly with hideous iteration the bitten lips of Dorian Gray shaped and reshaped those subtle words that dealt with soul and sense, till he had found in them the full expression, as it were, of his mood, and justified, by intellectual approval, passions that without such justification would still have dominated his temper. From cell to cell of his brain crept the one

Казалось, езде не будет конца. Сеть узких улочек напоминала широко раскинутую черную паутину. В однообразии их было что-то угнетающее. Туман все сгущался. Дориану стало жутко.

Проехали пустынный квартал кирпичных заводов. Здесь туман был не так густ, и можно было разглядеть печи для обжига, похожие на высокие бутылки, из которых вырывались оранжевые веерообразные языки пламени. На проезжий кеб залаяла собака, где-то далеко во мраке кричала заблудившаяся чайка. Лошадь споткнулась, попав ногой в колею, шарахнулась в сторону и поскакала галопом.

Через некоторое время они свернули с грунтовой дороги, и кеб снова загрохотал по неровной мостовой. В окнах домов было темно, и только кое-где на освещенной изнутри шторе мелькали фантастические силуэты. Дориан с интересом смотрел на них. Они двигались, как громадные марионетки, а жестикулировали, как живые люди. Но скоро они стали раздражать его. В душе поднималась глухая злоба. Когда завернули за угол, женщина крикнула им что-то из открытой двери, в другом месте двое мужчин погнались за кебом и пробежали ярдов сто. Кучер отогнал их кнутом.

Говорят, у человека, одержимого страстью, мысли вращаются в замкнутом кругу. Действительно, искусанные губы Дориана Грея с утомительной настойчивостью повторяли и повторяли все ту же коварную фразу о душе и ощущениях, пока он не внушил себе, что она полностью выражает его настроение и оправдывает страсти, которые, впрочем, и без этого оправдания все равно владели бы им.

thought; and the wild desire to live, most terrible of all man's appetites, quickened into force each trembling nerve and fibre. Ugliness that had once been hateful to him because it made things real, became dear to him now for that very reason. Ugliness was the one reality. The coarse brawl, the loathsome den, the crude violence of disordered life, the very vileness of thief and outcast, were more vivid, in their intense actuality of impression, than all the gracious shapes of art, the dreamy shadows of song. They were what he needed for forgetfulness. In three days he would be free.

Suddenly the man drew up with a jerk at the top of a dark lane. Over the low roofs and jagged chimney-stacks of the houses rose the black masts of ships. Wreaths of white mist clung like ghostly sails to the yards.

"Somewhere about here, sir, ain't it?" he asked huskily through the trap.

Dorian started and peered round.

"This will do," he answered, and having got out hastily and given the driver the extra fare he had promised him, he walked quickly in the direction of the quay. Here and there a lantern gleamed at the stern of some huge merchantman. The light shook and splintered in the puddles. A red glare came from an outward-bound steamer that was coaling. The slimy pavement looked like a wet mackintosh.

He hurried on towards the left, glancing back now and then to see if he was being followed. In about sev-

Одна мысль заполонила его мозг, клетку за клеткой, и неистовая жажда жизни, самое страшное из человеческих желаний, напрягала, заставляя трепетать каждый нерв, каждый фибр его тела. Уродства жизни, когда-то ненавистные ему, потому что возвращали к действительности, теперь по той же причине стали ему дороги. Да, безобразие жизни стало единственной реальностью. Грубые ссоры и драки, грязные притоны, бесшабашный разгул, низость воров и подонков общества поражали его воображение сильнее, чем прекрасные творения Искусства и грезы, навеваемые Поэзией. Они были ему нужны, потому что давали забвение. Он говорил себе, что через три дня отделается от воспоминаний.

Вдруг кучер рывком остановил кеб у темного переулка. За крышами и ветхими дымовыми трубами невысоких домов виднелись черные мачты кораблей. Клубы белого тумана, похожие на призрачные паруса, льнули к их реям.

— Это где-то здесь, сэр? — хрипло спросил кучер через стекло.

Дориан встрепенулся и окинул улицу взглядом.

— Да, здесь, — ответил он и, поспешно выйдя из кеба, дал кучеру обещанный второй соверен, затем быстро зашагал по направлению к набережной. Кое-где на больших торговых судах горели фонари. Свет их мерцал и дробился в лужах. Вдалеке пылали красные огни парохода, отправлявшегося за границу и набиравшего уголь. Скользкая мостовая блестела, как мокрый макинтош.

Дориан пошел налево, то и дело оглядываясь, чтобы убедиться, что никто за ним не следит. Через

en or eight minutes he reached a small shabby house that was wedged in between two gaunt factories. In one of the top-windows stood a lamp. He stopped and gave a peculiar knock.

After a little time he heard steps in the passage and the chain being unhooked. The door opened quietly, and he went in without saying a word to the squat misshapen figure that flattened itself into the shadow as he passed. At the end of the hall hung a tattered green curtain that swayed and shook in the gusty wind which had followed him in from the street. He dragged it aside and entered a long low room which looked as if it had once been a third-rate dancing-saloon. Shrill flaring gas-jets, dulled and distorted in the fly-blown mirrors that faced them, were ranged round the walls. Greasy reflectors of ribbed tin backed them, making quivering disks of light. The floor was covered with ochre-coloured sawdust, trampled here and there into mud, and stained with dark rings of spilled liquor. Some Malays were crouching by a little charcoal stove, playing with bone counters and showing their white teeth as they chattered. In one corner, with his head buried in his arms, a sailor sprawled over a table, and by the tawdrily painted bar that ran across one complete side stood two haggard women, mocking an old man who was brushing the sleeves of his coat with an expression of disgust.

"He thinks he's got red ants on him," laughed one of them, as Dorian passed by. The man looked at her in terror and began to whimper.

семь-восемь минут он добрался до ветхого, грязного дома, вклинившегося между двумя захудалыми фабриками. В окне верхнего этажа горела лампа. Здесь Дориан остановился и постучал в дверь. Стук был условный.

Через минуту он услышал шаги в коридоре, и забренчала снятая с крюка дверная цепочка. Затем дверь тихо отворилась, и он вошел, не сказав ни слова приземистому тучному человеку, который отступил во мрак и прижался к стене, давая ему дорогу. В конце коридора висела грязная зеленая занавеска, колыхавшаяся от резкого ветра, который ворвался в открытую дверь. Отдернув эту занавеску, Дориан вошел в длинное помещение с низким потолком, похожее на третьеразрядный танцкласс. На стенах горели газовые рожки, их резкий свет тускло и криво отражался в засиженных мухами зеркалах. Над газовыми рожками рефлекторы из гофрированной жести казались дрожащими кругами огня. Пол был усыпан ярко-желтыми опилками со следами грязных башмаков и темными пятнами от пролитого вина. Несколько малайцев, сидя на корточках у топившейся железной печурки, играли в кости, болтали и смеялись, скаля белые зубы. В одном углу, навалившись грудью на стол и положив голову на руки, сидел моряк, а у пестро размалеванной стойки, занимавшей всю стену, две изможденные женщины дразнили старика, который брезгливо чистил щеткой рукава своего пальто.

— Ему все чудится, будто по нему красные муравьи ползают, — с хохотом сказала одна из женщин проходившему мимо Дориану. Старик с ужасом посмотрел на нее и жалобно захныкал.

At the end of the room there was a little staircase, leading to a darkened chamber. As Dorian hurried up its three rickety steps, the heavy odour of opium met him. He heaved a deep breath, and his nostrils quivered with pleasure. When he entered, a young man with smooth yellow hair, who was bending over a lamp lighting a long thin pipe, looked up at him and nodded in a hesitating manner.

"You here, Adrian?" muttered Dorian.

"Where else should I be?" he answered, listlessly. "None of the chaps will speak to me now."

"I thought you had left England."

"Darlington is not going to do anything. My brother paid the bill at last. George doesn't speak to me either... I don't care," he added with a sigh. "As long as one has this stuff, one doesn't want friends. I think I have had too many friends."

Dorian winced and looked round at the grotesque things that lay in such fantastic postures on the ragged mattresses. The twisted limbs, the gaping mouths, the staring lustreless eyes, fascinated him. He knew in what strange heavens they were suffering, and what dull hells were teaching them the secret of some new joy. They were better off than he was. He was prisoned in thought. Memory, like a horrible malady, was eating his soul away. From time to time he seemed to see the eyes of Basil Hallward looking at him. Yet he felt he could not stay. The presence of Adrian Singleton troubled him. He wanted to be

В дальнем конце комнаты лесенка вела в затемненную каморку. Дориан взбежал по трем расшатанным ступенькам, и ему ударил в лицо душный запах опиума. Он глубоко вдохнул его, и ноздри его затрепетали от наслаждения. Когда он вошел, белокурый молодой человек, который, наклонясь над лампой, зажигал длинную тонкую трубку, взглянул на него и нерешительно кивнул ему головой.

— Вы здесь, Адриан?

— Где же мне еще быть? — был равнодушный ответ. — Со мной теперь никто из прежних знакомых и разговаривать не хочет.

— А я думал, что вы уехали из Англии.

— Дарлингтон палец о палец не ударит... Мой брат наконец уплатил по векселю... Но Джордж тоже меня знать не хочет... Ну, да все равно, — добавил он со вздохом. — Пока есть вот это снадобье, друзья мне не нужны. Пожалуй, у меня их было слишком много.

Дориан вздрогнул и отвернулся. Он обвел глазами жуткие фигуры, в самых нелепых и причудливых позах раскинувшиеся на рваных матрацах. Судорожно скрюченные руки и ноги, разинутые рты, остановившиеся тусклые зрачки — эта картина словно завораживала его. Ему были знакомы муки того странного рая, в котором пребывали эти люди, как и тот мрачный ад, что открывал им тайны новых радостей. Сейчас они чувствовали себя счастливее, чем он, ибо он был в плену у своих мыслей. Воспоминания, как страшная болезнь, глодали его душу. Порой перед ним всплывали устремленные

where no one would know who he was. He wanted to escape from himself.

"I am going on to the other place," he said after a pause.

"On the wharf?"

"Yes."

"That mad-cat is sure to be there. They won't have her in this place now."

Dorian shrugged his shoulders.

"I am sick of women who love one. Women who hate one are much more interesting. Besides, the stuff is better."

"Much the same."

"I like it better. Come and have something to drink. I must have something."

"I don't want anything," murmured the young man.

"Never mind."

Adrian Singleton rose up wearily and followed Dorian to the bar. A half-caste, in a ragged turban and a shabby ulster, grinned a hideous greeting as he thrust a bottle of brandy and two tumblers in front of them. The women sidled up and began to chatter. Dorian turned his back on them and said something in a low voice to Adrian Singleton.

A crooked smile, like a Malay crease, writhed across the face of one of the women.

"We are very proud to-night," she sneered.

на него глаза Бэзила Холлуорда. Как ни жаждал он поскорее забыться, он почувствовал, что не в силах здесь оставаться. Присутствие Адриана Синглтона смущало его. Хотелось уйти куда-нибудь, где его никто не знает. Он стремился уйти от самого себя.

— Пойду в другое место, — сказал он после некоторого молчания.

— На верфь?

— Да.

— Но эта дикая кошка, наверное, там. Сюда ее больше не пускают.

Дориан пожал плечами.

— Ну что ж! Мне до тошноты надоели влюбленные женщины. Женщины, которые ненавидят, гораздо интереснее. Кроме того, зелье там лучше.

— Да нет, такое же.

— Тамошнее мне больше по вкусу. Пойдемте выпьем чего-нибудь. Мне сегодня хочется напиться.

— А мне ничего не хочется, — пробормотал Адриан.

— Все равно, пойдемте.

Адриан Синглтон лениво встал и пошел за Дорианом к буфету. Мулат в рваной чалме и потрепанном пальто приветствовал их, противно скаля зубы, и со стуком поставил перед ними бутылку бренди и две стопки. Женщины, стоявшие у прилавка, тотчас придвинулись ближе и стали заговаривать с ними. Дориан повернулся к ним спиной и что-то тихо сказал Синглтону.

Одна из женщин криво усмехнулась.

— Ишь какой он сегодня гордый! — фыркнула она.

"For God's sake don't talk to me," cried Dorian, stamping his foot on the ground. "What do you want? Money? Here it is. Don't ever talk to me again."

Two red sparks flashed for a moment in the woman's sodden eyes, then flickered out and left them dull and glazed. She tossed her head and raked the coins off the counter with greedy fingers. Her companion watched her enviously.

"It's no use," sighed Adrian Singleton. "I don't care to go back. What does it matter? I am quite happy here."

"You will write to me if you want anything, won't you?" said Dorian, after a pause.

"Perhaps."

"Good night, then."

"Good night," answered the young man, passing up the steps and wiping his parched mouth with a handkerchief.

Dorian walked to the door with a look of pain in his face. As he drew the curtain aside, a hideous laugh broke from the painted lips of the woman who had taken his money.

"There goes the devil's bargain!" she hiccoughed, in a hoarse voice.

"Curse you!" he answered, "don't call me that."

She snapped her fingers.

"Prince Charming is what you like to be called, ain't it?" she yelled after him.

The drowsy sailor leaped to his feet as she spoke, and looked wildly round. The sound of the shutting

— Ради бога, оставь меня в покое! — крикнул Дориан, топнув ногой. — Чего тебе надо? Денег? На, возьми и не смей со мной больше заговаривать.

Красные искры вспыхнули на миг в мутных зрачках женщины, но тотчас потухли, и глаза снова стали тусклыми и безжизненными. Она тряхнула головой и с жадностью сгребла со стойки брошенные ей монеты. Ее товарка завистливо наблюдала за ней.

— Ни к чему это, — со вздохом сказал Адриан, продолжая разговор. — Я не стремлюсь вернуться туда. Зачем? Мне и здесь очень хорошо.

— Напишите мне, если вам понадобится что-нибудь. Обещаете? — спросил Дориан, помолчав.

— Может быть, и напишу.

— Ну, пока до свиданья.

— До свиданья, — ответил молодой человек и, утирая платком запекшиеся губы, стал подниматься по лесенке.

Дориан с болью посмотрел ему вслед и пошел к выходу. Когда он отодвигал занавеску, ему вдогонку прозвучал циничный смех женщины, которой он дал деньги.

— Уходит эта добыча дьявола! — хрипло закричала она, икая.

— Не смей меня так называть, проклятая! — крикнул Дориан в ответ.

Она щелкнула пальцами и еще громче заорала ему вслед:

— А тебе хочется, чтобы тебя называли Прекрасный Принц, да?

Дремавший за столом моряк, услышав эти слова, вскочил и как безумный осмотрелся кругом. Когда

of the hall door fell on his ear. He rushed out as if in pursuit.

Dorian Gray hurried along the quay through the drizzling rain. His meeting with Adrian Singleton had strangely moved him, and he wondered if the ruin of that young life was really to be laid at his door, as Basil Hallward had said to him with such infamy of insult. He bit his lip, and for a few seconds his eyes grew sad.

Yet, after all, what did it matter to him? One's days were too brief to take the burden of another's errors on one's shoulders. Each man lived his own life and paid his own price for living it. The only pity was one had to pay so often for a single fault. One had to pay over and over again, indeed. In her dealings with man, destiny never closed her accounts.

There are moments, psychologists tell us, when the passion for sin, or for what the world calls sin, so dominates a nature that every fibre of the body, as every cell of the brain, seems to be instinct with fearful impulses. Men and women at such moments lose the freedom of their will. They move to their terrible end as automatons move. Choice is taken from them, and conscience is either killed, or, if it lives at all, lives but to give rebellion its fascination and disobedience its charm. For all sins, as theologians weary not of reminding us, are sins of disobedience. When that high spirit, that morning star of evil, fell from heaven, it was as a rebel that he fell.

Callous, concentrated on evil, with stained mind, and soul hungry for rebellion, Dorian Gray hastened

из прихожей донесся стук захлопнувшейся двери, он выбежал стремглав, словно спасаясь от погони.

Дориан Грей под моросящим дождем быстро шел по набережной. Встреча с Адрианом Синглтоном почему-то сильно взволновала его, и он спрашивал себя, прав ли был Бэзил Холлуорд, когда с такой оскорбительной прямотой сказал ему, что разбитая жизнь этого юноши — дело рук его, Дориана. На минуту глаза его приняли печальное выражение. Но он тотчас же встряхнулся.

Собственно, ему-то что? Слишком коротка жизнь, чтобы брать на себя еще и бремя чужих ошибок. Каждый живет, как хочет, и расплачивается за это сам. Жаль только, что так часто человеку за одну-единственную ошибку приходится расплачиваться без конца. В своих расчетах с человеком Судьба никогда не считает его долг погашенным.

Если верить психологам, бывают моменты, когда жажда греха (или того, что люди называют грехом) так овладевает человеком, что каждым фибром его тела, каждой клеточкой его мозга движут опасные инстинкты. В такие моменты люди теряют свободу воли. Как автоматы, идут они навстречу своей гибели. У них уже нет иного выхода, сознание их либо молчит, либо своим вмешательством только делает бунт заманчивее. Ведь теологи не устают твердить нам, что самый страшный из грехов — это грех непослушания. Великий дух, предтеча зла, был изгнан с небес именно за мятеж.

Бесчувственный ко всему, жаждущий лишь утешений порока, Дориан Грей, человек с осквернен-

on, quickening his step as he went, but as he darted aside into a dim archway, that had served him often as a short cut to the ill-famed place where he was going, he felt himself suddenly seized from behind, and before he had time to defend himself, he was thrust back against the wall, with a brutal hand round his throat.

He struggled madly for life, and by a terrible effort wrenched the tightening fingers away. In a second he heard the click of a revolver, and saw the gleam of a polished barrel, pointing straight at his head, and the dusky form of a short, thick-set man facing him.

"What do you want?" he gasped.

"Keep quiet," said the man. "If you stir, I shoot you."

"You are mad. What have I done to you?"

"You wrecked the life of Sibyl Vane," was the answer, "and Sibyl Vane was my sister. She killed herself. I know it. Her death is at your door. I swore I would kill you in return. For years I have sought you. I had no clue, no trace. The two people who could have described you were dead. I knew nothing of you but the pet name she used to call you. I heard it tonight by chance. Make your peace with God, for tonight you are going to die."

Dorian Gray grew sick with fear.

"I never knew her," he stammered. "I never heard of her. You are mad."

"You had better confess your sin, for as sure as I am James Vane, you are going to die."

ным воображением и бунтующей душой, спешил вперед, все ускоряя шаг. Но когда он нырнул в темный крытый проход, которым часто пользовался для сокращения пути к тому притону с дурной славой, куда он направлялся, сзади кто-то неожиданно схватил его за плечи и, не дав ему опомниться, прижал к стене, грубой рукой вцепившись ему в горло.

Дориан стал отчаянно защищаться и, сделав страшное усилие, оторвал от горла сжимавшие его пальцы. В ту же секунду щелкнул курок, и в глаза Дориану блеснул револьвер, направленный прямо ему в лоб. Он смутно видел в темноте стоявшего перед ним невысокого, коренастого мужчину.

— Чего вам надо? — спросил Дориан, задыхаясь.

— Стойте смирно! — скомандовал тот. — Только шевельнитесь — и я вас пристрелю.

— Вы с ума сошли! Что я вам сделал?

— Вы разбили жизнь Сибилы Вэйн, а Сибила Вэйн — моя сестра. Она покончила с собой. Я знаю, это вы виноваты в ее смерти, и я дал клятву убить вас. Столько лет я вас разыскивал — ведь не было никаких следов... Только два человека могли бы вас описать, но оба они умерли. Я ничего не знал о вас — только то ласкательное прозвище, что она дала вам. И сегодня я случайно услышал его. Молитесь Богу, потому что вы сейчас умрете.

Дориан Грей обомлел от страха.

— Я ее никогда не знал, — прошептал он, заикаясь. — И не слыхивал о ней. Вы сумасшедший.

— Кайтесь в своих грехах, я вам говорю, потому что вы умрете, это так же верно, как то, что я — Джеймс Вэйн.

There was a horrible moment. Dorian did not know what to say or do.

"Down on your knees!" growled the man. "I give you one minute to make your peace — no more. I go on board to-night for India, and I must do my job first. One minute. That's all."

Dorian's arms fell to his side. Paralysed with terror, he did not know what to do. Suddenly a wild hope flashed across his brain.

"Stop," he cried. "How long ago is it since your sister died? Quick, tell me!"

"Eighteen years," said the man. "Why do you ask me? What do years matter?"

"Eighteen years," laughed Dorian Gray, with a touch of triumph in his voice. "Eighteen years! Set me under the lamp and look at my face!"

James Vane hesitated for a moment, not understanding what was meant. Then he seized Dorian Gray and dragged him from the archway.

Dim and wavering as was the wind-blown light, yet it served to show him the hideous error, as it seemed, into which he had fallen, for the face of the man he had sought to kill had all the bloom of boyhood, all the unstained purity of youth. He seemed little more than a lad of twenty summers, hardly older, if older indeed at all, than his sister had been when they had parted so many years ago. It was obvious that this was not the man who had destroyed her life.

He loosened his hold and reeled back.

Страшная минута. Дориан не знал, что делать, что сказать.

— На колени! — прорычал Джеймс Вэйн. — Даю вам одну минуту, не больше, чтобы помолиться. Сегодня я ухожу в плавание и сначала должен расквитаться с вами. Даю одну минуту, и все.

Дориан стоял, опустив руки, парализованный ужасом. Вдруг в душе его мелькнула отчаянная надежда...

— Стойте! — воскликнул он. — Сколько лет, как умерла ваша сестра? Скорее отвечайте!

— Восемнадцать лет, — ответил моряк. — А что? При чем тут годы?

— Восемнадцать лет! — Дориан Грей рассмеялся торжествующим смехом. — Восемнадцать лет! Да подведите меня к фонарю и взгляните на меня!

Джеймс Вэйн одно мгновение стоял в нерешимости, не понимая, чего надо Дориану. Но затем потащил его из-под темной арки к фонарю.

Как ни слаб и неверен был задуваемый ветром огонек фонаря, — его было достаточно, чтобы Джеймс Вэйн поверил, что он чуть не совершил страшную ошибку. Лицо человека, которого он хотел убить, сияло всей свежестью юности, ее непорочной чистотой. На вид ему было не больше двадцати лет. Он, пожалуй, был немногим старше, а может, и вовсе не старше, чем Сибила много лет назад, когда Джеймс расстался с нею. Было ясно, что это не тот, кто погубил ее.

Джеймс Вэйн выпустил Дориана и отступил на шаг.

"My God! my God!" he cried, "and I would have murdered you!"

Dorian Gray drew a long breath.

"You have been on the brink of committing a terrible crime, my man," he said, looking at him sternly. "Let this be a warning to you not to take vengeance into your own hands."

"Forgive me, sir," muttered James Vane. "I was deceived. A chance word I heard in that damned den set me on the wrong track."

"You had better go home and put that pistol away, or you may get into trouble," said Dorian, turning on his heel and going slowly down the street.

James Vane stood on the pavement in horror. He was trembling from head to foot. After a little while, a black shadow that had been creeping along the dripping wall moved out into the light and came close to him with stealthy footsteps. He felt a hand laid on his arm and looked round with a start. It was one of the women who had been drinking at the bar.

"Why didn't you kill him?" she hissed out, putting haggard face quite close to his. "I knew you were following him when you rushed out from Daly's. You fool! You should have killed him. He has lots of money, and he's as bad as bad."

"He is not the man I am looking for," he answered, "and I want no man's money. I want a man's life. The man whose life I want must be nearly forty now. This one is little more than a boy. Thank God, I have not got his blood upon my hands."

— Господи помилуй! А я чуть было вас не застрелил!

Дориан тяжело перевел дух.

— Да, вы чуть не совершили ужасное преступление, — сказал он, сурово глядя на Джеймса. — Пусть это послужит вам уроком: человек не должен брать на себя отмщения, это дело Господа Бога.

— Простите, сэр, — пробормотал Вэйн. — Меня сбили с толку. Случайно услышал два слова в этой проклятой дыре — и они вывели меня на ложный след.

— Ступайте-ка домой, а револьвер спрячьте, не то попадете в беду, — сказал Дориан и, повернувшись, неторопливо зашагал дальше.

Джеймс Вэйн, все еще не опомнившись от ужаса, стоял на мостовой. Он дрожал всем телом! Немного погодя какая-то черная тень, скользившая вдоль мокрой стены, появилась в освещенной фонарем полосе и неслышно подкралась к моряку. Почувствовав на своем плече чью-то руку, он вздрогнул и оглянулся. Это была одна из тех двух женщин, которые только что стояли у буфета в притоне.

— Почему ты его не убил? — прошипела она, вплотную приблизив к нему испитое лицо. — Когда ты выбежал от Дэйли, я сразу догадалась, что ты погнался за ним. Эх, дурак, надо было его пристукнуть. У него куча денег, и он — настоящий дьявол.

— Он не тот, кого я ищу, — ответил Джеймс Вэйн. — А чужие деньги мне не нужны. Мне нужно отомстить одному человеку. Ему теперь должно быть под сорок. А этот — еще почти мальчик. Слава богу, что я его не убил, не то были бы у меня руки в невинной крови.

The woman gave a bitter laugh.

"Little more than a boy!" she sneered. "Why, man, it's nigh on eighteen years since Prince Charming made me what I am."

"You lie!" cried James Vane.

She raised her hand up to heaven.

"Before God I am telling the truth," she cried.

"Before God?"

"Strike me dumb if it ain't so. He is the worst one that comes here. They say he has sold himself to the devil for a pretty face. It's nigh on eighteen years since I met him. He hasn't changed much since then. I have, though," she added, with a sickly leer.

"You swear this?"

"I swear it," came in hoarse echo from her flat mouth. "But don't give me away to him," she whined; "I am afraid of him. Let me have some money for my night's lodging."

He broke from her with an oath and rushed to the corner of the street, but Dorian Gray had disappeared. When he looked back, the woman had vanished also.

Chapter XVII

A week later Dorian Gray was sitting in the conservatory at Selby Royal, talking to the pretty Duchess of Monmouth, who with her husband, a jaded-looking man of sixty, was amongst his guests. It was tea-time, and the mellow light of the huge, lace-covered lamp that stood on the table lit up the delicate

Женщина горько засмеялась.

— Почти мальчик! Как бы не так! Если хочешь знать, вот уже скоро восемнадцать лет, как Прекрасный Принц сделал меня тем, что я сейчас.

— Лжешь! — крикнул Джеймс Вэйн.

Она подняла руку.

— Богом клянусь, что это правда.

— Клянешься?

— Чтоб у меня язык отсох, если я вру! Этот хуже всех тех, кто таскается сюда. Говорят, он продал душу черту за красивое лицо. Вот уже скоро восемнадцать лет я его знаю, а он за столько лет почти не переменился... Не то что я, — добавила она с печальной усмешкой.

— Значит, ты клянешься?

— Клянусь! — хриплым эхом сорвалось с ее плоских губ. — Но ты меня не выдавай, — добавила она жалобно. — Я его боюсь. И дай мне деньжонок — за ночлег заплатить.

Он с яростным ругательством бросился бежать в ту сторону, куда ушел Дориан Грей, но Дориана и след простыл. Когда Джеймс Вэйн оглянулся, и женщины уже на улице не было.

Глава XVII

Неделю спустя Дориан Грей сидел в оранжерее своей усадьбы Селби-Ройял, беседуя с хорошенькой герцогиней Монмаут, которая гостила у него вместе с мужем, высохшим шестидесятилетним стариком. Было время чая, и мягкий свет большой лампы под кружевным абажуром падал на тонкий фарфор

china and hammered silver of the service at which the duchess was presiding. Her white hands were moving daintily among the cups, and her full red lips were smiling at something that Dorian had whispered to her. Lord Henry was lying back in a silk-draped wicker chair, looking at them. On a peach-coloured divan sat Lady Narborough, pretending to listen to the duke's description of the last Brazilian beetle that he had added to his collection. Three young men in elaborate smoking-suits were handing tea-cakes to some of the women. The house-party consisted of twelve people, and there were more expected to arrive on the next day.

"What are you two talking about?" said Lord Henry, strolling over to the table and putting his cup down. "I hope Dorian has told you about my plan for rechristening everything, Gladys. It is a delightful idea."

"But I don't want to be rechristened, Harry," rejoined the duchess, looking up at him with her wonderful eyes. "I am quite satisfied with my own name, and I am sure Mr. Gray should be satisfied with his."

"My dear Gladys, I would not alter either name for the world. They are both perfect. I was thinking chiefly of flowers. Yesterday I cut an orchid, for my button-hole. It was a marvellous spotted thing, as effective as the seven deadly sins. In a thoughtless moment I asked one of the gardeners what it was called. He told me it was a fine specimen of Robinsoniana, or something dreadful of that kind. It is a sad truth, but we have lost the faculty of giving lovely names to things. Names are everything. I never quarrel with actions. My one quarrel is with words. That is the rea-

и чеканное серебро сервиза. За столом хозяйничала герцогиня. Ее белые руки грациозно порхали среди чашек, а полные красные губы улыбались, — видно, ее забавляло то, что ей нашептывал Дориан. Лорд Генри наблюдал за ними, полулежа в плетеном кресле с шелковыми подушками, а на диване персикового цвета восседала леди Нарборо, делая вид, что слушает герцога, описывавшего ей бразильского жука, которого он недавно добыл для своей коллекции. Трое молодых щеголей в смокингах угощали дам пирожными. В Селби уже съехались двенадцать человек, и назавтра ожидали еще гостей.

— О чем это вы толкуете? — спросил лорд Генри, подойдя к столу и ставя свою чашку. — Надеюсь, Дориан рассказал вам, Глэдис, о моем проекте все окрестить по-новому?.. Это замечательная мысль.

— А я вовсе не хочу менять имя, Гарри, — возразила герцогиня, поднимая на него красивые глаза. — Я вполне довольна моим, и, наверное, мистер Грей тоже доволен своим.

— Милая Глэдис, я ни за что на свете не стал бы менять такие имена, как ваши и Дориана. Оба они очень хороши. Я имею в виду главным образом цветы. Вчера я срезал орхидею для бутоньерки, чудеснейший пятнистый цветок, обольстительный, как семь смертных грехов, и машинально спросил у садовника, как эта орхидея называется. Он сказал, что это прекрасный сорт «робинзониана»... или что-то столь же неблагозвучное. Право, мы разучились давать вещам красивые названия, — да, да, это печальная правда! А ведь слово — это все. Я ни-

son I hate vulgar realism in literature. The man who could call a spade a spade should be compelled to use one. It is the only thing he is fit for."

"Then what should we call you, Harry?" she asked.

"His name is Prince Paradox," said Dorian.
"I recognize him in a flash," exclaimed the duchess.
"I won't hear of it," laughed Lord Henry, sinking into a chair. "From a label there is no escape! I refuse the title."

"Royalties may not abdicate," fell as a warning from pretty lips.
"You wish me to defend my throne, then?"

"Yes."
"I give the truths of to-morrow."
"I prefer the mistakes of to-day," she answered.

"You disarm me, Gladys," he cried, catching the wilfulness of her mood.
"Of your shield, Harry, not of your spear."

"I never tilt against beauty," he said, with a wave of his hand.
"That is your error, Harry, believe me. You value beauty far too much."
"How can you say that? I admit that I think that it is better to be beautiful than to be good. But on

когда не придираюсь к поступкам, я требователен только к словам... Потому-то я и не выношу вульгарный реализм в литературе. Человека, называющего лопату лопатой, следовало бы заставить работать ею — только на это он и годен.

— Ну а как, например, вас окрестить по-новому, Гарри? — спросила герцогиня.

— Принц Парадокс, — сказал Дориан.

— Вот удачно придумано! — воскликнула герцогиня.

— И слышать не хочу о таком имени, — со смехом запротестовал лорд Генри, садясь в кресло. — Ярлык пристанет, так уж потом от него не избавишься. Нет, я отказываюсь от этого титула.

— Короли не должны отрекаться, — тоном предостережения произнесли красивые губки.

— Значит, вы хотите, чтобы я стал защитником трона?

— Да.

— Но я провозглашаю истины будущего!

— А я предпочитаю заблуждения настоящего, — отпарировала герцогиня.

— Вы меня обезоруживаете, Глэдис! — воскликнул лорд Генри, заражаясь ее настроением.

— Я отбираю у вас щит, но оставляю копье, Гарри.

— Я никогда не сражаюсь против Красоты, — сказал он с галантным поклоном.

— Это ошибка, Гарри, поверьте мне. Вы цените Красоту слишком высоко.

— Полноте, Глэдис! Правда, я считаю, что лучше быть красивым, чем добродетельным. Но, с дру-

the other hand, no one is more ready than I am to acknowledge that it is better to be good than to be ugly."

"Ugliness is one of the seven deadly sins, then?"
cried the duchess. "What becomes of your simile
about the orchid?"

"Ugliness is one of the seven deadly virtues, Gladys. You, as a good Tory, must not underrate them.
Beer, the Bible, and the seven deadly virtues have
made our England what she is."

"You don't like your country, then?" she asked.

"I live in it."

"That you may censure it the better."

"Would you have me take the verdict of Europe on
it?" he inquired.

"What do they say of us?"

"That Tartuffe has emigrated to England and
opened a shop."

"Is that yours, Harry?"

"I give it to you."

"I could not use it. It is too true."

"You need not be afraid. Our countrymen never
recognize a description."

"They are practical."

"They are more cunning than practical. When
they make up their ledger, they balance stupidity by
wealth, and vice by hypocrisy."

"Still, we have done great things."

"Great things have been thrust on us, Gladys."

"We have carried their burden."

"Only as far as the Stock Exchange."

гой стороны, я первый готов согласиться, что лучше уж быть добродетельным, чем безобразным.

— Выходит, что некрасивость — один из семи смертных грехов? — воскликнула герцогиня. — А как же вы только что сравнивали с ними орхидеи?

— Нет, Глэдис, некрасивость — одна из семи смертных добродетелей. И вам, как стойкой тори, не следует умалять их значения. Пиво, Библия и эти семь смертных добродетелей сделали нашу Англию такой, какая она есть.

— Значит, вы не любите нашу страну?

— Я живу в ней.

— Чтобы можно было усерднее ее хулить?

— А вы хотели бы, чтобы я согласился с мнением Европы о ней?

— Что же там о нас говорят?

— Что Тартюф эмигрировал в Англию и открыл здесь торговлю.

— Это ваша острота, Гарри?

— Дарю ее вам.

— Что я с ней сделаю? Она слишком похожа на правду.

— А вы не бойтесь. Наши соотечественники никогда не узнают себя в портретах.

— Они — люди благоразумные.

— Скорее хитрые. Подводя баланс, они глупость покрывают богатством, а порок — лицемерием.

— Все-таки в прошлом мы вершили великие дела.

— Нам их навязали, Глэдис.

— Но мы с честью несли их бремя.

— Не дальше как до Фондовой биржи.

She shook her head.

"I believe in the race," she cried.

"It represents the survival of the pushing."

"It has development."

"Decay fascinates me more."

"What of art?" she asked.

"It is a malady."

"Love?"

"An illusion."

"Religion?"

"The fashionable substitute for belief."

"You are a sceptic."

"Never! Scepticism is the beginning of faith."

"What are you?"

"To define is to limit."

"Give me a clue."

"Threads snap. You would lose your way in the labyrinth."

"You bewilder me. Let us talk of some one else."

"Our host is a delightful topic. Years ago he was christened Prince Charming."

"Ah! don't remind me of that," cried Dorian Gray.

"Our host is rather horrid this evening," answered the duchess, colouring. "I believe he thinks that Monmouth married me on purely scientific principles as the best specimen he could find of a modern butterfly."

"Well, I hope he won't stick pins into you, Duchess," laughed Dorian.

"Oh! my maid does that already, Mr. Gray, when she is annoyed with me."

Герцогиня покачала головой.

— Я верю в величие нации.

— Оно — только пережиток предприимчивости и напористости.

— В нем — залог развития.

— Упадок мне милее.

— А как же искусство? — спросила Глэдис.

— Оно — болезнь.

— А любовь?

— Иллюзия.

— А религия?

— Распространенный суррогат веры.

— Вы скептик.

— Ничуть! Ведь скептицизм — начало веры.

— Да кто же вы?

— Определить — значит ограничить.

— Ну дайте мне хоть нить!..

— Нити обрываются. И вы рискуете заблудиться в лабиринте.

— Вы меня окончательно загнали в угол. Давайте говорить о другом.

— Вот превосходная тема — хозяин дома. Много лет назад его окрестили Прекрасным Принцем.

— Ах, не напоминайте мне об этом! — воскликнул Дориан Грей.

— Хозяин сегодня несносен, — сказала герцогиня, краснея. — Он, кажется, полагает, что Монмаут женился на мне из чисто научного интереса, видя во мне наилучший экземпляр современной бабочки.

— Но он, надеюсь, не посадит вас на булавку, герцогиня? — со смехом сказал Дориан.

— Достаточно того, что в меня втыкает булавки моя горничная, когда сердится.

"And what does she get annoyed with you about, Duchess?"

"For the most trivial things, Mr. Gray, I assure you. Usually because I come in at ten minutes to nine and tell her that I must be dressed by half-past eight."

"How unreasonable of her! You should give her warning."

"I daren't, Mr. Gray. Why, she invents hats for me. You remember the one I wore at Lady Hilstone's garden-party? You don't, but it is nice of you to pretend that you do. Well, she made it out of nothing. All good hats are made out of nothing."

"Like all good reputations, Gladys," interrupted Lord Henry. "Every effect that one produces gives one an enemy. To be popular one must be a mediocrity."

"Not with women," said the duchess, shaking her head; "and women rule the world. I assure you we can't bear mediocrities. We women, as some one says, love with our ears, just as you men love with your eyes, if you ever love at all."

"It seems to me that we never do anything else," murmured Dorian.

"Ah! then, you never really love, Mr. Gray," answered the duchess with mock sadness.

"My dear Gladys!" cried Lord Henry. "How can you say that? Romance lives by repetition, and repetition converts an appetite into an art. Besides, each time

— А за что же она на вас сердится, герцогиня?

— Из-за пустяков, мистер Грей, уверяю вас. Обычно за то, что я прихожу в три четверти девятого и заявляю ей, что она должна меня одеть к половине девятого.

— Какая глупая придирчивость! Вам бы следовало прогнать ее, герцогиня.

— Не могу, мистер Грей. Она придумывает мне фасоны шляпок. Помните ту, в которой я была у леди Хилстон? Вижу, что забыли, но из любезности делаете вид, будто помните. Так вот, она эту шляпку сделала из ничего. Все хорошие шляпы создаются из ничего.

— Как и все хорошие репутации, Глэдис, — вставил лорд Генри. — А когда человек чем-нибудь действительно выдвинется, он наживает врагов. У нас одна лишь посредственность — залог популярности.

— Только не у женщин, Гарри! — Герцогиня энергично покачала головой. — А женщины правят миром. Уверяю вас, мы терпеть не можем посредственности. Кто-то сказал про нас, что мы «любим ушами». А вы, мужчины, любите глазами... Если только вы вообще когда-нибудь любите.

— Мне кажется, мы только это и делаем всю жизнь, — сказал Дориан.

— Ну, значит, никого не любите по-настоящему, мистер Грей, — отозвалась герцогиня с шутливым огорчением.

— Милая моя Глэдис, что за ересь! — воскликнул лорд Генри. — Любовь питается повторением, и только повторение превращает простое вожделе-

that one loves is the only time one has ever loved. Difference of object does not alter singleness of passion. It merely intensifies it. We can have in life but one great experience at best, and the secret of life is to reproduce that experience as often as possible."

"Even when one has been wounded by it, Harry?" asked the duchess after a pause.

"Especially when one has been wounded by it," answered Lord Henry.

The duchess turned and looked at Dorian Gray with a curious expression in her eyes.

"What do you say to that, Mr. Gray?" she inquired.

Dorian hesitated for a moment. Then he threw his head back and laughed.

"I always agree with Harry, Duchess."

"Even when he is wrong?"

"Harry is never wrong, Duchess."

"And does his philosophy make you happy?"

"I have never searched for happiness. Who wants happiness? I have searched for pleasure."

"And found it, Mr. Gray?"

"Often. Too often."

The duchess sighed.

"I am searching for peace," she said, "and if I don't go and dress, I shall have none this evening."

"Let me get you some orchids, Duchess," cried Dorian, starting to his feet and walking down the conservatory.

ние в искусство. Притом каждый раз, когда влюбляешься, любишь впервые. Предмет страсти меняется, а страсть всегда остается единственной и неповторимой. Перемена только усиливает ее. Жизнь дарит человеку в лучшем случае лишь одно великое мгновение, и секрет счастья в том, чтобы это великое мгновение переживать как можно чаще.

— Даже если оно вас тяжело ранит, Гарри? — спросила герцогиня, помолчав.

— Да, в особенности тогда, когда оно вас ранит, — ответил лорд Генри.

Герцогиня повернулась к Дориану и посмотрела на него как-то странно.

— А вы что на это скажете, мистер Грей? — спросила она.

Дориан ответил не сразу. Наконец рассмеялся и тряхнул головой.

— Я, герцогиня, всегда во всем согласен с Гарри.

— Даже когда он не прав?

— Гарри всегда прав, герцогиня.

— И что же, его философия помогла вам найти счастье?

— Я никогда не искал счастья. Кому оно нужно? Я искал наслаждений.

— И находили, мистер Грей?

— Часто. Слишком часто.

Герцогиня сказала со вздохом:

— А я жажду только мира и покоя. И если не пойду сейчас переодеваться, я его лишусь на сегодня.

— Позвольте мне выбрать для вас несколько орхидей, герцогиня, — воскликнул Дориан с живостью и, вскочив, направился в глубь оранжереи.

"You are flirting disgracefully with him," said Lord Henry to his cousin. "You had better take care. He is very fascinating."

"If he were not, there would be no battle."

"Greek meets Greek, then?"

"I am on the side of the Trojans. They fought for a woman."

"They were defeated."

"There are worse things than capture," she answered.

"You gallop with a loose rein."

"Pace gives life," was the riposte.

"I shall write it in my diary to-night."

"What?"

"That a burnt child loves the fire."

"I am not even singed. My wings are untouched."

"You use them for everything, except flight."

"Courage has passed from men to women. It is a new experience for us."

"You have a rival."

"Who?"

He laughed. "Lady Narborough," he whispered. "She perfectly adores him."

"You fill me with apprehension. The appeal to antiquity is fatal to us who are romanticists."

"Romanticists! You have all the methods of science."

"Men have educated us."

"But not explained you."

— Вы бессовестно кокетничаете с ним, Глэдис, — сказал лорд Генри своей кузине. — Берегитесь! Чары его сильны.

— Если бы не это, так не было бы и борьбы.

— Значит, грек идет на грека?

— Я на стороне троянцев. Они сражались за женщину.

— И потерпели поражение.

— Бывают вещи страшнее плена, — бросила герцогиня.

— Эге, вы скачете, бросив поводья!

— Только в скачке и жизнь, — был ответ.

— Я это запишу сегодня в моем дневнике.

— Что именно?

— Что ребенок, обжегшись, вновь тянется к огню.

— Огонь меня и не коснулся, Гарри. Мои крылья целы.

— Они вам служат для чего угодно, только не для полета: вы и не пытаетесь улететь от опасности.

— Видно, храбрость перешла от мужчин к женщинам. Для нас это новое ощущение.

— А вы знаете, что у вас есть соперница?

— Кто?

— Леди Нарборо, — смеясь, шепнул лорд Генри, — она в него положительно влюблена.

— Вы меня пугаете. Увлечение древностью всегда фатально для нас, романтиков.

— Это женщины-то — романтики? Да вы выступаете во всеоружии научных методов!

— Нас учили мужчины.

— Учить они вас учили, а вот изучить вас до сих пор не сумели.

"Describe us as a sex," was her challenge.

"Sphinxes without secrets."

She looked at him, smiling.

"How long Mr. Gray is!" she said. "Let us go and help him. I have not yet told him the colour of my frock."

"Ah! you must suit your frock to his flowers, Gladys."

"That would be a premature surrender."

"Romantic art begins with its climax."

"I must keep an opportunity for retreat."

"In the Parthian manner?"

"They found safety in the desert. I could not do that."

"Women are not always allowed a choice," he answered, but hardly had he finished the sentence before from the far end of the conservatory came a stifled groan, followed by the dull sound of a heavy fall. Everybody started up. The duchess stood motionless in horror. And with fear in his eyes, Lord Henry rushed through the flapping palms to find Dorian Gray lying face downwards on the tiled floor in a deathlike swoon.

He was carried at once into the blue drawing-room and laid upon one of the sofas. After a short time, he came to himself and looked round with a dazed expression.

"What has happened?" he asked. "Oh! I remember. Am I safe here, Harry?" He began to tremble.

— Ну-ка, попробуйте охарактеризовать нас! — подзадорила его герцогиня.

— Вы — сфинксы без загадок.

Герцогиня с улыбкой смотрела на него.

— Однако долго же мистер Грей выбирает для меня орхидеи! Пойдемте поможем ему. Он ведь еще не знает, какого цвета платье я надену к обеду.

— Вам придется подобрать платье к его орхидеям, Глэдис.

— Это было бы преждевременной капитуляцией.

— Романтика в искусстве начинается с кульминационного момента.

— Но я должна обеспечить себе путь к отступлению.

— Подобно парфянам?

— Парфяне спаслись в пустыне. А я этого не могу.

— Для женщин не всегда возможен выбор, — заметил лорд Генри. Не успел он договорить, как с дальнего конца оранжереи донесся стон, а затем глухой стук, словно от падения чего-то тяжелого. Все всполошились. Герцогиня в ужасе застыла на месте, а лорд Генри, тоже испуганный, побежал, раздвигая качавшиеся листья пальм, туда, где на плиточном полу лицом вниз лежал Дориан Грей в глубоком обмороке.

Его тотчас перенесли в голубую гостиную и уложили на диван. Он скоро пришел в себя и с недоумением обвел глазами комнату.

— Что случилось? — спросил он. — А, вспоминаю! Я здесь в безопасности, Гарри? — Он вдруг весь затрясся.

"My dear Dorian," answered Lord Henry, "you merely fainted. That was all. You must have overtired yourself. You had better not come down to dinner. I will take your place."

"No, I will come down," he said, struggling to his feet. "I would rather come down. I must not be alone."

He went to his room and dressed.

There was a wild recklessness of gaiety in his manner as he sat at table, but now and then a thrill of terror ran through him when he remembered that, pressed against the window of the conservatory, like a white handkerchief, he had seen the face of James Vane watching him.

Chapter XVIII

The next day he did not leave the house, and, indeed, spent most of the time in his own room, sick with a wild terror of dying, and yet indifferent to life itself. The consciousness of being hunted, snared, tracked down, had begun to dominate him. If the tapestry did but tremble in the wind, he shook. The dead leaves that were blown against the leaded panes seemed to him like his own wasted resolutions and wild regrets. When he closed his eyes, he saw again the sailor's face peering through the mist-stained glass, and horror seemed once more to lay its hand upon his heart.

But perhaps it had been only his fancy that had called vengeance out of the night and set the hideous

— Ну конечно, дорогой мой! У вас просто был обморок. Наверное, переутомились. Лучше не выходите к обеду. Я вас заменю.

— Нет, я пойду с вами в столовую, — сказал Дориан, с трудом поднимаясь. — Я не хочу оставаться один.

Он пошел к себе переодеваться.

За обедом он проявлял беспечную веселость, в которой было что-то отчаянное. И только по временам вздрагивал от ужаса, вспоминая тот миг, когда увидел за окном оранжереи белое, как платок, лицо Джеймса Вэйна, следившего за ним.

Глава XVIII

Весь следующий день Дориан не выходил из дому и большую часть времени провел у себя в комнате, изнемогая от дикого страха смерти, хотя к жизни он был уже равнодушен. Сознание, что за ним охотятся, что его подстерегают, готовят ему западню, угнетало его, не давало покоя. Стоило ветерку шевельнуть портьеру, как Дориан уже вздрагивал. Сухие листья, которые ветер швырял в стекла, напоминали ему о неосуществленных намерениях и будили страстные сожаления. Как только он закрывал глаза, перед ним вставало лицо моряка, следившего за ним сквозь запотевшее стекло, и снова ужас тяжелой рукой сжимал сердце.

Но, может быть, это только его воображение вызвало из мрака ночи призрак мстителя и рисует ему

shapes of punishment before him. Actual life was chaos, but there was something terribly logical in the imagination. It was the imagination that set remorse to dog the feet of sin. It was the imagination that made each crime bear its misshapen brood. In the common world of fact the wicked were not punished, nor the good rewarded. Success was given to the strong, failure thrust upon the weak. That was all.

Besides, had any stranger been prowling round the house, he would have been seen by the servants or the keepers. Had any foot-marks been found on the flower-beds, the gardeners would have reported it. Yes, it had been merely fancy. Sibyl Vane's brother had not come back to kill him. He had sailed away in his ship to founder in some winter sea. From him, at any rate, he was safe. Why, the man did not know who he was, could not know who he was. The mask of youth had saved him.

And yet if it had been merely an illusion, how terrible it was to think that conscience could raise such fearful phantoms, and give them visible form, and make them move before one! What sort of life would his be if, day and night, shadows of his crime were to peer at him from silent corners, to mock him from secret places, to whisper in his ear as he sat at the feast, to wake him with icy fingers as he lay asleep! As the thought crept through his brain, he grew pale with terror, and the air seemed to him to have become suddenly colder. Oh! in what a wild hour of madness he

жуткие картины ожидающего его возмездия? Действительность — это хаос, но в работе человеческого воображения есть неумолимая логика. И только наше воображение заставляет раскаяние следовать по пятам за преступлением. Только воображение рисует нам отвратительные последствия каждого нашего греха. В реальном мире фактов грешники не наказываются, праведники не вознаграждаются. Сильному сопутствует успех, слабого постигает неудача. Вот и все.

И наконец, если бы сторонний человек бродил вокруг дома, его бы непременно увидели слуги или сторожа. На грядках под окном оранжереи остались бы следы — и садовники сразу доложили бы об этом ему, Дориану. Нет, нет, все это только его фантазия! Брат Сибилы не вернулся, чтобы убить его. Он уехал на корабле и погибнет где-нибудь в бурном море. Да, Джеймс Вэйн, во всяком случае, ему больше не опасен. Ведь он не знает, не может знать имя того, кто погубил его сестру. Маска молодости спасла Прекрасного Принца.

Так Дориан в конце концов уверил себя, что все это был только мираж. Однако ему страшно было думать, что совесть может порождать такие жуткие фантомы и, придавая им видимое обличье, заставлять их проходить перед человеком! Во что превратилась бы его жизнь, если бы днем и ночью призраки его преступлений смотрели на него из темных углов, издеваясь над ним, шептали ему что-то в уши во время пиров, будили его ледяным прикосновением, когда он уснет! При этой мысли Дориан бледнел и холодел от страха. О, зачем он в страшный час безумия убил

had killed his friend! How ghastly the mere memory of the scene! He saw it all again. Each hideous detail came back to him with added horror. Out of the black cave of time, terrible and swathed in scarlet, rose the image of his sin. When Lord Henry came in at six o'clock, he found him crying as one whose heart will break.

It was not till the third day that he ventured to go out. There was something in the clear, pine-scented air of that winter morning that seemed to bring him back his joyousness and his ardour for life. But it was not merely the physical conditions of environment that had caused the change. His own nature had revolted against the excess of anguish that had sought to maim and mar the perfection of its calm. With subtle and finely wrought temperaments it is always so. Their strong passions must either bruise or bend. They either slay the man, or themselves die. Shallow sorrows and shallow loves live on. The loves and sorrows that are great are destroyed by their own plenitude.

Besides, he had convinced himself that he had been the victim of a terror-stricken imagination, and looked back now on his fears with something of pity and not a little of contempt.

After breakfast, he walked with the duchess for an hour in the garden and then drove across the park to join the shooting-party. The crisp frost lay like salt upon the grass. The sky was an inverted cup of blue metal. A thin film of ice bordered the flat, reed-grown lake.

друга! Как жутко даже вспоминать эту сцену! Она словно стояла у него перед глазами. Каждая ужасная подробность воскресала в памяти и казалась еще ужаснее. Из темной пропасти времен в кровавом одеянии вставала грозная тень его преступления.

Когда лорд Генри в шесть часов пришел в спальню к Дориану, он застал его в слезах. Дориан плакал, как человек, у которого сердце разрывается от горя. Только на третий день он решился выйти из дому. Напоенное запахом сосен ясное зимнее утро вернуло ему бодрость и жизнерадостность. Но не только это вызвало перемену. Вся душа Дориана восстала против чрезмерности мук, способной ее искалечить, нарушить ее дивный покой. Так всегда бывает с утонченными натурами. Сильные страсти, если они не укрощены, сокрушают таких людей. Страсти эти либо убивают, либо умирают сами. Мелкие горести и неглубокая любовь живучи. Великая любовь и великое горе гибнут от избытка своей силы.

Помимо того, Дориан убедил себя, что он — жертва своего потрясенного воображения, и уже вспоминал свои страхи с чувством, похожим на снисходительную жалость, жалость, в которой была немалая доля пренебрежения.

После завтрака он целый час гулял с герцогиней в саду, потом поехал через парк на то место, где должны были собраться охотники. Сухой хрустящий иней словно солью покрывал траву. Небо походило на опрокинутую чашу из голубого металла. Тонкая кромка льда окаймляла у берегов поросшее камышом тихое озеро.

At the corner of the pine-wood he caught sight of Sir Geoffrey Clouston, the duchess's brother, jerking two spent cartridges out of his gun. He jumped from the cart, and having told the groom to take the mare home, made his way towards his guest through the withered bracken and rough undergrowth.

"Have you had good sport, Geoffrey?" he asked.

"Not very good, Dorian. I think most of the birds have gone to the open. I dare say it will be better after lunch, when we get to new ground."

Dorian strolled along by his side. The keen aromatic air, the brown and red lights that glimmered in the wood, the hoarse cries of the beaters ringing out from time to time, and the sharp snaps of the guns that followed, fascinated him and filled him with a sense of delightful freedom. He was dominated by the carelessness of happiness, by the high indifference of joy.

Suddenly from a lumpy tussock of old grass some twenty yards in front of them, with black-tipped ears erect and long hinder limbs throwing it forward, started a hare. It bolted for a thicket of alders. Sir Geoffrey put his gun to his shoulder, but there was something in the animal's grace of movement that strangely charmed Dorian Gray, and he cried out at once,

"Don't shoot it, Geoffrey. Let it live."

"What nonsense, Dorian!" laughed his companion, and as the hare bounded into the thicket, he fired. There were two cries heard, the cry of a hare in pain, which is dreadful, the cry of a man in agony, which is worse.

На опушке соснового леса Дориан увидел брата герцогини, сэра Джеффри Клаустона, — он выбрасывал два пустых патрона из своего ружья. Дориан выскочил из экипажа и, приказав груму отвести лошадь домой, направился к своему гостю, пробираясь сквозь заросли кустарника и сухого папоротника.

— Хорошо поохотились, Джеффри? — спросил он, подходя.

— Не особенно. Видно, птицы почти все улетели в поле. После завтрака переберемся на другое место. Авось там больше повезет.

Дориан зашагал рядом с ним. Живительный аромат леса, мелькавшие в его зеленой сени золотистые и красные блики солнца на стволах, хриплые крики загонщиков, порой разносившиеся по лесу, и резкое щелкание ружей — все веселило его и наполняло чудесным ощущением свободы. Он весь отдался чувству бездумного счастья, радости, которую ничто не может смутить.

Вдруг ярдах в двадцати от них, из-за бугорка, поросшего прошлогодней травой, выскочил заяц. Насторожив уши с черными кончиками, вытягивая длинные задние лапки, он стрелой помчался в глубь ольшаника. Сэр Джеффри тотчас поднял ружье. Но грациозные движения зверька неожиданно умилили Дориана, и он крикнул:

— Не убивайте его, Джеффри, пусть себе живет!

— Что за глупости, Дориан! — со смехом запротестовал сэр Джеффри и выстрелил в тот момент, когда заяц юркнул в чащу. Раздался двойной крик — ужасный крик раненого зайца и еще более ужасный предсмертный крик человека.

"Good heavens! I have hit a beater!" exclaimed Sir Geoffrey. "What an ass the man was to get in front of the guns! Stop shooting there!" he called out at the top of his voice. "A man is hurt."

The head-keeper came running up with a stick in his hand.

"Where, sir? Where is he?" he shouted.

At the same time, the firing ceased along the line.

"Here," answered Sir Geoffrey angrily, hurrying towards the thicket. "Why on earth don't you keep your men back? Spoiled my shooting for the day."

Dorian watched them as they plunged into the alder-clump, brushing the lithe swinging branches aside. In a few moments they emerged, dragging a body after them into the sunlight. He turned away in horror. It seemed to him that misfortune followed wherever he went. He heard Sir Geoffrey ask if the man was really dead, and the affirmative answer of the keeper. The wood seemed to him to have become suddenly alive with faces. There was the trampling of myriad feet and the low buzz of voices. A great copper-breasted pheasant came beating through the boughs overhead.

After a few moments — that were to him, in his perturbed state, like endless hours of pain — he felt a hand laid on his shoulder. He started and looked round.

"Dorian," said Lord Henry, "I had better tell them that the shooting is stopped for to-day. It would not look well to go on."

"I wish it were stopped for ever, Harry," he answered bitterly. "The whole thing is hideous and cruel. Is the man ...?"

— Боже! Я попал в загонщика! — ахнул сэр Джеффри. — Какой это осел полез под выстрел! Эй, перестаньте там стрелять! — крикнул он во всю силу своих легких. — Человек ранен!

Прибежал старший егерь с палкой.

— Где, сэр? Где он?

И в ту же минуту по всей линии затихла стрельба.

— Там, — сердито ответил сэр Джеффри и торопливо пошел к ольшанику. — Какого черта вы не отвели своих людей подальше? Испортили мне сегодняшнюю охоту.

Дориан смотрел, как оба нырнули в заросли, раздвигая гибкие ветви. Через минуту они уже появились оттуда и вынесли труп на освещенную солнцем опушку. Дориан в ужасе отвернулся, подумав, что злой рок преследует его повсюду. Он слышал вопрос сэра Джеффри, умер ли этот человек, и утвердительный ответ егеря. Лес вдруг ожил, закишел людьми, слышался топот множества ног, приглушенный гомон. Крупный фазан с медно-красной грудью, шумно хлопая крыльями, пролетел наверху среди ветвей.

Через несколько минут, показавшихся расстроенному Дориану бесконечными часами муки, на его плечо легла чья-то рука. Он вздрогнул и оглянулся.

— Дориан, — промолвил лорд Генри. — Лучше я скажу им, чтобы на сегодня охоту прекратили. Продолжать ее как-то неудобно.

— Ее бы следовало запретить навсегда, — ответил Дориан с горечью. — Это такая жестокая и противная забава! Что, тот человек...

He could not finish the sentence.

"I am afraid so," rejoined Lord Henry. "He got the whole charge of shot in his chest. He must have died almost instantaneously. Come; let us go home."

They walked side by side in the direction of the avenue for nearly fifty yards without speaking. Then Dorian looked at Lord Henry and said, with a heavy sigh, "It is a bad omen, Harry, a very bad omen."

"What is?" asked Lord Henry. "Oh! this accident, I suppose. My dear fellow, it can't be helped. It was the man's own fault. Why did he get in front of the guns? Besides, it is nothing to us. It is rather awkward for Geoffrey, of course. It does not do to pepper beaters. It makes people think that one is a wild shot. And Geoffrey is not; he shoots very straight. But there is no use talking about the matter."

Dorian shook his head.

"It is a bad omen, Harry. I feel as if something horrible were going to happen to some of us. To myself, perhaps," he added, passing his hand over his eyes, with a gesture of pain.

The elder man laughed.

"The only horrible thing in the world is ennui, Dorian. That is the one sin for which there is no forgiveness. But we are not likely to suffer from it unless these fellows keep chattering about this thing at dinner. I must tell them that the subject is to be tabooed. As for omens, there is no such thing as an omen. Destiny does not send us heralds. She is too wise or too cruel for that. Besides, what on earth could happen to

Он не мог докончить фразы.

— К сожалению, да. Ему угодил в грудь весь заряд дроби. Должно быть, умер сразу. Пойдем же домой, Дориан.

Они шли рядом к главной аллее и молчали. Наконец Дориан поднял глаза на лорда Генри и сказал с тяжелым вздохом:

— Это дурное предзнаменование, Гарри, очень дурное!

— Что именно? — спросил лорд Генри. — Ах да, этот несчастный случай. Ну, милый друг, что поделаешь? Убитый был сам виноват — кто же становится под выстрелы? И, кроме того, — мы-то тут при чем? Для Джеффри это изрядная неприятность, не спорю. Дырявить загонщиков не годится. Люди могут подумать, что он плохой стрелок. А между тем это неверно: Джеффри стреляет очень метко. Но не будем больше говорить об этом.

Дориан покачал головой.

— Нет, это дурной знак, Гарри. Я чувствую, что случится что-то страшное... Быть может, со мной, — добавил он, проводя рукой по глазам, как под влиянием сильной боли.

Лорд Генри рассмеялся.

— Самое страшное на свете — это скука, Дориан. Вот единственный грех, которому нет прощения. Но нам она не грозит, если только наши приятели за обедом не вздумают толковать о случившемся. Надо будет их предупредить, что это запретная тема. Ну а предзнаменования — вздор, никаких предзнаменований не бывает. Судьба не шлет нам вестников — для этого она достаточно мудра или

you, Dorian? You have everything in the world that a man can want. There is no one who would not be delighted to change places with you."

"There is no one with whom I would not change places, Harry. Don't laugh like that. I am telling you the truth. The wretched peasant who has just died is better off than I am. I have no terror of death. It is the coming of death that terrifies me. Its monstrous wings seem to wheel in the leaden air around me. Good heavens! don't you see a man moving behind the trees there, watching me, waiting for me?"

Lord Henry looked in the direction in which the trembling gloved hand was pointing.

"Yes," he said, smiling, "I see the gardener waiting for you. I suppose he wants to ask you what flowers you wish to have on the table to-night. How absurdly nervous you are, my dear fellow! You must come and see my doctor, when we get back to town."

Dorian heaved a sigh of relief as he saw the gardener approaching. The man touched his hat, glanced for a moment at Lord Henry in a hesitating manner, and then produced a letter, which he handed to his master.

"Her Grace told me to wait for an answer," he murmured.

Dorian put the letter into his pocket.

"Tell her Grace that I am coming in," he said, coldly. The man turned round and went rapidly in the direction of the house.

"How fond women are of doing dangerous things!" laughed Lord Henry. "It is one of the qualities in them

достаточно жестока. И, наконец, скажите, ради бога, что может с вами случиться, Дориан? У вас есть все, чего только может пожелать человек. Каждый был бы рад поменяться с вами.

— А я был бы рад поменяться с любым человеком на свете! Не смейтесь, Гарри, я вам правду говорю. Злополучный крестьянин, который убит только что, счастливее меня. Смерти я не боюсь — страшно только ее приближение. Мне кажется, будто ее чудовищные крылья уже шумят надо мной в свинцовой духоте. О господи! Разве вы не видите, что какой-то человек прячется за деревьями, подстерегает, ждет меня?

Лорд Генри посмотрел туда, куда указывала дрожащая рука в перчатке.

— Да, — сказал он с улыбкой, — вижу садовника, который действительно поджидает нас. Наверное, хочет узнать, какие цветы срезать к столу. До чего же у вас нервы развинтились, мой милый! Непременно посоветуйтесь с моим врачом, когда мы вернемся в город.

Дориан вздохнул с облегчением, узнав в подходившем садовника. Тот приподнял шляпу, смущенно покосился на лорда Генри и, достав из кармана письмо, подал его хозяину.

— Ее светлость приказала мне подождать ответа, — промолвил он вполголоса.

Дориан сунул письмо в карман.

— Скажите ее светлости, что я сейчас приду, — сказал он сухо. Садовник торопливо пошел к дому.

— Как женщины любят делать рискованные вещи! — с улыбкой заметил лорд Генри. — Эта черта

that I admire most. A woman will flirt with anybody in the world as long as other people are looking on."

"How fond you are of saying dangerous things, Harry! In the present instance, you are quite astray. I like the duchess very much, but I don't love her."

"And the duchess loves you very much, but she likes you less, so you are excellently matched."

"You are talking scandal, Harry, and there is never any basis for scandal."

"The basis of every scandal is an immoral certainty," said Lord Henry, lighting a cigarette.

"You would sacrifice anybody, Harry, for the sake of an epigram."

"The world goes to the altar of its own accord," was the answer.

"I wish I could love," cried Dorian Gray with a deep note of pathos in his voice. "But I seem to have lost the passion and forgotten the desire. I am too much concentrated on myself. My own personality has become a burden to me. I want to escape, to go away, to forget. It was silly of me to come down here at all. I think I shall send a wire to Harvey to have the yacht got ready. On a yacht one is safe."

"Safe from what, Dorian? You are in some trouble. Why not tell me what it is? You know I would help you."

"I can't tell you, Harry," he answered sadly. "And I dare say it is only a fancy of mine. This unfortunate accident has upset me. I have a horrible presentiment that something of the kind may happen to me."

мне в них очень нравится. Женщина готова флиртовать с кем угодно до тех пор, пока другие на это обращают внимание.

— А вы любите говорить рискованные вещи, Гарри. И в данном случае вы глубоко ошибаетесь. Герцогиня мне очень нравится, но я не влюблен в нее.

— А она в вас очень влюблена, но нравитесь вы ей меньше. Так что вы составите прекрасную пару.

— Вы сплетничаете, Гарри! И сплетничаете без всяких оснований.

— Основания для всякой сплетни — вера в безнравственность, — изрек лорд Генри, закуривая папиросу.

— Гарри, Гарри, вы ради красного словца готовы кого угодно принести в жертву!

— Люди сами восходят на алтарь, чтобы принести себя в жертву.

— Ах, если бы я мог кого-нибудь полюбить! — воскликнул Дориан с ноткой пафоса в голосе. — Но я, кажется, утратил эту способность и разучился желать. Я всегда был слишком занят собой — и вот стал уже в тягость самому себе. Мне хочется бежать от всего, уйти, забыть!.. Глупо было ехать сюда. Я, пожалуй, телеграфирую Харви, чтобы яхта была наготове. На яхте чувствуешь себя в безопасности.

— В безопасности от чего, Дориан? С вами случилась какая-нибудь беда? Почему же вы молчите? Вы знаете, что я всегда готов помочь вам.

— Я не могу вам ничего рассказать, Гарри, — ответил Дориан уныло. — И, наверное, все — просто моя фантазия. Это несчастье меня расстроило, я предчувствую, что и со мной случится что-нибудь в таком роде.

"What nonsense!"

"I hope it is, but I can't help feeling it. Ah! here is the duchess, looking like Artemis in a tailor-made gown. You see we have come back, Duchess."

"I have heard all about it, Mr. Gray," she answered. "Poor Geoffrey is terribly upset. And it seems that you asked him not to shoot the hare. How curious!"

"Yes, it was very curious. I don't know what made me say it. Some whim, I suppose. It looked the loveliest of little live things. But I am sorry they told you about the man. It is a hideous subject."

"It is an annoying subject," broke in Lord Henry. "It has no psychological value at all. Now if Geoffrey had done the thing on purpose, how interesting he would be! I should like to know some one who had committed a real murder."

"How horrid of you, Harry!" cried the duchess. "Isn't it, Mr. Gray? Harry, Mr. Gray is ill again. He is going to faint."

Dorian drew himself up with an effort and smiled. "It is nothing, Duchess," he murmured; "my nerves are dreadfully out of order. That is all. I am afraid I walked too far this morning. I didn't hear what Harry said. Was it very bad? You must tell me some other time. I think I must go and lie down. You will excuse me, won't you?"

They had reached the great flight of steps that led from the conservatory on to the terrace. As the glass door closed behind Dorian, Lord Henry turned

— Какой вздор!

— Надеюсь, вы правы, но ничего не могу с собой поделать. Ага, вот и герцогиня! Настоящая Артемида в английском костюме. Как видите, мы вернулись, герцогиня.

— Я уже все знаю, мистер Грей, — сказала герцогиня. — Бедный Джеффри ужасно огорчен. И, говорят, вы просили его не стрелять в зайца. Какое странное совпадение!

— Да, очень странное. Не знаю даже, что меня побудило сказать это. Простая прихоть, вероятно. Заяц был так мил... Однако очень жаль, что они вам рассказали про это. Ужасная история...

— Досадная история, — поправил его лорд Генри. — И психологически ничуть не любопытная. Вот если бы Джеффри убил его нарочно, — как это было бы интересно! Хотел бы я познакомиться с настоящим убийцей!

— Гарри, вы невозможный человек! — воскликнула герцогиня. — Не правда ли, мистер Грей?.. Ох, Гарри, мистеру Грею, кажется, опять дурно! Он сейчас упадет!

Дориан с трудом овладел собой и улыбнулся.

— Это пустяки, не беспокойтесь, герцогиня. Нервы у меня сильно расстроены, вот и все. Пожалуй, я слишком много ходил сегодня... Что такое Гарри опять изрек? Что-нибудь очень циничное? Вы мне потом расскажете. А сейчас вы меня извините — мне, пожалуй, лучше пойти прилечь.

Они дошли до широкой лестницы, которая вела из оранжереи на террасу. Когда стеклянная дверь закрылась за Дорианом, лорд Генри повернулся

and looked at the duchess with his slumberous eyes.

"Are you very much in love with him?" he asked.

She did not answer for some time, but stood gazing at the landscape.

"I wish I knew," she said at last.

He shook his head.

"Knowledge would be fatal. It is the uncertainty that charms one. A mist makes things wonderful."

"One may lose one's way."

"All ways end at the same point, my dear Gladys."

"What is that?"

"Disillusion."

"It was my debut in life," she sighed.

"It came to you crowned."

"I am tired of strawberry leaves."

"They become you."

"Only in public."

"You would miss them," said Lord Henry.

"I will not part with a petal."

"Monmouth has ears."

"Old age is dull of hearing."

"Has he never been jealous?"

"I wish he had been."

He glanced about as if in search of something.

"What are you looking for?" she inquired.

"The button from your foil," he answered. "You have dropped it."

к герцогине и посмотрел на нее в упор своими томными глазами.

— Вы сильно в него влюблены? — спросил он.

Герцогиня некоторое время молчала, глядя на расстилавшуюся перед ними картину.

— Хотела бы я сама это знать, — сказала она наконец.

Лорд Генри покачал головой.

— Знание пагубно для любви. Только неизвестность пленяет нас. В тумане все кажется необыкновенным.

— Но в тумане можно сбиться с пути.

— Ах, милая Глэдис, все пути ведут к одному.

— К чему же?

— К разочарованию.

— С него я начала свой жизненный путь, — со вздохом отозвалась герцогиня.

— Оно пришло к вам в герцогской короне.

— Мне надоели земляничные листья.

— Но вы их носите с подобающим достоинством.

— Только на людях.

— Смотрите, вам трудно будет обойтись без них!

— А они останутся при мне, все до единого.

— Но у Монмаута есть уши.

— Старость туга на ухо.

— Неужели он никогда не ревнует?

— Нет. Хоть бы раз приревновал!

Лорд Генри осмотрелся вокруг, словно ища чего-то.

— Что вы ищете? — спросила герцогиня.

— Шишечку от вашей рапиры, — отвечал он. — Вы ее обронили.

She laughed.

"I have still the mask."

"It makes your eyes lovelier," was his reply.

She laughed again. Her teeth showed like white seeds in a scarlet fruit.

Upstairs, in his own room, Dorian Gray was lying on a sofa, with terror in every tingling fibre of his body. Life had suddenly become too hideous a burden for him to bear. The dreadful death of the unlucky beater, shot in the thicket like a wild animal, had seemed to him to pre-figure death for himself also. He had nearly swooned at what Lord Henry had said in a chance mood of cynical jesting.

At five o'clock he rang his bell for his servant and gave him orders to pack his things for the night-express to town, and to have the brougham at the door by eight-thirty. He was determined not to sleep another night at Selby Royal. It was an ill-omened place. Death walked there in the sunlight. The grass of the forest had been spotted with blood.

Then he wrote a note to Lord Henry, telling him that he was going up to town to consult his doctor and asking him to entertain his guests in his absence. As he was putting it into the envelope, a knock came to the door, and his valet informed him that the head-keeper wished to see him. He frowned and bit his lip.

"Send him in," he muttered, after some moments' hesitation.

As soon as the man entered, Dorian pulled his chequebook out of a drawer and spread it out before him.

Герцогиня расхохоталась.

— Но маска еще на мне.

— Из-под нее ваши глаза кажутся еще красивее, — был ответ.

Герцогиня снова рассмеялась. Зубы ее блеснули меж губ, как белые зернышки в алой мякоти плода.

А наверху, в своей спальне, лежал на диване Дориан, и каждая жилка в нем дрожала от ужаса. Жизнь внезапно стала для него невыносимым бременем. Смерть злополучного загонщика, которого подстрелили в лесу, как дикого зверя, казалась Дориану прообразом его собственного конца. Услышав слова лорда Генри, сказанные с такой циничной шутливостью, он чуть не лишился чувств.

В пять часов он позвонил слуге и распорядился, чтобы его вещи были уложены и коляска подана к половине девятого, так как он уезжает вечерним поездом в Лондон. Он твердо решил ни одной ночи не ночевать больше в Селби, этом зловещем месте, где смерть бродит и при солнечном свете, а трава в лесу обрызгана кровью.

Он написал лорду Генри записку, в которой сообщал, что едет в Лондон к врачу, и просил развлекать гостей до его возвращения. Когда он запечатывал записку, в дверь постучали, и лакей доложил, что пришел старший егерь. Дориан нахмурился, закусил губу.

— Пусть войдет, — буркнул он после минутной нерешимости.

Как только егерь вошел, Дориан достал из ящика чековую книжку и положил ее перед собой.

"I suppose you have come about the unfortunate accident of this morning, Thornton?" he said, taking up a pen.

"Yes, sir," answered the gamekeeper.

"Was the poor fellow married? Had he any people dependent on him?" asked Dorian, looking bored. "If so, I should not like them to be left in want, and will send them any sum of money you may think necessary."

"We don't know who he is, sir. That is what I took the liberty of coming to you about."

"Don't know who he is?" said Dorian, listlessly. "What do you mean? Wasn't he one of your men?"

"No, sir. Never saw him before. Seems like a sailor, sir."

The pen dropped from Dorian Gray's hand, and he felt as if his heart had suddenly stopped beating.

"A sailor?" he cried out. "Did you say a sailor?"

"Yes, sir. He looks as if he had been a sort of sailor; tattooed on both arms, and that kind of thing."

"Was there anything found on him?" said Dorian, leaning forward and looking at the man with startled eyes. "Anything that would tell his name?"

"Some money, sir — not much, and a six-shooter. There was no name of any kind. A decent-looking man, sir, but rough-like. A sort of sailor we think."

Dorian started to his feet. A terrible hope fluttered past him. He clutched it madly.

"Where is the body?" he exclaimed. "Quick! I must see it at once."

— Вы, наверное, пришли по поводу того несчастного случая, Торнтон? — спросил он, берясь уже за перо.

— Так точно, сэр, — ответил егерь.

— Что же, этот бедняга был женат? У него есть семья? — спросил Дориан небрежно. — Если да, я их не оставлю в нужде, пошлю им денег. Сколько вы находите нужным?

— Мы не знаем, кто этот человек, сэр. Поэтому я и осмелился вас побеспокоить...

— Не знаете, кто он? — рассеянно переспросил Дориан. — Как так? Разве он не из ваших людей?

— Нет, сэр. Я его никогда в глаза не видел. Похоже, что это какой-то матрос, сэр.

Перо выпало из рук Дориана, и сердце у него вдруг замерло.

— Матрос? — переспросил он. — Вы говорите, матрос?

— Да, сэр. По всему видно. На обеих руках у него татуировка... и все такое...

— А нашли вы при нем что-нибудь? — Дориан наклонился вперед, ошеломленно глядя на егеря. — Какой-нибудь документ, из которого можно узнать его имя?

— Нет, сэр. Только немного денег и шестизарядный револьвер — больше ничего. А имя нигде не указано. Человек, видимо, приличный, но из простых. Мы думаем, что матрос.

Дориан вскочил. Мелькнула безумная надежда, и он судорожно за нее ухватился.

— Где труп? Я хочу его сейчас же увидеть.

"It is in an empty stable in the Home Farm, sir. The folk don't like to have that sort of thing in their houses. They say a corpse brings bad luck."

"The Home Farm! Go there at once and meet me. Tell one of the grooms to bring my horse round. No. Never mind. I'll go to the stables myself. It will save time."

In less than a quarter of an hour, Dorian Gray was galloping down the long avenue as hard as he could go. The trees seemed to sweep past him in spectral procession, and wild shadows to fling themselves across his path. Once the mare swerved at a white gate-post and nearly threw him. He lashed her across the neck with his crop. She cleft the dusky air like an arrow. The stones flew from her hoofs.

At last he reached the Home Farm. Two men were loitering in the yard. He leaped from the saddle and threw the reins to one of them. In the farthest stable a light was glimmering. Something seemed to tell him that the body was there, and he hurried to the door and put his hand upon the latch.

There he paused for a moment, feeling that he was on the brink of a discovery that would either make or mar his life. Then he thrust the door open and entered.

On a heap of sacking in the far corner was lying the dead body of a man dressed in a coarse shirt and a pair of blue trousers. A spotted handkerchief had been placed over the face. A coarse candle, stuck in a bottle, sputtered beside it.

— Он на ферме, сэр. В пустой конюшне. Люди не любят держать в доме покойника. Они говорят, что мертвец приносит несчастье.

— На ферме? Так отправляйтесь туда и ждите меня. Скажите кому-нибудь из конюхов, чтобы привел мне лошадь... Или нет, не надо. Я сам пойду в конюшню. Так будет скорее.

Не прошло и четверти часа, как Дориан Грей уже мчался галопом, во весь опор, по длинной аллее. Деревья призрачной процессией неслись мимо, и пугливые тени перебегали дорогу. Раз кобыла неожиданно свернула в сторону, к знакомой белой ограде, и чуть не сбросила седока. Он стегнул ее хлыстом по шее, и она понеслась вперед, рассекая воздух, как стрела. Камни летели из-под ее копыт.

Наконец Дориан доскакал до фермы. По двору слонялись двое рабочих. Он спрыгнул с седла и бросил поводья одному из них. В самой дальней конюшне светился огонек. Какой-то внутренний голос подсказал Дориану, что мертвец там. Он быстро подошел к дверям и взялся за щеколду.

Однако он вошел не сразу, а постоял минуту, чувствуя, что вот сейчас ему предстоит сделать открытие, которое либо вернет ему покой, либо испортит жизнь навсегда. Наконец он порывисто дернул дверь к себе и вошел.

На мешках в дальнем углу лежал человек в грубой рубахе и синих штанах. Лицо его было прикрыто пестрым ситцевым платком. Рядом горела, потрескивая, толстая свеча, воткнутая в бутылку.

Dorian Gray shuddered. He felt that his could not be the hand to take the handkerchief away, and called out to one of the farm-servants to come to him.

"Take that thing off the face. I wish to see it," he said, clutching at the door-post for support.

When the farm-servant had done so, he stepped forward. A cry of joy broke from his lips. The man who had been shot in the thicket was James Vane.

He stood there for some minutes looking at the dead body. As he rode home, his eyes were full of tears, for he knew he was safe.

Chapter XIX

"There is no use your telling me that you are going to be good," cried Lord Henry, dipping his white fingers into a red copper bowl filled with rose-water. "You are quite perfect. Pray, don't change."

Dorian Gray shook his head.

"No, Harry, I have done too many dreadful things in my life. I am not going to do any more. I began my good actions yesterday."

"Where were you yesterday?"

"In the country, Harry. I was staying at a little inn by myself."

"My dear boy," said Lord Henry, smiling, "anybody can be good in the country. There are no temptations there. That is the reason why people who live out of town are so absolutely uncivilized. Civilization is not by any means an easy thing to attain to. There are only two ways by which man can reach it.

Дориан дрожал, чувствуя, что у него не хватит духу своей рукой снять платок. Он кликнул одного из работников.

— Снимите эту тряпку, я хочу его видеть, — сказал он и прислонился к дверному косяку, ища опоры.

Когда парень снял платок, Дориан подошел ближе. Крик радости вырвался у него. Человек, убитый в лесу, был Джеймс Вэйн!

Несколько минут Дориан Грей стоял и смотрел на мертвеца. Когда он потом ехал домой, глаза его были полны слез. Спасен!

Глава XIX

— Зачем вы мне твердите, что решили стать лучше? — говорил лорд Генри, окуная белые пальцы в медную чашу с розовой водой. — Вы и так достаточно хороши. Пожалуйста, не меняйтесь.

Дориан покачал головой.

— Нет, Гарри, у меня на совести слишком много тяжких грехов. Я решил не грешить больше. И вчера уже начал творить добрые дела.

— А где же это вы были вчера?

— В деревне, Гарри. Поехал туда один и остановился в маленькой харчевне.

— Милый друг, в деревне всякий может быть праведником, — с улыбкой заметил лорд Генри. — Там нет никаких соблазнов. По этой-то причине людей, живущих за городом, не коснулась цивилизация. Да, да, приобщиться к цивилизации — дело весьма нелегкое. Для этого есть два пути: культура

One is by being cultured, the other by being corrupt. Country people have no opportunity of being either, so they stagnate."

"Culture and corruption," echoed Dorian. "I have known something of both. It seems terrible to me now that they should ever be found together. For I have a new ideal, Harry. I am going to alter. I think I have altered."

"You have not yet told me what your good action was. Or did you say you had done more than one?" asked his companion as he spilled into his plate a little crimson pyramid of seeded strawberries and, through a perforated, shell-shaped spoon, snowed white sugar upon them.

"I can tell you, Harry. It is not a story I could tell to any one else. I spared somebody. It sounds vain, but you understand what I mean. She was quite beautiful and wonderfully like Sibyl Vane. I think it was that which first attracted me to her. You remember Sibyl, don't you? How long ago that seems! Well, Hetty was not one of our own class, of course. She was simply a girl in a village. But I really loved her. I am quite sure that I loved her. All during this wonderful May that we have been having, I used to run down and see her two or three times a week. Yesterday she met me in a little orchard. The apple-blossoms kept tumbling down on her hair, and she was laughing. We were to have gone away together this morning at dawn. Suddenly I determined to leave her as flowerlike as I had found her."

"I should think the novelty of the emotion must have given you a thrill of real pleasure, Dorian," in-

или так называемый разврат. А деревенским жителям то и другое недоступно. Вот они и закоснели в добродетели.

— Культура и разврат, — повторил Дориан. — Я приобщился к тому и другому, и теперь мне тяжело думать, что они могут сопутствовать друг другу. У меня новый идеал, Гарри. Я решил стать другим человеком. И чувствую, что уже переменился.

— А вы еще не рассказали мне, какое это доброе дело совершили. Или, кажется, вы говорили даже о нескольких? — спросил лорд Генри, положив себе на тарелку красную пирамидку очищенной клубники и посыпая ее сахаром.

— Этого я никому рассказывать не стал бы, а вам расскажу. Я пощадил женщину, Гарри. Такое заявление может показаться тщеславным хвастовством, но вы меня поймете. Она очень хороша собой и удивительно напоминает Сибилу Вэйн. Должно быть, этим она вначале и привлекла меня. Помните Сибилу, Гарри? Каким далеким кажется то время!.. Так вот... Гетти, конечно, не нашего круга. Простая деревенская девушка. Но я ее искренне полюбил. Да, я убежден, что это была любовь. Весь май — чудесный май был в этом году! — я ездил к ней два-три раза в неделю. Вчера она встретила меня в саду. Цветы яблони падали ей на волосы, и она смеялась... Мы должны были уехать вместе сегодня на рассвете. Но вдруг я решил оставить ее такой же прекрасной и чистой, какой встретил ее...

— Должно быть, новизна этого чувства доставила вам истинное наслаждение, Дориан? — перебил

terrupted Lord Henry. "But I can finish your idyll for you. You gave her good advice and broke her heart. That was the beginning of your reformation."

"Harry, you are horrible! You mustn't say these dreadful things. Hetty's heart is not broken. Of course, she cried and all that. But there is no disgrace upon her. She can live, like Perdita, in her garden of mint and marigold."

"And weep over a faithless Florizel," said Lord Henry, laughing, as he leaned back in his chair. "My dear Dorian, you have the most curiously boyish moods. Do you think this girl will ever be really content now with any one of her own rank? I suppose she will be married some day to a rough carter or a grinning ploughman. Well, the fact of having met you, and loved you, will teach her to despise her husband, and she will be wretched. From a moral point of view, I cannot say that I think much of your great renunciation. Even as a beginning, it is poor. Besides, how do you know that Hetty isn't floating at the present moment in some starlit mill-pond, with lovely water-lilies round her, like Ophelia?"

"I can't bear this, Harry! You mock at everything, and then suggest the most serious tragedies. I am sorry I told you now. I don't care what you say to me. I know I was right in acting as I did. Poor Hetty! As I rode past the farm this morning, I saw her white face at the window, like a spray of jasmine. Don't let us talk about it any more, and don't try to persuade me that the first good action I have done for years, the first little bit of self-sacrifice I have ever known, is really a sort of sin. I want to be better. I am going

лорд Генри. — А вашу идиллию я могу досказать за вас. Вы дали ей добрый совет и разбили ее сердце. Так вы начали свою праведную жизнь.

— Гарри, как вам не стыдно говорить такие вещи! Сердце Гетти вовсе не разбито. Конечно, она поплакала и все такое. Но зато она не обесчещена. Она может жить, как Пердита, в своем саду среди мяты и златоцвета.

— И плакать о неверном Флоризеле, — докончил лорд Генри, со смехом откидываясь на спинку стула. — Милый мой, как много еще в вас презабавной детской наивности! Вы думаете, эта девушка теперь сможет удовлетвориться любовью человека ее среды? Выдадут ее замуж за грубияна-возчика или крестьянского парня. А знакомство с вами и любовь к вам сделали свое дело: она будет презирать мужа и чувствовать себя несчастной. Не могу сказать, что ваше великое самоотречение было большой моральной победой. Даже для начала это слабо. Кроме того, почем вы знаете, — может быть, ваша Гетти плавает сейчас, как Офелия, где-нибудь среди кувшинок в пруду, озаренном звездным сиянием?

— Перестаньте, Гарри, это невыносимо! То вы все превращаете в шутку, то придумываете самые ужасные трагедии! Мне жаль, что я вам все рассказал. И что бы вы ни говорили, я знаю, что поступил правильно. Бедная Гетти! Сегодня утром, когда я проезжал верхом мимо их фермы, я видел в окне ее личико, белое, как цветы жасмина... Не будем больше говорить об этом. И не пытайтесь меня убедить, что мое первое за столько лет доброе дело, первый самоотверженный поступок — на самом деле чуть

to be better. Tell me something about yourself. What is going on in town? I have not been to the club for days."

"The people are still discussing poor Basil's disappearance."

"I should have thought they had got tired of that by this time," said Dorian, pouring himself out some wine and frowning slightly.

"My dear boy, they have only been talking about it for six weeks, and the British public are really not equal to the mental strain of having more than one topic every three months. They have been very fortunate lately, however. They have had my own divorce-case and Alan Campbell's suicide. Now they have got the mysterious disappearance of an artist. Scotland Yard still insists that the man in the grey ulster who left for Paris by the midnight train on the ninth of November was poor Basil, and the French police declare that Basil never arrived in Paris at all. I suppose in about a fortnight we shall be told that he has been seen in San Francisco. It is an odd thing, but every one who disappears is said to be seen at San Francisco. It must be a delightful city, and possess all the attractions of the next world."

"What do you think has happened to Basil?" asked Dorian, holding up his Burgundy against the light and wondering how it was that he could discuss the matter so calmly.

"I have not the slightest idea. If Basil chooses to hide himself, it is no business of mine. If he is dead,

ли не преступление. Я хочу стать лучше. И стану... Ну, довольно об этом. Расскажите мне о себе. Что слышно в Лондоне? Я давно не был в клубе.

— Люди все еще толкуют об исчезновении Бэзила.

— А я думал, что им это уже наскучило, — бросил Дориан, едва заметно нахмурив брови и наливая себе вина.

— Что вы, мой милый! Об этом говорят всего только полтора месяца, а обществу нашему трудно менять тему чаще, чем раз в три месяца, — на такое умственное усилие оно не способно. Правда, в этом сезоне ему очень повезло. Столько событий — мой развод, самоубийство Алана Кэмпбела, а теперь еще загадочное исчезновение художника! В Скотланд-Ярде все еще думают, что человек в сером пальто, уехавший девятого ноября в Париж двенадцатичасовым поездом, был бедняга Бэзил, а французская полиция утверждает, что Бэзил вовсе и не приезжал в Париж. Наверное, через неделю-другую мы услышим, что его видели в Сан-Франциско. Странное дело — как только кто-нибудь бесследно исчезает, тотчас разносится слух, что его видели в Сан-Франциско! Замечательный город, должно быть, этот Сан-Франциско, и обладает, наверное, всеми преимуществами того света!

— А вы как думаете, Гарри, куда мог деваться Бэзил? — спросил Дориан, поднимая стакан с бургундским и рассматривая вино на свет. Он сам удивлялся спокойствию, с которым говорил об этом.

— Понятия не имею. Если Бэзилу угодно скрываться, — это его дело. Если он умер, я не хочу

I don't want to think about him. Death is the only thing that ever terrifies me. I hate it."

"Why?" said the younger man wearily.

"Because," said Lord Henry, passing beneath his nostrils the gilt trellis of an open vinaigrette box, "one can survive everything nowadays except that. Death and vulgarity are the only two facts in the nineteenth century that one cannot explain away. Let us have our coffee in the music-room, Dorian. You must play Chopin to me. The man with whom my wife ran away played Chopin exquisitely. Poor Victoria! I was very fond of her. The house is rather lonely without her. Of course, married life is merely a habit, a bad habit. But then one regrets the loss even of one's worst habits. Perhaps one regrets them the most. They are such an essential part of one's personality."

Dorian said nothing, but rose from the table, and passing into the next room, sat down to the piano and let his fingers stray across the white and black ivory of the keys. After the coffee had been brought in, he stopped, and looking over at Lord Henry, said,

"Harry, did it ever occur to you that Basil was murdered?"

Lord Henry yawned.

"Basil was very popular, and always wore a Waterbury watch. Why should he have been murdered? He was not clever enough to have enemies. Of course, he had a wonderful genius for painting. But a man can

о нем вспоминать. Смерть — то единственное, о чем я думаю с ужасом. Она мне ненавистна.

— Почему же? — лениво спросил младший из собеседников.

— А потому, — лорд Генри поднес к носу золоченый флакончик с уксусом, — что в наше время человек все может пережить, кроме нее. Есть только два явления, которые и в нашем, девятнадцатом, веке еще остаются необъяснимыми и ничем не оправданными: смерть и пошлость... Давайте перейдем пить кофе в концертный зал, — хорошо, Дориан? Я хочу, чтобы вы мне поиграли Шопена. Тот человек, с которым убежала моя жена, чудесно играл Шопена. Бедная Виктория! Я был к ней очень привязан, и без нее в доме так пусто. Разумеется, семейная жизнь только привычка, скверная привычка. Но ведь даже с самыми дурными привычками трудно бывает расстаться. Пожалуй, труднее всего именно с дурными. Они — такая существенная часть нашего «я».

Дориан, ничего не отвечая, встал из-за стола и, пройдя в соседнюю комнату, сел за рояль. Пальцы его забегали по черным и белым клавишам. Но когда подали кофе, он перестал играть и, глядя на лорда Генри, спросил:

— Гарри, а вам не приходило в голову, что Бэзила могли убить?

Лорд Генри зевнул.

— Бэзил очень известен и носит дешевые часы. Зачем же было бы его убивать? И врагов у него нет, потому что не такой уж он выдающийся человек. Конечно, он очень талантливый художник, но

paint like Velasquez and yet be as dull as possible. Basil was really rather dull. He only interested me once, and that was when he told me, years ago, that he had a wild adoration for you and that you were the dominant motive of his art."

"I was very fond of Basil," said Dorian with a note of sadness in his voice. "But don't people say that he was murdered?"

"Oh, some of the papers do. It does not seem to me to be at all probable. I know there are dreadful places in Paris, but Basil was not the sort of man to have gone to them. He had no curiosity. It was his chief defect."

"What would you say, Harry, if I told you that I had murdered Basil?"
said the younger man. He watched him intently after he had spoken.

"I would say, my dear fellow, that you were posing for a character that doesn't suit you. All crime is vulgar, just as all vulgarity is crime. It is not in you, Dorian, to commit a murder. I am sorry if I hurt your vanity by saying so, but I assure you it is true. Crime belongs exclusively to the lower orders. I don't blame them in the smallest degree. I should fancy that crime was to them what art is to us, simply a method of procuring extraordinary sensations."

"A method of procuring sensations? Do you think, then, that a man who has once committed a murder could possibly do the same crime again? Don't tell me that."

можно писать, как Веласкес, и при этом быть скучнейшим малым. Бэзил, честно говоря, всегда был скучноват. Только раз он меня заинтересовал — это было много лет назад, когда он признался мне, что безумно вас обожает и что вы вдохновляете его, даете ему стимул к творчеству.

— Я очень любил Бэзила, — с грустью сказал Дориан. — Значит, никто не предполагает, что он убит?

— В некоторых газетах такое предположение высказывалось. А я в это не верю. В Париже, правда, есть весьма подозрительные места, но Бэзил не такой человек, чтобы туда ходить. Он совсем не любознателен, это его главный недостаток.

— А что бы вы сказали, Гарри, если бы я признался вам, что это я убил Бэзила?

Говоря это, Дориан с пристальным вниманием наблюдал за лицом лорда Генри.

— Сказал бы, что вы, мой друг, пытаетесь выступить не в своей роли. Всякое преступление вульгарно, точно так же, как всякая вульгарность — преступление. И вы, Дориан, не способны совершить убийство. Извините, если я таким утверждением задел ваше самолюбие, но, ей-богу, я прав. Преступники — всегда люди низших классов. И я их ничуть не осуждаю. Мне кажется, для них преступление — то же, что для нас искусство: просто-напросто средство, доставляющее сильные ощущения.

— Средство, доставляющее сильные ощущения? Значит, по-вашему, человек, раз совершивший убийство, способен сделать это опять? Полноте, Гарри!

"Oh! anything becomes a pleasure if one does it too often," cried Lord Henry, laughing. "That is one of the most important secrets of life. I should fancy, however, that murder is always a mistake. One should never do anything that one cannot talk about after dinner. But let us pass from poor Basil. I wish I could believe that he had come to such a really romantic end as you suggest, but I can't. I dare say he fell into the Seine off an omnibus and that the conductor hushed up the scandal. Yes: I should fancy that was his end. I see him lying now on his back under those dull-green waters, with the heavy barges floating over him and long weeds catching in his hair. Do you know, I don't think he would have done much more good work. During the last ten years his painting had gone off very much."

Dorian heaved a sigh, and Lord Henry strolled across the room and began to stroke the head of a curious Java parrot, a large, grey-plumaged bird with pink crest and tail, that was balancing itself upon a bamboo perch. As his pointed fingers touched it, it dropped the white scurf of crinkled lids over black, glasslike eyes and began to sway backwards and forwards.

"Yes," he continued, turning round and taking his handkerchief out of his pocket; "his painting had quite gone off. It seemed to me to have lost something. It had lost an ideal. When you and he ceased to be great friends, he ceased to be a great artist. What was it separated you? I suppose he bored you. If so, he never forgave you. It's a habit bores have. By the way, what has become of that wonderful portrait he did of

— О, удовольствие можно находить во всем, что входит в привычку, — со смехом отозвался лорд Генри. — Это один из главных секретов жизни. Впрочем, убийство — всегда промах. Никогда не следует делать того, о чем нельзя поболтать с людьми после обеда... Ну, оставим в покое беднягу Бэзила. Хотелось бы верить, что конец его был так романтичен, как вы предполагаете. Но мне не верится. Скорее всего, он свалился с омнибуса в Сену, а кондуктор скрыл это, чтобы не иметь неприятностей. Да, да, я склонен думать, что именно так и было. И лежит он теперь под мутно-зелеными водами Сены, а над ним проплывают тяжелые баржи, и в волосах его запутались длинные водоросли... Знаете, Дориан, вряд ли он мог еще многое создать в живописи. Его работы за последние десять лет значительно слабее первых.

Дориан в ответ только вздохнул, а лорд Генри прошелся из угла в угол и стал гладить редкого яванского попугая, сидевшего на бамбуковой жердочке. Как только его пальцы коснулись спины этой крупной птицы с серыми крыльями и розовым хохолком и хвостом, она опустила белые пленки сморщенных век на черные стеклянные глаза и закачалась взад и вперед.

— Да, — продолжал лорд Генри, обернувшись к Дориану и доставая из кармана платок, — картины Бэзила стали много хуже. Чего-то в них не хватает. Видно, Бэзил утратил свой идеал. Пока вы с ним были так дружны, он был великим художником. Потом это кончилось. Из-за чего вы разошлись? Должно быть, он вам надоел? Если да, то Бэзил, вероятно, не мог простить вам этого —

you? I don't think I have ever seen it since he finished it. Oh! I remember your telling me years ago that you had sent it down to Selby, and that it had got mislaid or stolen on the way. You never got it back? What a pity! it was really a masterpiece. I remember I wanted to buy it. I wish I had now. It belonged to Basil's best period. Since then, his work was that curious mixture of bad painting and good intentions that always entitles a man to be called a representative British artist. Did you advertise for it? You should."

"I forget," said Dorian. "I suppose I did. But I never really liked it. I am sorry I sat for it. The memory of the thing is hateful to me. Why do you talk of it? It used to remind me of those curious lines in some play — Hamlet, I think — how do they run?—

"Like the painting of a sorrow,
A face without a heart."

Yes: that is what it was like."

Lord Henry laughed.
"If a man treats life artistically, his brain is his heart," he answered, sinking into an arm-chair.

таковы уж все скучные люди. Кстати, что сталось с вашим чудесным портретом? Я, кажется, не видел его ни разу с тех пор, как Бэзил его закончил... А, припоминаю, вы говорили мне несколько лет назад, что отправили его в Селби, и он не то затерялся по дороге, не то его украли. Что же, он так и не нашелся? Какая жалость! Это был настоящий шедевр. Помню, мне очень хотелось его купить. И жаль, что я этого не сделал. Портрет написан в то время, когда талант Бэзила был в полном расцвете. Более поздние его картины уже представляют собой ту любопытную смесь плохой работы и благих намерений, которая у нас дает право художнику считаться типичным представителем английского искусства... А вы объявляли в газетах о пропаже? Это следовало сделать.

— Не помню уже, — ответил Дориан. — Вероятно, объявлял. Ну да бог с ним, с портретом! Он мне, в сущности, никогда не нравился, и я жалею, что позировал для него. Не люблю я вспоминать о нем. К чему вы затеяли этот разговор? Знаете, Гарри, при взгляде на портрет мне всегда вспоминались две строчки из какой-то пьесы — кажется, из «Гамлета»... Постойте, как же это?..

Словно образ печали,
Бездушный тот лик...

Да, именно такое впечатление он на меня производил.

Лорд Генри засмеялся.

— Кто к жизни подходит как художник, тому мозг заменяет душу, — отозвался он, садясь в кресло.

Оскар Уайльд

Dorian Gray shook his head and struck some soft chords on the piano.

> "Like the painting of a sorrow,
> A face without a heart."

The elder man lay back and looked at him with half-closed eyes.

"By the way, Dorian," he said after a pause, "'what does it profit a man if he gain the whole world and lose — how does the quotation run?—his own soul'?"

The music jarred, and Dorian Gray started and stared at his friend.

"Why do you ask me that, Harry?"

"My dear fellow," said Lord Henry, elevating his eyebrows in surprise, "I asked you because I thought you might be able to give me an answer. That is all. I was going through the park last Sunday, and close by the Marble Arch there stood a little crowd of shabby-looking people listening to some vulgar street-preacher. As I passed by, I heard the man yelling out that question to his audience. It struck me as being rather dramatic. London is very rich in curious effects of that kind. A wet Sunday, an uncouth Christian in a mackintosh, a ring of sickly white faces under a broken roof of dripping umbrellas, and a wonderful phrase flung into the air by shrill hysterical lips — it was really very good in its way, quite a suggestion. I thought of telling the prophet that art had a soul, but that man had not. I am afraid, however, he would not have understood me."

Дориан отрицательно потряс головой и взял несколько тихих аккордов на рояле.

> Словно образ печали,
> Бездушный тот лик... —

повторил он.

Лорд Генри, откинувшись в кресле, смотрел на него из-под полуопущенных век.

— А между прочим, Дориан, — сказал он, помолчав, — что пользы человеку приобрести весь мир, если он теряет... как дальше? Да: если он теряет собственную душу?

Музыка резко оборвалась. Дориан, вздрогнув, уставился на своего друга.

— Почему вы задаете мне такой вопрос, Гарри?

— Милый мой. — Лорд Генри удивленно поднял брови. — Я спросил, потому что надеялся получить ответ, — только и всего. В воскресенье я проходил через Парк, а там у Мраморной арки стояла кучка оборванцев и слушала какого-то уличного проповедника. В то время как я проходил мимо, он как раз выкрикнул эту фразу, и меня вдруг поразила ее драматичность... В Лондоне можно очень часто наблюдать такие любопытные сценки... Вообразите — дождливый воскресный день, жалкая фигура христианина в макинтоше, кольцо бледных испитых лиц под неровной крышей зонтов, с которых течет вода, — и эта потрясающая фраза, брошенная в воздух, прозвучавшая как пронзительный истерический вопль. Право, это было в своем роде интересно и весьма внушительно. Я хотел сказать этому пророку, что душа есть только у искусства, а у человека ее нет. Но побоялся, что он меня не поймет.

"Don't, Harry. The soul is a terrible reality. It can be bought, and sold, and bartered away. It can be poisoned, or made perfect. There is a soul in each one of us. I know it."

"Do you feel quite sure of that, Dorian?"

"Quite sure."

"Ah! then it must be an illusion. The things one feels absolutely certain about are never true. That is the fatality of faith, and the lesson of romance. How grave you are! Don't be so serious. What have you or I to do with the superstitions of our age? No: we have given up our belief in the soul. Play me something. Play me a nocturne, Dorian, and, as you play, tell me, in a low voice, how you have kept your youth. You must have some secret. I am only ten years older than you are, and I am wrinkled, and worn, and yellow. You are really wonderful, Dorian. You have never looked more charming than you do to-night. You remind me of the day I saw you first. You were rather cheeky, very shy, and absolutely extraordinary. You have changed, of course, but not in appearance. I wish you would tell me your secret. To get back my youth I would do anything in the world, except take exercise, get up early, or be respectable. Youth! There is nothing like it. It's absurd to talk of the ignorance of youth.

The only people to whose opinions I listen now with any respect are people much younger than myself. They seem in front of me. Life has revealed to

— Не говорите так, Гарри! Душа у человека есть, это нечто до ужаса реальное. Ее можно купить, продать, променять. Ее можно отравить или спасти. У каждого из нас есть душа. Я это знаю.

— Вы совершенно в этом уверены, Дориан?

— Совершенно уверен.

— Ну, в таком случае это только иллюзия. Как раз того, во что твердо веришь, в действительности не существует. Такова фатальная участь веры, и этому же учит нас любовь. Боже, какой у вас серьезный и мрачный вид, Дориан! Полноте! Что нам за дело до суеверий нашего века! Нет, мы больше не верим в существование души. Сыграйте мне, Дориан! Сыграйте какой-нибудь ноктюрн и во время игры расскажите тихонько, как вы сохранили молодость. Вы, верно, знаете какой-нибудь секрет. Я старше вас только на десять лет, а посмотрите, как я износился, сморщился, пожелтел! Вы же поистине очаровательны, Дориан. И сегодня более чем когда-либо. Глядя на вас, я вспоминаю день нашей первой встречи. Вы были очень застенчивый, но при этом довольно дерзкий и вообще замечательный юноша. С годами вы, конечно, переменились, но внешне — ничуть. Хотел бы я узнать ваш секрет! Чтобы вернуть свою молодость, я готов сделать все на свете — только не заниматься гимнастикой, не вставать рано и не вести добродетельный образ жизни. Молодость! Что может с ней сравниться? Как это глупо — говорить о «неопытной и невежественной юности».

Я с уважением слушаю суждения только тех, кто много меня моложе. Молодежь нас опередила, ей жизнь открывает свои самые новые чудеса. А лю-

them her latest wonder. As for the aged, I always contradict the aged. I do it on principle. If you ask them their opinion on something that happened yesterday, they solemnly give you the opinions current in 1820, when people wore high stocks, believed in everything, and knew absolutely nothing. How lovely that thing you are playing is! I wonder, did Chopin write it at Majorca, with the sea weeping round the villa and the salt spray dashing against the panes? It is marvellously romantic. What a blessing it is that there is one art left to us that is not imitative! Don't stop. I want music to-night. It seems to me that you are the young Apollo and that I am Marsyas listening to you. I have sorrows, Dorian, of my own, that even you know nothing of. The tragedy of old age is not that one is old, but that one is young. I am amazed sometimes at my own sincerity. Ah, Dorian, how happy you are! What an exquisite life you have had! You have drunk deeply of everything. You have crushed the grapes against your palate. Nothing has been hidden from you. And it has all been to you no more than the sound of music. It has not marred you. You are still the same."

"I am not the same, Harry."

"Yes, you are the same. I wonder what the rest of your life will be. Don't spoil it by renunciations. At present you are a perfect type. Don't make yourself incomplete. You are quite flawless now. You need not shake your head: you know you are. Besides, Dorian, don't deceive yourself. Life is not governed by will or intention. Life is a question of nerves, and fibres, and

дям пожилым я всегда противоречу. Я это делаю из принципа. Спросите их мнение о чем-нибудь, что произошло только вчера, — и они с важностью преподнесут вам суждения, господствовавшие в тысяча восемьсот двадцатом году, когда мужчины носили длинные чулки, когда люди верили решительно во все, но решительно ничего не знали... Какую прелестную вещь вы играете! Она удивительно романтична. Можно подумать, что Шопен писал ее на Майорке, когда море стонало вокруг его виллы и соленые брызги летели в окна. Какое счастье, что у нас есть хоть одно неподражательное искусство! Играйте, играйте, Дориан, мне сегодня хочется музыки!.. Я буду воображать, что вы — юный Аполлон, а я — внимающий вам Марсий... У меня есть свои горести, Дориан, о которых я не говорю даже вам. Трагедия старости не в том, что человек стареет, а в том, что он душой остается молодым... Я иногда сам поражаюсь своей искренности. Ах, Дориан, какой вы счастливец! Как прекрасна ваша жизнь! Вы все изведали, всем упивались, вы смаковали сок виноградин, раздавливая их во рту. Жизнь ничего не утаила от вас. И все в ней вы воспринимали как музыку, поэтому она вас не испортила. Вы все тот же.

— Нет, Гарри, я уже не тот.

— А я говорю — тот. Интересно, какова будет ваша дальнейшая жизнь. Только не портите ее отречениями. Сейчас вы — совершенство. Смотрите же, не станьте человеком неполноценным. Сейчас вас не в чем упрекнуть. Не качайте головой, вы и сами знаете, что это так. И, кроме того, не обманывайте себя, Дориан: жизнью управляют не ваша

slowly built-up cells in which thought hides itself and passion has its dreams. You may fancy yourself safe and think yourself strong. But a chance tone of colour in a room or a morning sky, a particular perfume that you had once loved and that brings subtle memories with it, a line from a forgotten poem that you had come across again, a cadence from a piece of music that you had ceased to play — I tell you, Dorian, that it is on things like these that our lives depend. Browning writes about that somewhere; but our own senses will imagine them for us. There are moments when the odour of lilas blanc passes suddenly across me, and I have to live the strangest month of my life over again. I wish I could change places with you, Dorian. The world has cried out against us both, but it has always worshipped you. It always will worship you. You are the type of what the age is searching for, and what it is afraid it has found. I am so glad that you have never done anything, never carved a statue, or painted a picture, or produced anything outside of yourself! Life has been your art. You have set yourself to music. Your days are your sonnets."

Dorian rose up from the piano and passed his hand through his hair.

"Yes, life has been exquisite," he murmured, "but I am not going to have the same life, Harry. And you must not say these extravagant things to me. You

воля и стремления. Жизнь наша зависит от наших нервных волокон, от особенностей нашего организма, от медленно развивающихся клеток, где таятся мысли, где родятся мечты и страсти. Вы, допустим, воображаете себя человеком сильным и думаете, что вам ничто не угрожает. А между тем случайное освещение предметов в комнате, тон утреннего неба, запах, когда-то любимый вами и навеявший смутные воспоминания, строка забытого стихотворения, которое снова встретилось вам в книге, музыкальная фраза из пьесы, которую вы давно уже не играли, — вот от каких мелочей зависит течение нашей жизни, Дориан! Браунинг тоже где-то пишет об этом. И наши собственные чувства это подтверждают. Стоит мне, например, ощутить где-нибудь запах lilas blanc[1], — и я вновь переживаю один самый удивительный месяц в моей жизни. Ах, если бы я мог поменяться с вами, Дориан! Люди осуждали нас обоих, но вас они все-таки боготворят, всегда будут боготворить. Вы — тот человек, которого наш век ищет... и боится, что нашел. Я очень рад, что вы не изваяли никакой статуи, не написали картины, вообще не создали ничего вне себя. Вашим искусством была жизнь. Вы положили себя на музыку. Дни вашей жизни — это ваши сонеты.

Дориан встал из-за рояля и провел рукой по волосам.

— Да, жизнь моя была чудесна, но так жить я больше не хочу, — сказал он тихо. — И я не хочу больше слышать таких сумасбродных речей, Гарри!

[1] Белой сирени *(фр.).*

don't know everything about me. I think that if you did, even you would turn from me. You laugh. Don't laugh."

"Why have you stopped playing, Dorian? Go back and give me the nocturne over again. Look at that great, honey-coloured moon that hangs in the dusky air. She is waiting for you to charm her, and if you play she will come closer to the earth. You won't? Let us go to the club, then. It has been a charming evening, and we must end it charmingly. There is some one at White's who wants immensely to know you — young Lord Poole, Bournemouth's eldest son. He has already copied your neckties, and has begged me to introduce him to you. He is quite delightful and rather reminds me of you."

"I hope not," said Dorian with a sad look in his eyes. "But I am tired to-night, Harry. I shan't go to the club. It is nearly eleven, and I want to go to bed early."

"Do stay. You have never played so well as to-night. There was something in your touch that was wonderful. It had more expression than I had ever heard from it before."

"It is because I am going to be good," he answered, smiling. "I am a little changed already."

"You cannot change to me, Dorian," said Lord Henry. "You and I will always be friends."

"Yet you poisoned me with a book once. I should not forgive that. Harry, promise me that you will never lend that book to any one. It does harm."

Вы не все обо мне знаете. Если бы знали, то даже вы, вероятно, отвернулись бы от меня. Смеетесь? Ох, не смейтесь, Гарри!

— Зачем вы перестали играть, Дориан? Садитесь и сыграйте мне еще раз этот ноктюрн. Взгляните, какая большая, желтая, как мед, луна плывет в сумеречном небе. Она ждет, чтобы вы зачаровали ее своей музыкой, и под звуки ее она подойдет ближе к земле... Не хотите играть? Ну так пойдемте в клуб. Мы сегодня очень хорошо провели вечер, и надо кончить его так же. В клубе будет один молодой человек, который жаждет с вами познакомиться, — это лорд Пул, старший сын Борнмаута. Он уже копирует ваши галстуки и умоляет, чтобы я его познакомил с вами. Премилый юноша и немного напоминает вас.

— Надеюсь, что нет, — сказал Дориан, и глаза его стали печальны. — Я устал, Гарри, я не пойду в клуб. Скоро одиннадцать, а я хочу пораньше лечь.

— Не уходите еще, Дориан. Вы играли сегодня, как никогда. Ваша игра была как-то особенно выразительна.

— Это потому, что я решил исправиться, — с улыбкой промолвил Дориан. — И уже немного изменился к лучшему.

— Только ко мне не переменитесь, Дориан! Мы с вами всегда останемся друзьями.

— А ведь вы однажды отравили меня книгой, Гарри, — этого я вам никогда не прощу. Обещайте, что вы никому больше не дадите ее. Это вредная книга.

"My dear boy, you are really beginning to moralize. You will soon be going about like the converted, and the revivalist, warning people against all the sins of which you have grown tired. You are much too delightful to do that. Besides, it is no use. You and I are what we are, and will be what we will be. As for being poisoned by a book, there is no such thing as that. Art has no influence upon action. It annihilates the desire to act. It is superbly sterile. The books that the world calls immoral are books that show the world its own shame. That is all. But we won't discuss literature. Come round to-morrow. I am going to ride at eleven. We might go together, and I will take you to lunch afterwards with Lady Branksome. She is a charming woman, and wants to consult you about some tapestries she is thinking of buying. Mind you come. Or shall we lunch with our little duchess? She says she never sees you now. Perhaps you are tired of Gladys? I thought you would be. Her clever tongue gets on one's nerves. Well, in any case, be here at eleven."

"Must I really come, Harry?"

"Certainly. The park is quite lovely now. I don't think there have been such lilacs since the year I met you."

"Very well. I shall be here at eleven," said Dorian. "Good night, Harry." As he reached the door, he hesitated for a moment, as if he had something more to say. Then he sighed and went out.

— Дорогой мой, да вы и в самом деле становитесь моралистом! Скоро вы, как всякий новообращенный, будете ходить и увещевать людей не делать всех тех грехов, которыми вы пресытились. Нет, для этой роли вы слишком хороши! Да и бесполезно это. Какие мы были, такими и останемся. А «отравить» вас книгой я никак не мог. Этого не бывает. Искусство не влияет на деятельность человека — напротив, оно парализует желание действовать. Оно совершенно нейтрально. Так называемые «безнравственные» книги — это те, которые показывают миру его пороки, вот и все. Но давайте не будем сейчас затевать спор о литературе! Приходите ко мне завтра, Дориан. В одиннадцать я поеду кататься верхом, и мы можем покататься вместе. А потом я вас повезу завтракать к леди Бренксам. Эта милая женщина хочет посоветоваться с вами насчет гобеленов, которые она собирается купить. Так смотрите же, я вас жду!.. Или не поехать ли нам завтракать к нашей маленькой герцогине? Она говорит, что вы совсем перестали бывать у нее. Быть может, Глэдис вам наскучила? Я это предвидел. Ее остроумие действует на нервы. Во всяком случае, приходите к одиннадцати.

— Вы непременно этого хотите, Гарри?

— Конечно. Парк теперь чудо как хорош! Сирень там цветет так пышно, как цвела только в тот год, когда я впервые встретил вас.

— Хорошо, приду. Покойной ночи, Гарри.

Дойдя до двери, Дориан остановился, словно хотел еще что-то сказать. Но только вздохнул и вышел из комнаты.

Chapter XX

It was a lovely night, so warm that he threw his coat over his arm and did not even put his silk scarf round his throat. As he strolled home, smoking his cigarette, two young men in evening dress passed him. He heard one of them whisper to the other, "That is Dorian Gray." He remembered how pleased he used to be when he was pointed out, or stared at, or talked about. He was tired of hearing his own name now. Half the charm of the little village where he had been so often lately was that no one knew who he was. He had often told the girl whom he had lured to love him that he was poor, and she had believed him. He had told her once that he was wicked, and she had laughed at him and answered that wicked people were always very old and very ugly. What a laugh she had!—just like a thrush singing. And how pretty she had been in her cotton dresses and her large hats! She knew nothing, but she had everything that he had lost.

When he reached home, he found his servant waiting up for him. He sent him to bed, and threw himself down on the sofa in the library, and began to think over some of the things that Lord Henry had said to him.

Was it really true that one could never change? He felt a wild longing for the unstained purity of his boyhood — his rose-white boyhood, as Lord Henry had once called it. He knew that he had tarnished himself, filled his mind with corruption and given horror to his fancy; that he had been an evil influence to oth-

Глава XX

Был прекрасный вечер, такой теплый, что Дориан не надел пальто и нес его на руке. Он даже не обернул шею своим шелковым кашне. Когда он, куря папиросу, шел по улице, его обогнали двое молодых людей во фраках. Он слышал, как один шепнул другому: «Смотри, это Дориан Грей». И Дориан вспомнил, как ему раньше бывало приятно то, что люди указывали на него друг другу, глазели на него, говорили о нем. А теперь? Ему надоело постоянно слышать свое имя. И главная прелесть жизни в деревне, куда он в последнее время так часто ездил, была именно в том, что там его никто не знал. Девушке, которая его полюбила, он говорил, что он бедняк, и она ему верила. Раз он ей сказал, что в прошлом вел развратную жизнь, а она засмеялась и возразила, что развратные люди всегда бывают старые и безобразные. Какой у нее смех — совсем как пение дрозда! И как она прелестна в своем ситцевом платьице и широкополой шляпе! Она, простая, невежественная девушка, обладает всем тем, что он утратил.

Придя домой, Дориан отослал спать лакея, который не ложился, дожидаясь его. Потом вошел в библиотеку и лег на диван. Он думал о том, что ему сегодня говорил лорд Генри.

Неужели правда, что человек при всем желании не может измениться? Дориан испытывал в эти минуты страстную тоску по незапятнанной чистоте своей юности, «бело-розовой юности», как назвал ее однажды лорд Генри. Он сознавал, что загрязнил ее, растлил свою душу, дал отвратительную пищу

ers, and had experienced a terrible joy in being so; and that of the lives that had crossed his own, it had been the fairest and the most full of promise that he had brought to shame. But was it all irretrievable? Was there no hope for him?

Ah! in what a monstrous moment of pride and passion he had prayed that the portrait should bear the burden of his days, and he keep the unsullied splendour of eternal youth! All his failure had been due to that. Better for him that each sin of his life had brought its sure swift penalty along with it. There was purification in punishment. Not "Forgive us our sins' but "Smite us for our iniquities' should be the prayer of man to a most just God.

The curiously carved mirror that Lord Henry had given to him, so many years ago now, was standing on the table, and the white-limbed Cupids laughed round it as of old. He took it up, as he had done on that night of horror when he had first noted the change in the fatal picture, and with wild, tear-dimmed eyes looked into its polished shield. Once, some one who had terribly loved him had written to him a mad letter, ending with these idolatrous words: "The world is changed because you are made of ivory and gold. The curves of your lips rewrite history." The phrases came back to his memory, and he repeated them over and over to himself. Then he loathed his own beauty, and flinging the mirror on the floor, crushed it into silver splinters beneath his heel. It was his beauty that had ruined him, his beauty and the youth that he had prayed for. But for those two things, his life

воображению, что его влияние было гибельно для других, и это доставляло ему жестокое удовольствие. Из всех жизней, скрестившихся с его собственной, его жизнь была самая чистая и так много обещала — а он запятнал ее. Но неужели все это непоправимо? Неужели для него нет надежды?

О, зачем в роковую минуту гордыни и возмущения он молил небеса, чтобы портрет нес бремя его дней, а сам он сохранил неприкосновенным весь блеск вечной молодости! В ту минуту он погубил свою жизнь. Лучше было бы, если бы всякое прегрешение влекло за собой верное и скорое наказание. В каре — очищение. Не «Прости нам грехи наши», а «Покарай нас за беззакония наши» — вот какой должна быть молитва человека справедливейшему Богу.

На столе стояло зеркало, подаренное Дориану много лет назад лордом Генри, и белорукие купидоны по-прежнему резвились на его раме, покрытой искусной резьбой. Дориан взял его в руки — совсем как в ту страшную ночь, когда он впервые заметил перемену в роковом портрете, — и устремил на его блестящую поверхность блуждающий взор, затуманенный слезами. Однажды кто-то, до безумия любивший его, написал ему письмо, кончавшееся такими словами: «Мир стал иным, потому что в него пришли вы, созданный из слоновой кости и золота. Изгиб ваших губ переделает заново историю мира». Эти идолопоклоннические слова вспомнились сейчас Дориану, и он много раз повторил их про себя. Но в следующую минуту ему стала противна собственная красота, и, швырнув зеркало на пол, он раздавил его каблуком на серебряные осколки.

might have been free from stain. His beauty had been to him but a mask, his youth but a mockery. What was youth at best? A green, an unripe time, a time of shallow moods, and sickly thoughts. Why had he worn its livery? Youth had spoiled him.

It was better not to think of the past. Nothing could alter that. It was of himself, and of his own future, that he had to think. James Vane was hidden in a nameless grave in Selby churchyard. Alan Campbell had shot himself one night in his laboratory, but had not revealed the secret that he had been forced to know. The excitement, such as it was, over Basil Hallward's disappearance would soon pass away. It was already waning. He was perfectly safe there. Nor, indeed, was it the death of Basil Hallward that weighed most upon his mind. It was the living death of his own soul that troubled him. Basil had painted the portrait that had marred his life. He could not forgive him that. It was the portrait that had done everything. Basil had said things to him that were unbearable, and that he had yet borne with patience. The murder had been simply the madness of a moment. As for Alan Campbell, his suicide had been his own act. He had chosen to do it. It was nothing to him.

A new life! That was what he wanted. That was what he was waiting for. Surely he had begun it already. He had spared one innocent thing, at any rate. He would never again tempt innocence. He would be good.

Эта красота его погубила, красота и вечная молодость, которую он себе вымолил! Если бы не они, его жизнь была бы чиста. Красота оказалась только маской, молодость — насмешкой. Что такое молодость в лучшем случае? Время незрелости, наивности, время поверхностных впечатлений и нездоровых помыслов. Зачем ему было носить ее наряд? Да, молодость его погубила.

Лучше не думать о прошлом. Ведь ничего теперь не изменишь. Надо подумать о будущем. Джеймс Вэйн лежит в безымянной могиле на кладбище в Селби. Алан Кэмпбел застрелился ночью в лаборатории и не выдал тайны, которую ему против воли пришлось узнать. Толки об исчезновении Бэзила Холлуорда скоро прекратятся, волнение уляжется — оно уже идет на убыль. Значит, никакая опасность ему больше не грозит. И вовсе не смерть Бэзила Холлуорда мучила и угнетала Дориана, а смерть его собственной души, мертвой души в живом теле. Бэзил написал портрет, который испортил ему жизнь, — и Дориан не мог простить ему этого. Ведь всему виной портрет! Кроме того, Бэзил наговорил ему недопустимых вещей — и он стерпел это... А убийство? Убийство он совершил в минуту безумия. Алан Кэмпбел? Что из того, что Алан покончил с собой? Это его личное дело, такова была его воля. При чем же здесь он, Дориан?

Новая жизнь! Жизнь, начатая сначала, — вот чего хотел Дориан, вот к чему стремился. И уверял себя, что она уже началась. Во всяком случае, он пощадил невинную девушку. И никогда больше не будет соблазнять невинных. Он будет жить честно.

As he thought of Hetty Merton, he began to wonder if the portrait in the locked room had changed.
Surely it was not still so horrible as it had been? Perhaps if his life became pure, he would be able to expel
every sign of evil passion from the face. Perhaps the
signs of evil had already gone away. He would go and
look.

He took the lamp from the table and crept upstairs. As he unbarred the door, a smile of joy flitted
across his strangely young-looking face and lingered
for a moment about his lips. Yes, he would be good,
and the hideous thing that he had hidden away would
no longer be a terror to him. He felt as if the load had
been lifted from him already.

He went in quietly, locking the door behind him,
as was his custom, and dragged the purple hanging from the portrait. A cry of pain and indignation broke from him. He could see no change, save
that in the eyes there was a look of cunning and in
the mouth the curved wrinkle of the hypocrite. The
thing was still loathsome — more loathsome, if possible, than before — and the scarlet dew that spotted
the hand seemed brighter, and more like blood newly
spilled. Then he trembled. Had it been merely vanity
that had made him do his one good deed? Or the desire for a new sensation, as Lord Henry had hinted,
with his mocking laugh? Or that passion to act a part
that sometimes makes us do things finer than we are
ourselves? Or, perhaps, all these? And why was the
red stain larger than it had been? It seemed to have
crept like a horrible disease over the wrinkled fingers.

Вспомнив о Гетти Мертон, он подумал: а пожалуй, портрет в запертой комнате уже изменился к лучшему? Да, да, наверное, он уже не так страшен, как был. И если жизнь его, Дориана, станет чистой, то, быть может, всякий след пороков и страстей изгладится с лица портрета? А вдруг эти следы уже и сейчас исчезли? Надо пойти взглянуть.

Он взял со стола лампу и тихонько пошел наверх. Когда он отпирал дверь, радостная улыбка пробежала по его удивительно молодому лицу и осталась на губах. Да, он станет другим человеком, и этот мерзкий портрет, который приходится теперь прятать от всех, не будет больше держать его в страхе. Он чувствовал, что с души наконец свалилась страшная тяжесть.

Он вошел, тихо ступая, запер за собой дверь, как всегда, и сорвал с портрета пурпурное покрывало. Крик возмущения и боли вырвался у него. Никакой перемены! Только в выражении глаз было теперь что-то хитрое, да губы кривила лицемерная усмешка. Человек на портрете был все так же отвратителен, отвратительнее прежнего, и красная влага на его руке казалась еще ярче, еще более была похожа на свежепролитую кровь. Дориан задрожал. Значит, только пустое тщеславие побудило его совершить единственное в его жизни доброе дело? Или жажда новых ощущений, как с ироническим смехом намекнул лорд Генри? Или стремление порисоваться, которое иногда толкает нас на поступки благороднее нас самих? Или все это вместе? А почему кровавое пятно стало больше? Оно расползлось по морщинистым пальцам, распространилось

There was blood on the painted feet, as though the thing had dripped — blood even on the hand that had not held the knife. Confess? Did it mean that he was to confess? To give himself up and be put to death?

He laughed. He felt that the idea was monstrous. Besides, even if he did confess, who would believe him? There was no trace of the murdered man anywhere. Everything belonging to him had been destroyed. He himself had burned what had been below-stairs. The world would simply say that he was mad. They would shut him up if he persisted in his story... Yet it was his duty to confess, to suffer public shame, and to make public atonement. There was a God who called upon men to tell their sins to earth as well as to heaven. Nothing that he could do would cleanse him till he had told his own sin. His sin? He shrugged his shoulders. The death of Basil Hallward seemed very little to him. He was thinking of Hetty Merton. For it was an unjust mirror, this mirror of his soul that he was looking at. Vanity? Curiosity? Hypocrisy? Had there been nothing more in his renunciation than that? There had been something more. At least he thought so. But who could tell?..

No. There had been nothing more. Through vanity he had spared her. In hypocrisy he had worn the mask of goodness. For curiosity's sake he had tried the denial of self. He recognized that now.

But this murder — was it to dog him all his life? Was he always to be burdened by his past? Was he really to confess? Never. There was only one bit of

подобно какой-то страшной болезни... Кровь была и на ногах портрета — не капала ли она с руки? Она была и на другой руке, той, которая не держала ножа, убившего Бэзила. Что же делать? Значит, ему следует сознаться в убийстве? Сознаться? Отдаться в руки полиции, пойти на смерть?

Дориан рассмеялся. Какая дикая мысль! Да если он и сознается, кто ему поверит? Нигде не осталось следов, все вещи убитого уничтожены, — он, Дориан, собственноручно сжег все, что оставалось внизу, в библиотеке. Люди решат, что он сошел с ума. И, если он будет упорно обвинять себя, его запрут в сумасшедший дом... Но ведь долг велит сознаться, покаяться перед всеми, понести публичное наказание, публичный позор. Есть Бог, и он требует, чтобы человек исповедовался в грехах своих перед небом и землей. И ничто не очистит его, Дориана, пока он не сознается в своем преступлении... Преступлении? Он пожал плечами. Смерть Бэзила Холлуорда утратила в его глазах всякое значение. Он думал о Гетти Мертон. Нет, этот портрет, это зеркало его души, лжет! Самолюбование? Любопытство? Лицемерие? Неужели ничего, кроме этих чувств, не было в его самоотречении? Неправда, было нечто большее! По крайней мере, так ему казалось. Но кто знает?..

Нет, ничего другого не было. Он пощадил Гетти только из тщеславия. В своем лицемерии надел маску добродетели. Из любопытства попробовал поступить самоотверженно. Сейчас он это ясно понимал.

А это убийство? Что же, оно так и будет его преследовать всю жизнь? Неужели прошлое будет вечно тяготеть над ним? Может, в самом деле сознаться?..

evidence left against him. The picture itself — that was evidence. He would destroy it. Why had he kept it so long? Once it had given him pleasure to watch it changing and growing old. Of late he had felt no such pleasure. It had kept him awake at night. When he had been away, he had been filled with terror lest other eyes should look upon it. It had brought melancholy across his passions. Its mere memory had marred many moments of joy. It had been like conscience to him. Yes, it had been conscience. He would destroy it.

He looked round and saw the knife that had stabbed Basil Hallward. He had cleaned it many times, till there was no stain left upon it. It was bright, and glistened. As it had killed the painter, so it would kill the painter's work, and all that that meant. It would kill the past, and when that was dead, he would be free. It would kill this monstrous soul-life, and without its hideous warnings, he would be at peace. He seized the thing, and stabbed the picture with it.

There was a cry heard, and a crash. The cry was so horrible in its agony that the frightened servants woke and crept out of their rooms. Two gentlemen, who were passing in the square below, stopped and looked up at the great house. They walked on till they met a policeman and brought him back. The man rang the bell several times, but there was no answer. Except for a light in one of the top windows, the house was all dark. After a time, he went away and stood in an adjoining portico and watched.

Нет, ни за что! Против него есть только одна-единственная — и то слабая — улика: портрет. Так надо уничтожить его! И зачем было так долго его хранить? Прежде ему нравилось наблюдать, как портрет вместо него старится и дурнеет, но в последнее время он и этого удовольствия не испытывает. Портрет не дает ему спокойно спать по ночам. И, уезжая из Лондона, он все время боится, как бы в его отсутствие чужой глаз не подсмотрел его тайну. Мысль о портрете отравила ему не одну минуту радости, омрачила меланхолией даже его страсти. Портрет этот — как бы его совесть. Да, совесть. И надо его уничтожить.

Дориан осмотрелся и увидел нож, которым он убил Бэзила Холлуорда. Он не раз чистил этот нож, и на нем не осталось ни пятнышка, он так и сверкал. Этот нож убил художника — так пусть же он сейчас убьет и его творение, и все, что с ним связано. Он убьет прошлое, и, когда прошлое умрет, Дориан Грей будет свободен! Он покончит со сверхъестественной жизнью души в портрете, и когда прекратятся эти зловещие предостережения, он вновь обретет покой. Дориан схватил нож и вонзил его в портрет.

Раздался громкий крик и стук от падения чего-то тяжелого. Этот крик смертной муки был так ужасен, что проснувшиеся слуги в испуге выбежали из своих комнат. А два джентльмена, проходившие на площади, остановились и посмотрели на верхние окна большого дома, откуда донесся крик. Потом пошли искать полисмена и, встретив его, привели к дому. Полисмен несколько раз позвонил, но на звонок никто не вышел. Во всем доме было темно, светилось только одно окно наверху. Подождав не-

"Whose house is that, Constable?" asked the elder of the two gentlemen.

"Mr. Dorian Gray's, sir," answered the policeman.

They looked at each other, as they walked away, and sneered. One of them was Sir Henry Ashton's uncle.

Inside, in the servants' part of the house, the half-clad domestics were talking in low whispers to each other. Old Mrs. Leaf was crying and wringing her hands. Francis was as pale as death.

After about a quarter of an hour, he got the coachman and one of the footmen and crept upstairs. They knocked, but there was no reply. They called out. Everything was still. Finally, after vainly trying to force the door, they got on the roof and dropped down on to the balcony. The windows yielded easily — their bolts were old.

When they entered, they found hanging upon the wall a splendid portrait of their master as they had last seen him, in all the wonder of his exquisite youth and beauty. Lying on the floor was a dead man, in evening dress, with a knife in his heart. He was withered, wrinkled, and loathsome of visage. It was not till they had examined the rings that they recognized who it was.

много, полисмен отошел от двери и занял наблюдательный пост на соседнем крыльце.

— Чей это дом, констебль? — спросил старший из двух джентльменов.

— Мистера Дориана Грея, сэр, — ответил полицейский.

Джентльмены переглянулись, презрительно усмехаясь, и пошли дальше. Один из них был дядя сэра Генри Эштона.

А в доме, на той половине, где спала прислуга, тревожно шептались полуодетые люди. Старая миссис Лиф плакала и ломала руки. Фрэнсис был бледен как смерть.

Прождав минут пятнадцать, он позвал кучера и одного из лакеев, и они втроем на цыпочках пошли наверх. Постучали, но никто не откликнулся. Они стали громко звать Дориана. Но все было безмолвно наверху. Наконец, после тщетных попыток взломать дверь, они полезли на крышу и спустились оттуда на балкон. Окна легко поддались, — задвижки были старые.

Войдя в комнату, они увидели на стене великолепный портрет своего хозяина во всем блеске его дивной молодости и красоты. А на полу с ножом в груди лежал мертвый человек во фраке. Лицо у него было морщинистое, увядшее, отталкивающее. И только по кольцам на руках слуги узнали, кто это.

УДК 821.111-31
ББК 84(4Вел)-44
У13

Oscar Wilde

THE PICTURE OF DORIAN GRAY

Перевод с английского *М. Абкиной*

Оформление серии *Н. Ярусовой*

Уайльд, Оскар.

У13   Портрет Дориана Грея = The Picture of Dorian Gray / Оскар Уайльд ; [пер. с англ. М. Абкиной]. — Москва : Эксмо, 2019. — 640 с.

Текст парал. рус. англ.

ISBN 978-5-04-099313-0

«Король афоризма» и мастер парадокса, известнейший денди и герой своего времени Оскар Уайльд — удивительно многогранный автор. Его единственный роман, ставший причиной скандала сразу после публикации, по сей день остается бестселлером. Его пьесы пользуются неизменным успехом благодаря тонкому юмору автора, блестяще прописанным диалогам и оригинальным сюжетам. В его сказках игра слов и точные бытовые наблюдения делают глубокие гуманистические идеи еще более выразительными. Его самое известное эссе было написано в тюрьме, а его стихотворения по праву вошли в сокровищницу британской поэзии.

Любовь к оригинальности, неподражаемый юмор и острая наблюдательность удивительно органично переплетаются в произведениях Оскара Уайльда с культом красоты, любви, добра и гуманизма.

УДК 821.111-31
ББК 84(4Вел)-44

ISBN 978-5-04-099313-0